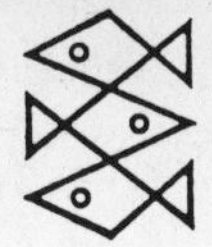

D1225751

Über dieses Buch Zu den zähesten wissenschaftshistorischen Legenden gehört die Vorstellung, Freud habe um die Jahrhundertwende das Unbewußte »entdeckt«. Gewiß hat Freud bisweilen seine theoretischen Quellen verschwiegen, und einige waren ihm wohl selbst »unbewußt« – doch aus unserer heutigen Kenntnis des 19. Jahrhunderts, der Geschichte von Philosophie, Psychologie und Literatur und ihren vielfachen wechselseitigen Verschränkungen ist dieser Entdeckungsmythos nicht mehr haltbar.

Die von Lütkehaus zusammengestellten Texte zeigen anschaulich, wie ein allmählicher Enthüllungsprozeß zu der uns heute vertrauten Vorstellung unbewußter seelischer Vorgänge führte. Dieser Prozeß arbeitete mit Indizien: Träume, Fehlleistungen, die »Enge des Bewußtseins«, Ich-Spaltung, körperliche Reaktionen und anderes verwiesen deutlich genug auf etwas »Dahinterliegendes«. Doch nur auf verschlungenen Umwegen näherte man sich einem Modell, das *alle* diese Vorgänge erklären konnte.

Die Einleitung des Herausgebers skizziert die methodischen Probleme, die Vorgeschichte und die Geschichte jener allmählichen Enthüllung, deren letzte Phase sich dann wesentlich im deutschsprachigen Raum des 19. Jahrhunderts abspielte. Auf diese Phase konzentriert sich die vorliegende Auswahl: Texte von Schelling, Jean Paul, Schopenhauer, Carus, Fechner, von Hartmann, Nietzsche und anderen dokumentieren eindrucksvoll den weiten Weg ins ›innere Afrika‹.

Der Herausgeber Ludger Lütkehaus, geb. 1943, hat als Dozent für Neuere Germanistik und Visiting Professor für deutsche Geistes- und Kulturgeschichte des 19. Jahrhunderts an den Universitäten London, Freiburg i. Br., Siegen und an der Emory University, Atlanta/USA, gelehrt. Heute lebt er als freier wissenschaftlicher Publizist in Freiburg i. Br. Zuletzt edierte er das Werk Schopenhauers nach den Ausgaben letzter Hand (Zürich 1988).

»Dieses wahre innere Afrika«

Texte zur Entdeckung des Unbewußten vor Freud

Herausgegeben und eingeleitet
von Ludger Lütkehaus

Fischer Taschenbuch Verlag

Für Traute

Veröffentlicht im Fischer Taschenbuch Verlag GmbH,
Frankfurt am Main, September 1989

Umschlaggestaltung: Buchholz/Hinsch/Hensinger
Umschlagabbildung: Henri Rousseau,
Der Traum, 1910 (Ausschnitt)
Gesamtherstellung: Clausen & Bosse, Leck
ISBN 3-596-26582-7

Inhalt

Einleitung

Ein Jahr vor Ausbruch der Französischen Revolution wird in London die ›Association for promoting the discovery of the interior of Africa‹ gegründet, mit der die systematische wissenschaftliche Erforschung des inneren Afrika beginnt. Doch lange bevor sie ihre verschiedenen »Probleme«, das Nil-, das Niger-, das Sambesi-, das Kongo-Problem löst, stoßen Philosophen, Poeten, Mediziner, Psychiater, Psychologen in jenes »wahre innere Afrika« vor, als das Jean Pauls Opus postumum *Selina* das »ungeheure Reich des Unbewußten« imaginiert. Immer wieder kreist Jean Pauls Metaphernkosmos um den üppigen Reichtum, die Gluthitze, die unergründliche Tiefe und Größe dieses Reiches, von dem wir »viel zu kleine oder enge Messungen« machen. Und wie Jean Paul versuchen zahlreiche weitere »nach innen« aufbrechende Forschungsreisende: Entdecker, Landvermesser, Kartographen und Kolonisatoren, zu erkunden, was sich in den Abgründen des »inneren Afrika« verbirgt.

Diese Metapher, die in der Entdeckungsgeschichte des Unbewußten mitsamt dem zugehörigen Metaphernfeld des Dunklen, Heißen, Gefährlichen und Vielversprechenden bemerkenswert oft wiederkehrt, wird man ebenso suggestiv wie adäquat nennen können, was die Dimension und die »Natur« dieses nach Jean Paul doppelt »ungeheuren«, nämlich riesigen und unheimlichen Reiches betrifft. Zugleich ist sie indessen als geographische, explorative und *koloniale* Metapher nicht von dem realhistorischen Kontext zu trennen, in dem sie steht. Die Tatsache, daß Jean Pauls Denken – und nicht bloß das seine, das ansonsten dem Ideologieverdacht nur wenig Nahrung gibt – geradezu obsessiv, nicht nur wortspielerisch, um den »Länderreichtum des Ich«, um den ungeheuren Reichtum dieses Reiches kreist, legt zumindest explorativ die Frage nahe, ob die Entdeckungsgeschichte des Unbewußten nicht auch als innerer Kolonisierungs-, Aneignungs-, womöglich Enteignungsprozeß zu verstehen ist. Die Erforschung des »inneren Afrika«: sollte sie am Ende gar ebensosehr von »kolonialen« Motiven bestimmt gewesen sein wie umgekehrt die reale Reise ins »Herz der Finsternis« gewiß nicht nur eine von Elfenbeinhändlern und Sklavenjägern, sondern auch eine ins eigene Innere gewesen ist? Bemerkenswert genug zumindest und keineswegs bloß ein Topos, daß sich noch Freud gerne als Konquistador des Unbewußten, als dessen Kolonisator versteht.

Wir lassen diese Frage im folgenden auf sich beruhen. Die Kontinuität der Bilder freilich ist offensichtlich – etwa, wenn Freud den Inhalt des Unbewußten mit einer »psychischen Urbevölkerung« vergleicht (*Gesammelte Werke*, London 1946, Bd. X, S. 294) oder bei dem Versuch, das undurchsichtige »Geschlechtsleben des erwachsenen Weibes« zu erkunden, beschämenderweise auf einen »*dark continent* für die Psychologie« stößt (*GW* XIV, S. 241) – die beiden amerikanischen Kritiker, die der Psychoanalyse zu Anfang dieses Jahrhunderts »a return to darkest Africa« vorwarfen[1], wußten gewiß nicht, wie nahe sie damit der Wahrheit kamen. Und offensichtlich ist auch, daß wir von der Zahl der vorfreudianischen Forschungsreisenden ins »innere Afrika« und dem Reichtum ihrer Entdeckungen »viel zu kleine oder enge Messungen« zu machen pflegen. 1900 jedenfalls, als Freud in der *Traumdeutung* sein erstes, »topisches« Modell des Unbewußten skizziert; 1923 ohnehin, als das »Es« in seinem nun »strukturellen« Modell der Psyche den wesentlichsten, wiewohl keineswegs den einzigen Erdteil des vormaligen »Systems Ubw« ausmacht, da stellt er für die Entdeckungsgeschichte des Unbewußten weniger einen Anfangs- als einen End- und allerdings auch einen Höhepunkt dar.

Die folgende Sammlung dokumentiert unter der titelgebenden Metapher Jean Pauls zum ersten Mal detailliert und umfassend die letzte und wichtigste vorfreudianische Phase dieser Entdeckungsgeschichte: das Jahrhundert zwischen Schellings *System des transscendentalen Idealismus* von 1800 und der *Traumdeutung* von 1900. Freuds deskriptiver, dynamischer und systemischer Begriff des Unbewußten und sein »topisches« bzw. »strukturelles« Modell des Unbewußten, nicht die nachfolgenden Sezessionen und Schulen, die Jungs, Adlers, Reichs, Szondis..., markieren dabei den wissenschaftshistorischen terminus ante quem; die deutschsprachige Philosophie des 19. Jahrhunderts den Rahmen, innerhalb dessen sich die Dokumentation bewegt. Er ist zu begründen – und zu relativieren. Bevor das aber geschieht und die wichtigsten Etappen dieser Entdeckungsgeschichte sowie einige ihrer Probleme skizziert werden, sind die Ziele wenigstens kurz zu umreißen, die die Regression auf ihre früheren Stadien, die Mühsal und das Risiko erneuter innerafrikanischer Explorationen motivieren können. Und das heißt natürlich auch, daß en passant etwas über die polemischen Energien zu sagen ist, die die gegenwärtige, schon afrikanisch hitzige Debatte über die Vorgänger des angeblichen »Nachdenkers« Freud bewegen.

Freud selber hat gelegentlich vermerkt, daß die entstehende Psychoanalyse bei ihren Expeditionen zur Erforschung des Unbewußten öfters wieder »in den Hafen der Philosophie« eingelaufen ist. *Jenseits des Lustprinzips* etwa kann er sich »nicht verhehlen«, daß er sich »unversehens« bei der »Philosophie *Schopenhauers*« angekommen findet (*GW* XIII, S. 53). Und als er bei dem Versuch, über die Rezeptionsschwierigkeiten der Psychoanalyse nachzudenken, seine berühmt gewordene Theorie von den drei großen narzißtischen Kränkungen in der Wissenschaftsgeschichte der Menschheit entwickelt, da nennt er neben der kosmologischen, die mit »Namen und Werk des Nik. *Kopernikus*« verknüpft ist, aber bereits mit den Pythagoräern und Aristarch beginnt; neben der biologischen Kränkung, die wir »Ch. *Darwin*, seinen Mitarbeitern und Vorgängern« zu verdanken haben, als dritte die psychologische, die indessen, näher besehen, philosophischer Herkunft ist. Daß »*das Ich nicht Herr sei in seinem eigenen Haus*«, vielmehr nur ein dürftig informierter Pseudo-Souverän, dessen angemaßter Herrschaft sich die vermeintlichen Untertanen in den Tiefen des unbewußten Seelenlebens allemal entziehen – diese »peinliche« Entdeckung haben »namhafte Philosophen als Vorgänger« zuerst gemacht, »vor allen der große Denker *Schopenhauer*, dessen unbewußter ›Wille‹ den seelischen Trieben der Psychoanalyse gleichzusetzen ist« und der außerdem noch die Freiheit hatte, »in Worten von unvergeßlichem Nachdruck die Menschen an die immer noch unterschätzte Bedeutung ihres Sexualstrebens« zu mahnen. Und Freud weiß: Schopenhauers berühmten Namen vermeiden noch scheu die Widerstände und Abneigungen, die die Psychoanalyse um so zuverlässiger treffen (*GW* XII, S. 12). Mit anderen Worten, und zwar so pointierten, wie sie dieses Bekenntnis Freuds verdient: *Die Tiefenpsychologie beginnt als Tiefenphilosophie*.

Nicht immer jedoch war Freud so explizite zur Anerkennung geneigt wie hier. Gewiß hat er neben Schopenhauer noch etliche andere philosophische Autoren genannt: Nietzsche, Fechner, Lipps, Volkelt, von Hartmann, Herbart, Dessoir, I. H. Fichte, du Prel, K. Fischer, Maine de Biran, Schelling, G. H. Schubert, F. Th. Vischer, Schleiermacher, Brentano... Aber schon bei den Treffen der Wiener Psychoanalytischen Vereinigung mußte er sich öfters von Rank, Adler, Sachs, Juliusburger, Wittels, Hitschmann... darauf hinweisen lassen, daß sein Ahnenreichtum weitaus größer, seine sachliche Priorität nicht ganz so groß war, wie er es geglaubt haben mochte. Die Protokolle der Wiener

Vereinigung bieten Belege dafür zuhauf.[2] Die geistesgeschichtliche Forschung hat inzwischen zahlreiche weitere beigebracht[3] (von der Publikation der Briefe an den Schulfreund Eduard Silberstein sind wichtige Ergänzungen zu erwarten). Und in den letzten Jahren – die enragierte Debatte in der Zeitschrift *Psyche* über »die Herkunft des Es«[4] oder eine ebenso gelehrte wie kuriose Monographie, die Freud schlicht als den schon zitierten »Nachdenker« Schopenhauers und Nietzsches enttarnt[5], liefern hier die jüngsten Beispiele – erfreut sich die philosophisch-psychologische Spurensuche einer schon auffälligen Beliebtheit, verspricht es den Nachwachsenden doch offenbar ein Plaisir sondergleichen, dem vorgeblichen Urvater der Psychoanalyse die Groß- und Urgroßväter gleich scharenweise zu verschreiben.

Dieses Plaisir muß man nicht teilen: Nur die Göttin Athene ist dem Haupte des Zeus komplett entsprungen; für den ausgesetzten Ödipus ist es unvermeidlich, daß er König Laios nicht kennt und nicht nennt. Ohne mythologische Metapher: In allen Prioritätsfragen ist produktive Naivität durchaus unumgänglich. Wer bei Beginn seiner Arbeit immer schon wüßte, was alles bereits vor ihm erarbeitet worden ist, der finge nie zu arbeiten an.

Freilich ändert das nichts daran, daß es auch in der revolutionärsten Psychoanalyse nichts Neues unter der Sonne gibt, ist doch selbst die *Klage*, daß es nichts Neues unter der Sonne gibt – wenn es denn eine Klage sein muß – uralt: Sie geht weit über den traurigen Prediger Salomo auf den noch traurigeren ägyptischen Seher Cha-scho-pere-seneb aus der 18. Dynastie zurück. Hätte Freud sie mit der ihm heute abverlangten Einsicht im Jahre der *Traumdeutung* erhoben, so wäre sie nicht weniger als 3800 Jahre alt gewesen...

Ganz so katastrophal steht es mit der Entdeckungsgeschichte des Unbewußten nicht: Hier werden uns – und Freud – immerhin einige Jahrhunderte weniger als mildernder Umstand gewährt. Allerdings führt auch hier der konsequent verfolgte entdeckungsgeschichtliche Weg erheblich weiter zurück und auch erheblich mehr in die Weite, als es dem Wissenschaftshistoriker lieb sein mag. Die Hoffnung, mit Freuds eigener Spurensuche bei Schopenhauer enden zu können, so zentral er und sein Jahrhundert für die Entdeckungsgeschichte des Unbewußten und dementsprechend für diese Sammlung sind, erweist sich als ebenso illusionär wie die, im 18. Jahrhundert, bei Wolff, Crusius, Baumgarten, Sulzer, Platner, Lichtenberg, Lessing, Hamann, Herder, Kant, Goethe, Moritz... oder zuvor etwa bei Leibniz einhalten zu können. Am Ende, sicherlich wiederum nur einem vorläufigen Ende, kommt man über diverse Zwischenstufen: Kepler, Paracelsus, die Mystik, den Neuplatonismus, Platon, zumindest bei Heraklit, im außereuropäischen Bereich bei den Upanishaden an.

Damit ist auch schon angezeigt, daß eine umfassende Exploration keine eurozentrischen, schon gar keine nationalen Grenzen kennen kann. Bei aller Bedeutung, die die deutschsprachige Philosophie und Literatur in dieser Hinsicht hat (Nietzsche trägt dem in seiner – allerdings ambivalenten – Antwort auf die Frage nach dem spezifisch Deutschen an der Entdeckungsgeschichte des Unbewußten Rechnung), wäre es eine eindrucksvolle Demonstration historischer Bewußtlosigkeit, wenn man dieser Tradition, etwa ob ihrer bekannten Innerlichkeit, eine singuläre Rolle zuschreiben wollte. Das hat in der jüngeren deutschen Vergangenheit die in Reichsdeutschland verbliebene Psychologie, die »deutsche Seelenheilkunde«, versucht, der es im übrigen wie C. G. Jung darauf ankam, dem Juden Freud das »arische Unbewusste« zu entreißen – mit durchaus kläglichem Erfolg. Die aus anglo-amerikanischer Perspektive geschriebenen Standardwerke von Ellenberger und Whyte zeigen hinlänglich deutlich einen ganz anderen Rahmen. Wenn das Unbewußte nach jüngeren postfreudianischen Erkenntnissen wie eine Sprache strukturiert ist, so spricht es auf jeden Fall im Laufe seiner philosophischen Entdeckungsgeschichte mehrere Sprachen: Es ist allemal polylingual-polymorph »kodiert« ...

Last, but not least ist natürlich auch daran zu erinnern, wie sehr das historische Untersuchungsfeld durch die Vielzahl der wissenschaftlichen Disziplinen, der kulturellen Fakultäten erweitert wird, die komplementär zu Freuds philosophisch-psychologischer Kränkungsgeschichte an der Entdeckung des Unbewußten beteiligt sind. Es genügt hier, auf die Internationale des Mesmerismus, auf die französische Psychiatrie, die pietistische Psycho-Theologie, die Psychophysik, die Psychosomatik seit Paracelsus und Georg Ernst Stahl zu verweisen. In der Abwandlung eines berühmten Marx-Wortes ließe sich grob simplifizierend formulieren: Wenn sich idealistische deutsche Philosophie, französische Politik und englische Ökonomie zum historischen und dialektischen Materialismus verbunden haben, dann zur psychoanalytischen Entdeckung des Unbewußten wenigstens deutsche (aber auch englische, französische, italienische) Philosophie, französische (aber auch angloamerikanische und deutsche) Psychiatrie und die schon gar nicht mehr national einzugrenzende Literatur und Kunst. Tief ist bekanntlich der »Brunnen der Vergangenheit«, sogar so tief, daß man Gefahr läuft, ihn nicht nur »unergründlich« zu finden, sondern sich auch, wissenschaftshistorisch kopflos geworden, ohne Verzug in ihn zu stürzen. Am besten wird man wohl daran tun, sich vor der endgültigen Verzweiflung in die Mysterien der hinduistischen Mythologie oder auch eine nicht weniger mysteriöse modernere Disziplin wie die von Freud mitbetriebene Otsogistik (»*O*n *t*he *s*houlders *o*f *g*iants...«) zu retten: Die Erde ruht auf einem Elefanten, der Elefant auf einer Schildkröte, worauf aber die Schildkröte? Oder eben otsogistisch in umgekehrter Linie: Auf den Schultern der Riesen stehen die Zwerge, auf deren Köpfen wiederum allerlei Kleintier sein Wesen treibt...

Beschränkung tut also not – auch für diese Sammlung. Freud sollen hier schon gar nicht ein weiteres Mal klagend, anklagend oder gar triumphierend seine sachlichen Posterioritäten vorgerechnet werden. In der komparatistischen Perspektive, die die folgenden Texte – natürlich keineswegs nur, aber auch – ermöglichen sollen, kommt es vielmehr darauf an, in Übereinstimmung mit Freuds früher, hernach verdrängter, aber immer spürbar bleibender Neigung zur Philosophie die Nähe seiner Metapsychologie zur philosophischen Tradition sichtbar werden zu lassen – jener Metapsychologie, die nach Freuds Selbstverständnis eine »hinter das Bewußtsein führende Psychologie« ist und die Metaphysik, der sie sich terminologisch nachbildet, in die Psychologie des Unbewußten zurückübersetzt (*GW* IV, 288). »Metapsychologie« meint dabei, ohne schon einen explizit metasprachlichen oder metatheoretischen Sinn als Sprache bzw. Theorie zweiter Stufe zu haben, einerseits *in Analogie* zur Meta-Physik eine Wissenschaft von den psychologisch ersten und letzten Dingen, andererseits das *Gegenbild* zur Metaphysik, die sie aufhebt: gleichsam ihr Diesseits, indem sie ins Jenseits des Bewußtseins führt.

Dabei muß es durchaus nicht gegen Freud sprechen, wenn die – kritische – Nähe der Tiefenpsychologie zur Tiefenphilosophie deutlich wird. Anders als das bereits erwähnte Nachdenken über den »Nachdenker« Freud es unterstellt, ist die Verwurzelung seiner Metapsychologie in der psychologischen Philosophie Schopenhauers oder Nietzsches wohl kaum ehrenrührig. Und es muß wahrhaftig genausowenig gegen die Philosophie Schopenhauers oder Nietzsches sprechen, wenn man Freuds Metapsychologie als ihre produktive Aneignung versteht.

Solche philosophisch-psychologische Komparatistik mit ihren diversen Ahnentafeln, Vaterschaftsnachweisen, Kindschaftszeugnissen oder wie auch immer die Erbschaft, die Mitgift, die »hereditäre Disposition« der Geistesgeschichte nach unseren Familienbildern gefaßt werden mag, bleibt freilich allemal problematisch. Sie läuft Gefahr, vor lauter Vor- und Nachläufern, in der ewigen Wiederkehr des und der Gleichen, die nur abgründig schlichte Gemüter nicht langweilen wird, das Divergente zu vergessen und dem Identitätsprinzip die spezifische

Differenz zu opfern. Dem Menschen, nicht nur dem Bildungsbürger, ist nach Thomas Mann am Wiedererkennen gelegen – dem kleinfamilial sozialisierten Wissenschaftshistoriker, der heute den Begriff des Unbewußten nahezu mit der Muttermilch aufnimmt, könnte nur allzusehr daran gelegen sein. So muß er sich vor Rückprojektionen auf die »tabula rasa« oder besser: »nigra« des »inneren Afrika« hüten, auch wenn ihm das die vielversprechende Aussicht auf einen geglückten wissenschaftshistorischen Inzest nimmt.

Neben der komparatistischen ist also die kontrastive, die verfremdende Absicht dieser Sammlung von Anfang an zu betonen. Freud ist ebensowenig der Schopenhauer oder Nietzsche der Psychologie wie Schopenhauer oder Nietzsche die Freuds der Philosophie sind. Daß die diagnostischen und therapeutischen Absichten der Psychoanalyse, ihre klinisch-psychiatrischen Verfahrensweisen durchaus anderer Art als die der Philosophie sind, braucht man – auch im Zeitalter der philosophischen Praxisunternehmungen – kaum eigens zu betonen. Und selbstverständlich stehen die Entwürfe der Philosophie und der Psychoanalyse in keineswegs deckungsgleichen Traditionszusammenhängen. Gerade so aber kann sich eine kritische Konstellation ergeben, die für eine umfassende und reflektierte Theorie des Unbewußten mehr an Erkenntnisfortschritt verspricht, als der übliche Verdrängungswettbewerb es will.

Diese kritische Konstellation gilt selbstverständlich auch für die tiefgreifenden Differenzen innerhalb der philosophischen Tradition. Um hier nur die für die heutige Diskussion wichtigste Frage zu nennen: Die Entdeckung des Unbewußten vollzieht sich – so die der folgenden Sammlung zugrunde liegende Generalthese – als Kritik des Bewußtseins, als Kritik der neuzeitlichen Subjektphilosophie zumal (ohne daß man diese kritische Opposition unbedingt neostrukturalistisch oder dekonstruktivistisch sehen müßte). Jungianisch formuliert: So, wie das Unbewußte der »Schatten« des Bewußtseins ist, so folgt die neuzeitliche Entdeckung des Unbewußten der modernen Bewußtseinsphilosophie als ihr Schatten nach. Dabei aber verfolgt sie, wie es dann auch nach Freud wieder der Fall ist, höchst unterschiedliche Intentionen. Sie kann zum Statthalter des noch nicht toten, aber schon sterbenden Gottes, zum Garantie-Schein der gefährdeten Unsterblichkeit der Seele, kurz: zur Fortführung der Theologie mit den berühmten »anderen«, hier: philosophisch-psychologischen Mitteln werden. Sie kann versuchen, die »vereinzelt Einzelnen« unsplendider bourgeoiser Isolation im größten gemeinschaftlichen Einfachen eines »komplexen« Unbewußten kommunizieren zu lassen, aber eben nicht in realer Vergesellschaftung, sondern im Jenseits ihres alltäglichen Bewußtseins. Sie kann zur dezidiert antimodernistischen und antiwissenschaftlichen Methode werden, auf dem kürzesten Weg den störenden Kopf zu verlieren, d.h. ihn, wenn nicht in den Sand, so doch in jene Nacht des Unbewußten zu stecken, wo nichts mehr wißbar und unterscheidbar ist. Sie kann aber auch – und das ist gegen die derzeit wieder grassierenden irrationalistischen Restaurationsströmungen das wichtigste Erkenntnisinteresse für eine Entdeckungsgeschichte des Unbewußten, die sich an den Maximen der europäischen Aufklärung orientiert – die Erweiterung des Bewußtseins, die Autonomie, den aufrechten Gang und – gegebenenfalls auch *gegen* Schopenhauer und Freud – die reale diesseitige Vergesellschaftung fördern. Und allein dann ist *die Entdekkung des Unbewußten Kritik und Selbstkritik der neuzeitlichen Vernunft mit vernünftigen Mitteln.* »Wer bin ich?« fragt sich der »psychonautische« Held von Peter Sloterdijks *Zauberbaum. Die Entstehung der Psychoanalyse im Jahr 1785.*[6] Und er fragt sich das mit Diderot, mit Lichtenberg, Moritz, Hartmann, Nietzsche..., seit »es in ihm denkt«. Ob nun aber »ich« oder »es« – solange beide noch *denken*, wird keines den Salto mortale der Vernunft betreiben.

Die folgende Sammlung soll also in komparatistischer, kontrastiver, kritischer und selbstkritischer Absicht das Spektrum der neuzeitlichen Entdeckung des Unbewußten sichtbar machen. Dabei allerdings sind jene konstitutiven Probleme nicht zu übersehen, auf die fatalerweise jeder Erkundungsversuch des Unbewußten stößt, sei er nun philosophisch oder psychologisch orientiert. Das erkenntnistheoretisch größte Problem – ein »Widerstand«, der nicht in der Person irgendeines Analysanden, sondern in der zu analysierenden »Sache« liegt – ist zweifellos dieses: Entweder ist das Unbewußte wirklich ein Unbewußtes – und dann weiß man sensu strictu von ihm eben nicht. Oder das Unbewußte wird, wie auch immer, bewußt – dann aber ist es nicht mehr das Unbewußte. Kurz: Wie kann es ein Wissen vom Unbewußten geben? Oder, um ein aufschlußreiches literarisches Kontrastbeispiel zu zitieren: Musils »Mann ohne Eigenschaften« ist immer noch ein »*Mann* ohne Eigenschaften«; was aber *ist* das Unbewußte, wenn es das *Un*bewußte ist? Ein wirklich aporetisches Dilemma mit keinen geringeren Problemen, als man sie mit dem Kantischen »Ding an sich« hat. Wenn dieses, sobald es singularisch, plural, als »Ding« oder wie immer statuiert wird, allemal schon »für uns« ist, so steht es mit dem unbewußten »Ding *in* sich« um keine Spur besser. Spätestens Nietzsches Theorie vom »Phänomenalismus der inneren Welt« hat das mit unvergleichlicher Präzision gezeigt. Die erkenntniskritisch mit allen Wassern, besser: Lösungsmitteln der Transzendentalphilosophie gewaschenen Kritiker der Psychoanalyse rechnen ihr denn auch aus dieser Perspektive gerne vor, daß sie in ihrem Wissen vom Unbewußten in Analogie zur vorkritisch-vorkantianischen Metaphysik und Seelenlehre auf eine nicht sowohl transzendentale als transzendente Metapsychologie zurückgefallen sei. In der Tat ist dieser Verdacht vor allem bei den nachfreudianischen Schulen nicht ganz unabweisbar: Sie warten fürwahr nur allzuoft mit neuesten und ältesten Nachrichten aus den Ur- und Ungründen des Unbewußten auf, als sei es schwierigstenfalls der Keller im Haus nebenan. Und ganz gewiß läuft jede Psychoanalyse prinzipiell Gefahr – das erkenntnistheoretische Problem verschärft sich hier zum diagnostischen, zum therapeutischen und auch zum alltäglich-kommunikativen –, den anderen nach Art der Meisterdenker, der Meisterpsychologen und der wilden Analytiker zu erzählen, wer oder was sie, ohne es zu wissen, in Wahrheit sind. Das angemaßte intersubjektive Transparenzgefälle ist dabei meist proportional dem als Deutung angebotenen Herrschaftsanspruch.

Diese Gefahr betrifft selbstverständlich die Philosophie des Unbewußten zumindest ebensosehr wie die Psychoanalyse. Etliche der im folgenden dokumentierten Autoren, zumal die Metaphysiker, die wie Schelling, Carus oder Eduard von Hartmann vom »absolut Unbewussten« reden, aber dann doch relativ viel davon wissen, sind dieser Gefahr öfters erlegen. Freud hingegen ist sich der erkenntnistheoretischen Probleme jeder Erkenntnis des Unbewußten durchaus bewußt gewesen. Dezidiert nachkritisch, nachkantianisch, hat er davor gewarnt, die bewußten Wahrnehmungen des Unbewußten mit den unbewußten Vorgängen selber zu verwechseln (*GW* X, S. 27). Die Tatsache, daß ihm bis zur strukturellen Revision seines Seelenmodells das Verdrängte als wesentlichster (nicht als einziger!) Inhalt des Unbewußten galt, hat wohl auch damit zu tun, daß es, anders als das »an sich« Unbewußte, noch die Spuren seiner Konflikte mit dem Bewußtsein zeigt (wiewohl es eben deswegen deutungs- und therapiebedürftig ist). Und mit der besonneneren, skeptischeren philosophischen Tradition, die die folgenden Texte nicht minder als die metaphysische dokumentieren, kommt die erkenntniskritisch reflektierte Psychoanalyse schließlich auch darin überein, daß sie das »Unbewußte« – sozusagen immer in Anführungszeichen – stets nur indirekt schließend erschließt.

In diesem Rahmen ist sie dann allerdings zwischen der totalisierten Skepsis des »Ignorabimus«, die sich mit dem »sacrificium intellectus« oft nur zu gut verträgt, und einer dogmatischen Selbstgewißheit, die das Wissen vom Unbewußten mit Löffeln gefressen hat, in Theorie und

Praxis ihren Weg gegangen. Und sie hat dabei mit der freien, d. h. *freien* Assoziation, die sich bei Bertha Pappenheim, Josef Breuer und schließlich bei Freud entschieden *gegen* die hypnotischen, souffilierenden Techniken der vorfreudianischen psychiatrischen Tradition und der mesmeristischen »Rapports« entwickelt, eine Methode gefunden, die Voraussetzung und zugleich Gegengewicht der analytischen Deutung und jener Determination ist, die sich im Laufe der therapeutischen Übertragung ergibt.

In terminologischer und diskursiver Hinsicht hat sich das skizzierte erkenntnistheoretische Dilemma jedes Wissens vom Unbewußten innerhalb der philosophischen Entdeckungsgeschichte vor allem in zwei Richtungen niedergeschlagen. Einer ihrer augenfälligsten Züge ist die uneigentliche Rede, die metaphorische Rede zumal, für die exemplarisch Jean Pauls »wahres inneres Afrika« stehen kann. Sie ist ebenso paradox wie plausibel die eigentlichste Rede, wenn man überhaupt »die Kühnheit hat, über das Unbewußte und Unergründliche zu sprechen [...] dessen Dasein, nicht dessen Tiefe« man allein, relativ zu den helleren Zonen der Seele, bestimmen wollen kann – was freilich auch Jean Paul nicht daran hindert, im weiteren dann doch eine ganze Menge über das »innere Afrika« zu wissen; soll doch für das gesteigerte Bewußtsein des Weisen oder gar der Gottheit nun einmal gänzlich transparent sein, was für den Wilden »tief verschattete Gründe und Abgründe« sind: »Der Wilde und Leibnitz haben Bewußtsein, aber wie gehen dem Wilden die großen Strecken des innern Lebens ungesehen vorüber, wenn ein Leibnitz jede Scholle bemerkt!«[7] Und vor allem: Jean Paul *will* durchaus wissen. Dieselbe Metapher, die das Unbewußte dem klaren und distinkten Wissen entzieht, spricht als explorative zugleich entschieden den Entdeckungswillen an – im Gegensatz übrigens auch zu Freuds philosophisch-psychologischer Theorie der dritten narzißtischen Kränkung, derzufolge die Menschen vom Unbewußten nicht wissen *wollen*, weil sie nicht daran interessiert sind zu erfahren, wer Herr in ihrem Hause ist. Es muß doch noch anderes, Verheißungsvolleres in den Tiefen des Unbewußten zu finden sein...

Radikaler noch als die uneigentliche Rede zieht die Negation des Wissens im Begriff des Un-Bewußten die terminologisch-diskursive Konsequenz. In Analogie zur negativen Theologie bildet sich geradezu eine Art negativer Philosophie und Psychologie des Unbewußten heraus, die systematisch die verneinende Rede, auf jeden Fall die indirekte vorzieht. Ja gelegentlich, etwa bei Carus, schrumpft es sogar zu einem bloßen »x«, dessen primäre Bestimmung seine Unbestimmtheit, das sozusagen per definitionem etwas Undefiniertes oder bloß negativ Definiertes ist – obwohl das dann wieder auch bei Carus erstaunlicherweise nicht hindert, daß dieses »x« durchaus bestimmtere Konturen gewinnt.

Die verneinende und die metaphorisch-uneigentliche Rede verweisen so insgesamt auf einen Grenzbegriff, der als solcher notwendigerweise problematisch und paradox bleiben muß.

Dafür scheint dann allerdings die philosophische Tradition mit einem Überfluß an Begriffen und Termini, der jeder Beschreibung spottet, für das Unbewußte entschädigen zu wollen. Trotz der prätendierten philosophischen Disziplin ist hier oft genug für fruchtbarste Konfusion gesorgt: mit einer zwar nicht endlosen, aber doch überaus langen Kette von Signifikanten, hinter denen ein gemeinsames Signifikat kaum auszumachen ist – so wie sich umgekehrt öfters unter der Decke desselben Terminus unterschiedlichste Vorstellungen tummeln und die Identität des Signifikanten fälschlich Identität des Signifikats suggeriert. Neben »unbewußt« und dem »Unbewußten« ist unter anderem die »Unbewußtheit«, das »Unbewußtsein«, das »Ung*e*wußte«, das »Bewußtlose«, das »Nichtbewußte«, das »Vor-« und natürlich das »Unter-« und »Überbewußte« in vielfältigstem Gebrauch, von den verwandten Wortfeldern ganz zu schweigen. Andererseits kann auch, wie im deutschen oder französischen Mesmerismus, der Sache nach »Unbewußtes« gemeint sein, ohne daß dieser oder ein ähnlicher Terminus explizit genannt würde. Die terminologischen Grenzen sind unter diesen Umständen auf jeden Fall nicht zu eng zu ziehen – auch für diese Sammlung nicht (was einschließt, daß die Zusammenhänge der Texte ebenfalls nicht über Gebühr zu fragmentieren sind). Ohne eine Verbindung von Wort-, Begriffs-, Metaphern- und Diskursgeschichte kommt eine Entdeckungsgeschichte des Unbewußten ohnehin nicht aus. Hier nur einige bezeichnende Illustrationen für die Implikationen, die die Terminologie hat.

Zum Beispiel macht es einen erheblichen Unterschied, ob einem Subjekt unter anderem das Prädikat »unbewußt« zugeschrieben wird oder ob man ein Subjekt wesentlich als »das Unbewußte« bestimmt, wie die Metaphysiker des Unbewußten es gerne, zu gerne, tun. Aus dieser Perspektive fällt übrigens auch auf Freuds Ersetzung seines topischen Modells des Unbewußten durch das strukturelle, das nur noch das Prädikat »unbewußt« kennt, das allerdings für *alle* seelischen Provinzen, ein höchst erhellendes Licht: Die Enthypostasierung verbindet sich mit einer sachlichen Expansion des Begriffs.

Dann verdient die heute meist nicht mehr präsente Unterscheidung zwischen dem »Un*be*wußten« und dem »Ung*e*wußten« Beachtung. In der Begriffsgeschichte setzt sich zwar das Unbewußte durch; sie kehrt aber durchaus gelegentlich wieder zum »Ungewußten« zurück. Um ein über den Rahmen dieser Sammlung hinausgehendes lyrisches Beispiel zu nennen, wechselt Goethe in den verschiedenen Fassungen des zwischen 1776 und 1789 entstandenen berühmten Gedichtes ›An den Mond‹ (des zweiten dieses Titels) von dem, »Was den Menschen unbewußt/Oder wohl veracht'«, zu dem, »Was, von Menschen nicht gewußt/Oder nicht bedacht,/Durch das Labyrinth der Brust/Wandelt in der Nacht.« Frau von Stein wiederum macht daraus das den Menschen »Unbekannte«. Und diese Differenzen sind keineswegs bedeutungslos: Das »Ungewußte« bezeichnet das Objekt eines transitiven, kognitiv akzentuierten Bezugs. Das intransitiv verwendete »Unbewußte« hingegen weist eine deutlich verblaßte kognitive und zugleich emotional verstärkte Aura auf.

Zu fragen ist außerdem, ob das »Unbewußte« jeweils das meint, was kein Bewußtsein *hat*, oder das, dessen wir uns nicht bewußt *sind*. Carus zum Beispiel, aber auch etliche der anderen dokumentierten Autoren nennen »unbewußt« im ersten, oft physiologischen Sinn das, was ohne Bewußtsein ist, von dem man aber prinzipiell wissen kann, dann wieder im zweiten das, wovon *wir* nicht wissen, obwohl es selber Bewußtsein haben kann.

Die womöglich größten Konsequenzen schließlich hat der Unterschied zwischen »Unbewußtem« und »Unbewußtsein«, so bedeutungslos er zunächst anmutet. Der Wolff-Schüler und Jean-Paul-Lehrer Ernst Platner etwa, der – historisch nicht ganz korrekt – als terminologischer Ahnherr des »Unbewußten« in der deutschen Tradition gilt, spricht in seinen *Philosophischen Aphorismen* von 1776 in negativer Analogiebildung zu Wolffs »Bewußtseyn« von »Unbewußtseyn«. Und davon wird später unter anderem auch noch Carus ausdrücklich sprechen. »Unbewußtsein« aber verweist sehr viel deutlicher als der hypostasierende, der Tendenz nach verdinglichende Begriff des »Unbewußten« darauf, daß es hier nicht um eine isolierte, verselbständigte Sache, nicht um ein spezifisches Organ und auch nicht um ein geschlossenes System, sondern um eine prekäre seelische Verfassung, in Freuds Sinn um einen dynamischen seelischen Prozeß geht. Mit Grund hat gerade die terminologisch weiter fortgeschrittene angloamerikanische Diskussion von James Grier Millers »Unconscious*ness*«[8] bis zu Roy Schafers[9] Reformulierungsversuchen der Sprache der Psychoanalyse aus diesen und verwandten Überlegungen heraus gegen das »Unbewußte« plädiert. Wenn es sich begriffsgeschichtlich nicht durchgesetzt hätte, dann wäre heute wohl in der Tat zutreffender von »Unbewußtsein« oder »Unbewußtheit« oder »Unbewußtwerden« zu reden – im

Sinne einer negativen reflexiven Beziehung: Das »Unbewußte« ist das, dessen wir uns nicht (mehr) bewußt sind.

Terminologische und begriffliche Probleme also zuhauf: Keiner der im folgenden dokumentierten Texte entgeht ihnen. Gerade so aber können sie das Bewußtsein für die Probleme des »Unbewußten«, präziser: für unsere Probleme mit unserem Unbewußten, schärfen, wie es diese Sammlung – auch – versucht.

Wenn sie sich auf die deutschsprachige Philosophie des 19. Jahrhunderts beschränkt, so, wie schon angedeutet, weder, weil damit der Beitrag der englischen, französischen, italienischen Philosophie entwertet werden sollte, noch um die historische Illusion zu nähren, vor 1800 gebe es keine relevante philosophische Entdeckungsgeschichte des Unbewußten, sondern, noch einmal und ausdrücklich, weil die deutschsprachige Philosophie des 19. Jahrhunderts die letzte und wichtigste vorfreudianische Phase dieser Entdeckungsgeschichte ist.

Für alles das, was so außerhalb des Rahmens dieser Sammlung liegt, könnte der Hinweis auf die beiden vorzüglichen Entdeckungsgeschichten von Ellenberger und Whyte und die umfangreiche weitere Literatur genügen. Um den Mut zur Lücke aber nicht in Tollkühnheit ausarten zu lassen, sollen die Haupttendenzen und die wichtigsten Etappen wenigstens der deutschsprachigen Vorgeschichte hier kurz und exemplarisch vergegenwärtigt werden.

Leibniz gilt für unseren Sprachraum gemeinhin als »Vater« der Entdeckung des Unbewußten (die metaphorisch offenbar stets einen »Vater« braucht). Diese Datierung trifft bei aller Differenzierung, die auch hier noch vorzunehmen wäre, zweifellos einen wichtigen Einschnitt. Historisch ist er durch Leibniz' Opposition gegen den Lockeschen Empirismus einerseits, die Cartesianische Bewußtseinsphilosophie andererseits markiert (die freilich mit Descartes' berühmten drei Träumen in der Nacht vom 10. auf den 11. November 1619 einen durchaus nicht bewußten Anfang nimmt: vieldeutiger und auch symptomatischer, als Descartes selber und sein erster Biograph Baillet es wahrhaben wollten). Systematisch gesehen, setzt mit Leibniz' Begriff der »petites perceptiones«[10] der Sache nach eine *cognitiv* akzentuierte Theorie des Unbewußten ein, auch wenn es dabei noch keine explizite Terminologie des »Unbewußten« gibt.

Diese »petites perceptiones« sind im Gegensatz zur bewußten Apperzeption und Reflexion »zu gering und zu zahlreich oder zu einförmig«, um unsere bewußte Aufmerksamkeit auf sich zu ziehen und sich anders als »verworren« merklich zu machen. Gleichwohl sind sie eine nicht zu vernachlässigende Wahrnehmungsquelle. Wichtiger: Sie bestätigen die für Leibniz so zentrale »lex continui«, das Gesetz der Stetigkeit. Sie verbinden den Körper in prästabilierter Harmonie mit der Seele, jedes einzelne Wesen mit dem gesamten Universum, die dem Gedächtnis entschwindende Vergangenheit mit der Gegenwart und der Zukunft, und sie konstituieren das in Schlaf, Traum und Tod »identische Individuum«. Damit aber werden sie für Leibniz über den erkenntnistheoretischen Vordergrund hinaus das metaphysische Vehikel, die Substantialität, Aktivität und die unsterbliche Dauer der menschlichen Seele zu retten, die er durch die zeitgenössische Philosophie gefährdet sah.

Diese Absicht und der kognitive Akzent schließen allerdings ganz andere Momente und Erkenntnisse nicht aus, die meist überlesen werden. Insbesondere statuiert schon Leibniz einen höchst bedeutsamen Widerspruch: Die unbewußten »petites perceptiones« sind im Widerspruch zu ihrem diminutiven, scheinbar nur quantitativen Begriff höchst wirkungsmächtig. Von ihnen leiten sich unsere Gewohnheiten und Leidenschaften wie unsere eigentümlichen Geschmacksrichtungen ab – das eigentümliche »je ne sais quoi«. Sie sorgen paradoxerweise für eine stetige Unruhe. Und sie bestimmen unsere Handlungen, wenn wir sie ohne bewußten Entschluß ausführen, zum Beispiel dann, wenn wir uns unter scheinbar gleichgültigen Umständen nach links oder nach rechts wenden. Der buridanische Esel wird also gleichsam bei Leibniz post festum motiviert und dadurch gerettet, daß er »petites perceptiones«: ein Unbewußtes hat. Etwas weniger bildlich und etwas philosophischer formuliert: Das epistemologisch Kleine gewinnt pragmatisches Schwergewicht.

Dieser von Leibniz kognitiv akzentuierte, zugleich pragmatisch erweiterte und metaphysisch funktionalisierte Begriff unbewußter Vorstellungen bestimmt die deutschsprachige philosophische Debatte des 18. Jahrhunderts über weite Strecken.[11] Er ist zum Beispiel nach Wolff und Crusius noch für den zitierten Begriff Ernst Platners vom »Unbewußtseyn« maßgeblich, über den er dann zu Jean Paul gelangt. Fichte entwickelt seine Vorlesung über Logik und Metaphysik im Sommersemester 1797 an Platners »bewustseinlosen / bewustlosen« Vorstellungen, denen er freilich entgegenhält, daß sie lediglich etwas indirekt Erschlossenes sind.[12] Und Kant, der in der *Kritik der reinen Vernunft* die apriorischen Bedingungen der Möglichkeiten bewußter Erkenntnis analysiert; dessen *Kritik der Urteilskraft* die Bedeutung der unbewußt schaffenden Natur, zumal für das Genie betont[13], entwickelt im § 5 seiner *Anthropologie in pragmatischer Hinsicht* Leibniz' Theorie in höchst aufschlußreicher Weise fort. Mit Leibniz teilt er gegen Locke die epistemologische Einschätzung jener Vorstellungen, die wir haben, ohne uns ihrer bewußt zu sein, deren wir uns aber doch mittelbar bewußt werden können: der »*dunkelen* Vorstellungen«, wie es jetzt in der Nachfolge Wolffs (wie übrigens auch bei Fichte) heißt. Übereinstimmend mit Jean Paul, ja, schon mit jenen »afrikanisch« anmutenden Metaphern, die dann bei ihm das Bild des Unbewußten bestimmen, machen diese dunklen Vorstellungen »auf der großen *Karte* unseres Gemüths«, auf der »nur wenig Stellen *illuminirt* sind«, ein »unermeßliches Feld« aus. Und diese Tatsache soll uns »Bewunderung über unser eigenes Wesen einflößen; denn eine höhere Macht dürfte nur rufen: es werde Licht! so würde [...] gleichsam eine halbe Welt« vor unseren Augen liegen. Das Unbewußte, aber Bewußtseinsfähige erweitert also die durchaus kleineren Bewußtseins-Dimensionen des Gemüts entscheidend. Zwar soll das »Feld *dunkler* Vorstellungen« als das »größte im Menschen« diesen »nur in seinem passiven Theile als Spiel der Empfindungen wahrnehmen« lassen. Gleichwohl sind *wir* es, die nach Kant »oft mit dunkelen Vorstellungen« spielen und ein Interesse daran haben, »beliebte oder unbeliebte Gegenstände vor der Einbildungskraft in Schatten zu stellen«. So ist es zum Beispiel »mit der Geschlechtsliebe bewandt, sofern sie eigentlich nicht das Wohlwollen, sondern vielmehr den Genuß ihres Gegenstandes beabsichtigt«. Und »wie viel Witz ist nicht von jeher verschwendet worden, einen dünnen Flor über das zu werfen, was zwar beliebt ist, aber doch den Menschen mit der gemeinen Thiergattung in so naher Verwandtschaft sehen läßt, daß die Schaamhaftigkeit dadurch aufgefordert wird, und die Ausdrücke in feiner Gesellschaft nicht unverblümt, wenn gleich zum Belächeln durchscheinend genug, hervortreten dürfen. – Die Einbildungskraft mag hier gern im Dunkeln spazieren [...].«

Wahrhaftig eine erstaunliche Passage! Schopenhauer hat das später kaum anders gesagt. Und Freud wäre an dieser Stelle zweifellos gerne mitspaziert. Überdies eine Passage, die, etwas ernsthafter, geeignet sein könnte, die Frage nach den Bedingungen zu stimulieren, unter denen ein sexuell dominiertes Unbewußtes im Dunkel des »inneren Afrika« entdeckt werden muß. Die Exkommunikation der Sexualität ist jedenfalls ein ganz hervorragendes Verdunkelungsinstrument.

Wie dem auch sein mag: Festzuhalten ist, daß bei Kant zwar wieder die kognitiven Aspekte des Unbewußten im Vordergrund stehen, zugleich aber emotionale und auch sexualpsychologische Aspekte mit einfließen – und damit bereits das, was dann die zweite Hauptlinie der Entdeckungsgeschichte des Unbewußten bestimmt: die des irrationalen, des vitalen, des volitiven Unbewußten.

Für das 18. Jahrhundert hier wieder nur einige charakteristische Beispiele. Das vielleicht eindrucksvollste bietet Johann Georg Sulzer. In seiner ›Erklärung eines psychologisch paradoxen Satzes: Daß der Mensch zuweilen nicht nur ohne Antrieb und ohne sichtbare Gründe sondern selbst gegen dringende Antriebe und überzeugende Gründe handelt und urtheilet‹ (1759)[14], nimmt er zunächst seine »Zuflucht zu der von Leibniz angefangenen und von seinen Schülern weiter geführten Theorie von den dunkeln Vorstellungen [...]; einer sehr wichtigen Theorie, ohne welche sich eine Menge psychologischer Erscheinungen nicht erklären ließen«; denn diese unmerklichen Vorstellungen bringen für Sulzer wie schon für Leibniz »oft sehr merkliche Wirkungen hervor«.

Das Reich dieser Dunkelheit geht freilich weit über die Welt der Vorstellung hinaus. Denn »nicht bloß die Vorstellung einer Idee, sondern alle andere Handlungen der Seele« können dunkel sein. »Es giebt dunkle Urtheile, die wir fällen, ohne uns dessen bewußt zu seyn, dunkle Empfindungen, ein dunkles Verlangen und einen dunkeln Abscheu.« Scheinbar grundlos und ohne daß man weiß, woran man ist, ohnehin ohne bewußten Willen, steigen aus dieser Dunkelheit, die auch das Residuum unserer Vergangenheit sein kann, ja, sich oft von den »Jahren unserer Kindheit herschreibt«, Worte und Taten empor, die wiederum als »Spuren des Daseyns der Tiefe der Seele« den indirekten Rückschluß auf sie gestatten. »In dem Innersten der Seele«, heißt es in Sulzers *Zergliederung des Begriffs der Vernunft* (1758)[15], »sind Angelegenheiten verborgen, die uns zuweilen auf einmal, ohne alle Veranlassung und auf eine unschickliche Art, handeln oder reden, und ohne daß wir daran denken, Dinge sagen lassen, die wir schlechterdings verbergen wollten.« Innere Konflikte, Handlungshemmungen, Widerstände, Ambivalenzen, Selbstwidersprüche gehen auf die Kollision der bewußten und der dunklen seelischen Kräfte zurück.

In letzter Instanz behalten indessen die dunklen Kräfte, *solange* sie dunkel bleiben, allemal gegen die bewußten die Oberhand. Der Rückfall auf überwunden geglaubte Stufen der Entwicklung, der Wiedereinbruch des Wahns in die scheinbar gesundete Normalität, die ganze Psychopathologie des Alltagslebens hat hier ihren Grund, vor allem aber die hartnäckige Herrschaft der dunklen Vorurteile, denen, bevor sie virulent werden, nur mit präventiver Bewußtmachung beizukommen ist.

Der hier von Sulzer hergestellte Zusammenhang ist mit allem Nachdruck zu betonen. Denn die Vorurteilskritik der Aufklärung verbindet sich an diesem Punkt mit der Entdeckung des Unbewußten; gerade das

Interesse des Aufklärers an dem Ausgang aus dunkel begründeter Unmündigkeit führt ihn in Richtung einer Theorie, die die irrationalen Momente des Unbewußten betont, dynamisch-konfliktpsychologisch zugespitzt wird und sich im Dienste der inneren Emanzipation versteht. Noch pointierter: Aufklärung wird gleichgewichtig mit ihrer ideologiekritischen, politischen und sozialen Intention intrapsychische Aufklärung: Es reicht nicht, wenn die Sonne des Bewußtseins als ihr Emblem bloß in den Staaten und Köpfen aufgeht.

Zwanzig Jahre später orientiert sich Herders *Vom Erkennen und Empfinden der menschlichen Seele* (1778)[16] an ganz anderen Intentionen. Auch er greift wie Sulzer wieder Leibniz' kognitive Begriffe auf; indessen ist bei ihm nur noch der blanke Hohn dafür übriggeblieben. »Der innere Mensch mit alle seinen dunklen Kräften, Reizen und Trieben ist nur *Einer*. [...] Im Abgrunde des Reizes und solcher dunkeln Kräfte liegt in Menschen und Thieren der Same zu aller Leidenschaft und Unternehmung. [...] Vor solchem Abgrunde dunkler Empfindungen, Kräfte und Reize graut nun unsrer hellen und klaren Philosophie am meisten: sie segnet sich davor, als vor der Hölle *unterster* Seelenkräfte und mag lieber auf dem Leibnitzischen Schachbrett mit einigen tauben Wörtern und Klassifikationen von *dunkeln* und *klaren*, *deutlichen* und *verworrenen* Ideen, vom *Erkennen in* und *außer sich*, *mit sich* und *ohne sich selbst* u. dgl. spielen.« Und damit ist natürlich polemisch auch schon gesagt, daß sich *nur* eine solche Philosophie vor dieser »Hölle« bekreuzigen und in ihre verbalen Glasperlenspiele retten muß. Mit Goethes Gedicht ›An den Mond‹ teilt Herder die Zuversicht, daß das in der Welt »Verachtete«, Nichtbeachtete, Mißachtete vielmehr durchaus Gegenstand des Genusses sein kann. Die wahre, d. h. eine psychologisch-physiologisch verfahrende Philosophie, die methodisch »Lebensbeschreibungen, Bemerkungen der Aerzte und Freunde, Weissagungen der Dichter« als die drei Königswege der Erkenntnis nutzt, wird ohnehin keinen Abgrund, weder den der Erinnerung noch den der Leidenschaft, noch den der »verflochtensten Pathologie der Seele« verschmähen. Sie weiß, daß das Genie oft im Tollhaus residiert und der schöpferische und emotionale Grund allemal »unter dem Zwergfell« zu finden ist – so weit hat sich die aufklärerische Opposition von Kopf und Herz nach unten verlagert. Und selbst dann, wenn das »Saitenspiel unsrer Gedanken« durch »Liebe und Haß, Ekel und Abscheu, Verdruß und Wollust« gestimmt wird, ist das kein Grund, es nicht zu schlagen. Im Gegenteil: Herders psychologische Philosophie stimmt sich als Echo ihres dunklen Gegenstandes auf ihn ein. Ja, bei allem Erkenntnisinteresse, das ihr noch zugestanden wird, beläßt sie es letzten Endes bei jener unauslotbaren, mit Nacht bedeckten »tiefsten Tiefe unsrer Seele«, die die »mütterliche Natur« dem »klaren Bewußtseyn« entzogen hat. Kurz: Aus der Entdeckung des irrationalen Unbewußten in aufklärerischer Absicht wird bei Herder die emphatische Affirmation des dunklen Grundes.

Karl Philipp Moritz schließlich scheint in seinem einzigartigen *Magazin zur Erfahrungsseelenkunde* die Herderschen Sympathien zu teilen. Indessen betont er mit dem programmatischen delphinischen Imperativ seines Magazins, sich selber kennenzulernen, doch wieder entschieden das Interesse einer aufklärenden Psychologie. Aus Selbstbeobachtungen; aus aufgehellten Kindheitsspuren, die das gegenwärtige Ich konstituieren; aus der Analyse dessen, was sich von frühesten Eindrücken her störend in die Alltagsgedanken drängt; aus einer fast schon freudianisch gefaßten (»gleichschwebenden«) »*Aufmerksamkeit aufs Kleinscheinende*« soll die Erkenntnis des innersten »Triebwerks« der Seele gewonnen werden, von der wir »nur die Oberfläche« kennen, der »unbekannten Triebfedern« in uns, die Moritz mit seiner »Semiotik der Psychologie« wie Sulzer und Herder nicht mehr in den dunklen Ideen fundiert.[17] »Der Weise macht den *Traum* zum Gegenstand seiner Betrachtungen, um die Natur des Wesens zu erforschen, was in ihm denkt, und träumt [...] um dem Gange der Phantasie und dem Gange des wohlgeordneten Denkens bis in seine verborgensten Schlupfwinkel nachzuspähen.«

Dem »wohlgeordneten Denken«, dessen lateinische Etymologie – dekonstruktivistisch gestimmte Geister werden das mit tiefer Befriedigung vermerken – Moritz aus dem »gewaltsamen Zusammenzwängen« des »Cogitare« ableitet, kommt der Weise dabei besonders dann auf die Spur, wenn er die unpersönlichen Zeitwörter, die impersonal formulierten Sätze vom Typus »es donnert, es dünkt mich, es hungert, freut, friert mich, es träumt mir«, analysiert. Denn sie sind geeignet, jenseits unseres »persönlichen Bewußtseyns« die unwillkürlichen, passiven, nicht subjektbestimmten Prozesse zu bezeichnen: das, »was sowohl in unsrem Körper, als in den innersten Tiefen unsrer Seele vorgehet, und wovon wir uns nur dunkle Begriffe machen können«. Mit ihnen kommt Moritz aber auch sowohl in den psychologischen Analysen seines Magazins wie in seinen Romanen, dem *Andreas Hartknopf*, dem *Anton Reiser*, lange vor Büchner jenes kryptische Subjekt in den Blick, das sich im unpersönlichen »es« zwar andeutet, aber eigentlich »außer der Sphäre unsrer Begriffe liegt, und wofür die Sprache keinen Nahmen hat«.

Vor allem der Kontrapunkt zum cartesianischen »cogito«, dem

schon Lichtenberg das »es denkt« nach Analogie des »es blitzt« entgegengestellt hatte, wird hier wegweisend. »Der Unterschied zwischen *ich denke*, und *mich dünkt* glaube ich (sic!) besteht darin: im ersten Falle bin ich mir die Reihe der Vorstellungen die in mir den Gedanken hervorgebracht haben, bewußt, im letzten aber nicht, in jenem bin ich also *völlig thätig*, in diesem aber *zum Theil leidend*.«

Der Ethnologe Adolf Bastian, Eduard von Hartmann und Nietzsche werden die Opposition von »ich denke« und »es denkt« später nachhaltig zuspitzen. Ein zeitgenössischer Autor wie Peter Sloterdijk sieht in ihr mit Grund geradezu ein Leitmotiv seiner »psychonautischen« Exkursionen in die Entstehungsgeschichte der Psychoanalyse. Die schon mehrfach zitierten Rekonstruktionen des »Nachdenkers« Freud haben ihm denn auch die Genealogie des schon bei Moritz groß geschriebenen »Es«, also desjenigen, was da offenbar in Freud dachte, mit Lust vorrechnen können. Ungleich bedeutungsvoller für die Entdeckungsgeschichte des Unbewußten ist an diesem Paradigmenwechsel indessen, daß er ihre beiden Hauptlinien: die des kognitiven und des irrationalen Unbewußten, brennpunktartig zusammenfaßt und die epochale Wendung gegen die cartesianische Bewußtseinsphilosophie just auf dem Gebiet der Erkenntnis vollzieht: Es ist das Denken über das Denken, das im Zeichen des Unbewußten über sich selber hinausgetrieben wird. Fortan wird freilich auch die dem Begriff des Unbewußten immer schon latent innewohnende fundamentale Spannung nicht mehr zu übersehen sein: nämlich einen negativen Modus von *Wissen* zu benennen und doch, sowohl bei den Inhalten des Unbewußten wie den Motiven des Unbewußtseins, etwas ganz anderes als kognitive Zusammenhänge zu meinen.

Diese Hinweise sollen genügen, die Entdeckungsgeschichte des Unbewußten für die deutschsprachige Philosophie bis zu jenem Punkt zu skizzieren, an dem zum ersten Mal eine explizit und systematisch entwickelte Theorie des Unbewußten in den Mittelpunkt eines philosophischen Werkes rückt: bis zu Schellings *System des transscendentalen Idealismus* von 1800 und seinem Rückblick darauf in der *Geschichte der neueren Philosophie* von 1833/34.

Dieser Einsatzpunkt verspricht bis hin zu Freuds *Traumdeutung* ein kompaktes Jahrhundert Entdeckungsgeschichte, was gewiß die tief verwurzelte Vorliebe für die runden Zahlen befriedigen kann. Indessen wird er hier seiner historischen Bedeutung wegen gewählt. In Schellings System nämlich kommen noch deutlicher als zuvor die beiden angedeuteten Hauptlinien zusammen: Sein transzendentales Denken, das entschiedener noch als die transzendentalphilosophische Konkurrenz die Unbewußtseins-Vergessenheit in Erinnerung ruft – die Bedingungen des Bewußtseins sind selber nicht bewußt –, ist als Synthese sowohl der kognitiven wie der irrationalen Konzepte des Unbewußten zu begreifen. Zugleich verweist dieses Denken, wie vor allem die Forschungen Odo Marquards betont haben[18], auf wesentliche Elemente der Psychoanalyse vor, ohne daß man diese Verbindung freilich, wie es bei Marquard gelegentlich geschieht, überstrapazieren dürfte. Denn Schellings »System« entwickelt doch zwei durchaus unterschiedliche Begriffe des Unbewußten, von denen der erste kaum etwas mit dem Freuds gemein hat.

Im fundamentalsten Sinn spricht Schelling von dem »absoluten« oder »ewigen Unbewussten«, das die *»absolute Identität«* ohne jede »Duplicität« bezeichnet. Weder Subjekt noch Objekt, ohne Prädikat, ohne Differenz ist dieses »absolute Unbewusste«, das später weiter durch die *Psyche* von Carus und vor allem durch Eduard von Hartmanns *Philosophie des Unbewussten* geistert, und zwar mit jenen schon berührten erkenntnistheoretischen Problemen, die auch die intellektuellste Anschauung nicht lösen kann, klar genug ein metaphysisches Unbewußtes, der Statthalter des verborgenen Gottes, der aller prätendierten Verborgenheit und Unbewußtheit zum Trotz in den traditionellen Metaphern der Lichtmetaphysik erscheint: nichts weniger als ein »wahres inneres Afrika«, sondern »die ewige Sonne im Reich der Geister«, die nur durch ihr »eignes ungetrübtes Licht sich verbirgt«.

Das hindert allerdings nicht, daß diese »ewige Sonne« dann doch in gewissem Umfang in die Abgründe des »inneren Afrika« eintaucht, in jene Regionen und Stadien, die »jenseits des *jetzt vorhandenen* Bewußtseyns« liegen. Denn das Unbewußte Schellings umgreift im engeren Sinne auch jene »dunkle unbekannte Gewalt«, die zu dem Subjektiven, den selbstgesetzten Zwecken, dem willkürlich Produzierten das Objektive, das Absichtslose, zur »Intelligenz« die »Natur« und zur Freiheit die Notwendigkeit hinzubringt, obwohl es gerade so – sei es nun in der Teleologie der Natur, der Offenbarung Gottes durch die Geschichte oder in der Kunst – die von der »absoluten Synthesis« prästabilierte Harmonie bewährt. Solche zugleich konfliktbestimmte und harmonisierte Ambivalenz ist zu betonen: Die dunkle Gewalt des Unbewußten kann sich ebensowohl *gegen* das bewußte Subjekt richten, wie es innere und äußere Totalität garantiert.

Die hier ausgewählten Texte konzentrieren sich auf Schellings historisches Selbstverständnis sowie seine Philosophie der Geschichte und der Kunst. Für die Geschichte ist das Unbewußte – wie vorher schon bei Vico, Adam Smith und hernach bei Hegel – sichtlich der Nachfahre jener »unsichtbaren Hand«, die hinter dem Bewußtsein der egoistisch Vereinzelten, gegebenenfalls dagegen, als historisches Synthetisierungsorgan alles zum Ganzen fügt. Obwohl Schelling im Sog der Fichteschen Tradition auch für das Unbewußte am Begriff des »Ich« festhält, ist es für ihn ohnehin im Gegensatz zum isolierten und isolierenden Bewußtsein noch nicht individuell, vielmehr »für alle menschlichen Individuen das gleiche und selbe«. Andererseits bleibt Geschichte entschieden unendlicher Prozeß, Geschichte des *werdenden* Gottes. Die Synthesis par excellence, der Gipfel des ganzen Systems, wird so die Kunst, das wahre Organon der Philosophie. Während das Zusammentreffen bewußter und bewußtloser Tätigkeit *ohne* Bewußtsein die wirkliche Welt konstituieren soll, treffen sich beide in der ästhetischen Welt *mit* Bewußtsein. Der Begriff des Genies, entschieden »dunkel«, aber nicht untergegangen im Unbewußten, zielt dabei als die Vereinigung der »unergründlichen Tiefe« des Bewußtlosen mit der »größten Besonnenheit« für Schelling in höchstem Maße auf produktive Synthesis.

Diese Thesen sind wirkungsgeschichtlich außerordentlich einflußreich geworden. Hier genügt es, an Schellings transzendentalphilosophischen Überlegungen vor allem ein Moment hervorzuheben: Indem sie das Objektive als Resultat einer bewußtlosen und eben deswegen nur indirekt erschließbaren transzendentalen Vergangenheit zu rekonstruieren versuchen, tun sie auch schon das, was Thomas Mann später in bezug auf Schopenhauer den »innersten Kern« der analytischen Lehre genannt hat: Sie übersetzen gleichsam das für das Bewußtsein Gegebene in das Produzierte, das Geschehen in ein Machen, die sogenannte *Rea*lität (Dinglichkeit) in die *Wirk*lichkeit oder, wie bereits Fichte, die Tat-Sachen in die Tat-Handlungen. Die philosophische »Urwissenschaft«, die wesentlich »Anamnese, Erinnerung« ist, verfolgt den Weg der bewußtlosen Wirklichkeitskonstitution nur mit Bewußtsein zurück. Selbstverständlich ist die Intention von Schellings transzendentalem Idealismus dabei prinzipiell eine andere als die der analytischen Lehre, die im Kontext der materialistischen Tradition durchaus nicht auf eine subjektiv-objektive Identitätsphilosophie zielt. Trotzdem geht man nicht zu weit, wenn man in bezug auf das tertium comparationis der unbewußten Wirklichkeitskonstitution pointiert formuliert: Die Transzendentalphilosophie Schellings kann als psychologischer Transzendentalismus aktualisiert werden – so wie umgekehrt die Psychoanalyse im Widerspruch zu ihren positivistischen Prämissen auch als transzendentale Psychologie zu begreifen ist.

Nur ein Jahr nach dem *System des transscendentalen Idealismus* setzt Schiller im Briefwechsel mit Goethe in bezug auf den Geniebegriff veränderte Akzente. Hatte Schelling den Anfang der Kunstproduktion noch ins Bewußtsein gelegt, so läßt Schiller die Poesie in polemischer Wendung gegen »diese Herrn Idealisten«, denen er sich selber im Widerspruch zur opinio communis nicht zurechnet, im »Bewußtlosen«, in den »dunklen, aber mächtigen Totalideen« des Dichters beginnen und eben dort endigen – auch das klarste Bewußtsein der technischen Operationen nur ein Zwischenspiel. Und für Goethes noch weitergehende Antwort ist die »Tat« des Genies als Genie aller hinzukommenden Reflexion unerachtet unbewußt. Ludwig Klages kann im ersten Jahrzehnt nach Freud ob dieser und etlicher ähnlicher Passagen, die allesamt, wie schon das Gedicht ›An den Mond‹, die lebens-, genuß- und kreativitätsförderliche Bedeutung des Unbewußten betonen, Goethe als eigentlichen »Entdecker des Unbewussten« feiern.[19] Allerdings verliert die lebensphilosophische Entdeckerfreude dabei öfters aus dem Auge, daß Goethe auch weitaus vorsichtigere Einschätzungen des Unbewußten gibt, dann etwa, wenn er es mit dem Dämonischen verbindet. Und die *Wahlverwandtschaften*, deren erstes Kapitel wie dann die Struktur des gesamten Romans eine einzige Demonstration der tragischen Ironie unbewußter Determinationen ist, sprechen geradezu von dem Bewußtsein als einer unzulänglichen »*Waffe*« – unzulänglich unter anderem gegen das, was sich mit der »Dazwischenkunft eines Dritten« in scheinbar stabilen ehelichen und freundschaftlichen Symbiosen unbewußt ereignet.

Drei Jahre nach dem Goethe-Schiller-Briefwechsel nimmt Jean Paul in seiner *Vorschule der Ästhetik* (1804) ähnliche Akzentverschiebungen vor. Zwar knüpft auch er mit seinem Geniebegriff wieder an die Schellingsche Synthesis von Bewußtlosigkeit und Besonnenheit an: Das Genie ist wesentlich »vielkräftig«. Aber das »Mächtigste im Dichter« ist doch das Unbewußte, und zwar eines, das seinen Werken »die gute *und die böse Seele* einbläset« (Hervorhebung L. L.). Ambivalenzen sind hier also nicht zu vermeiden; indessen sind sie ohnehin für das »ungeheure Reich des Unbewußten« konstitutiv.

Zunächst steht es für jene Verheißungen, die auch für den in alle Höhen der empfindsamen Hocherotik sublimierten Jean Paul in der dunklen Tiefe der Frauenseelen wartet, am spürbarsten in seinem (ersten) *Kampaner Thal* (1797), wo er sich unter dem Eindruck einer hochzeitlichen »Kopulation« mit Lust in die Frühlingsschönheit einer Frau verliert, die ihm noch »ein unbekanntes inneres Afrika« ist, von der er sich aber wünscht, sie wäre bei all ihrer oberflächlichen Kälte in ihrem Innersten auch afrikanisch heiß (502. Station).

Weitaus weniger psycho-physisch, vielmehr durchaus meta-physisch scheint dann Jean Pauls Versuch, den Reichtum des Unbewußten aus religiösen Gründen zu erkunden. Mit *Selina oder über die Unsterblichkeit der Seele*, seinem fragmentarisch hinterlassenen Opus postumum et metaphysicum (Erstveröffentlichung 1827), das aus den Plänen zu einem neuen *Kampaner Thal* entsteht, will er nach dem Tod des geliebten Sohnes Max 1821 seinen Jenseitshoffnungen gegen den »Vernichtglauben« ein besseres Fundament schaffen, als es ihm nach seiner eigenen Einschätzung im alten *Kampaner Thal* möglich war. Wie schon für Leibniz, mit dessen Vorstellungs-Lehre Jean Paul über seinen Lehrer Ernst Platner verbunden war, wird das Unbewußte der »Nomaden-Monade« in diesem Zusammenhang der Garant der Unsterblichkeit; eine ganze Reihe der Reichtümer, die Jean Paul in ihm entdeckt, sollen dieser Absicht dienen. Neben den Mysterien des »magnetischen Schlafs« und der geistvollen Träume nennt er zunächst die »weite volle Weltkugel des Gedächtnisses«, »unsern geistigen Mond«, von dem nur Teile »erleuchtet aufgehn«; daraufhin die erst erlernten, dann unbewußt wiederholten, automatisierten Bewegungen; drittens die »ganze dunkle Reihe der Erfahrungen«, die unsere unbewußten Schlüsse bestimmt; schließlich den teleologisch gefaßten »Instinkt« oder »Trieb« als »Sinn der Zukunft«, von dem schon die *Vorschule der Ästhetik* gesprochen hatte (§ 13) – jenen Instinkt, dessen Sitz Jean Paul nicht *in* der Lebenskraft, der »vis vitalis« der medizinischen und naturphilosophischen Tradition, sondern *mit* der Lebenskraft in dem »großen Reich des Unbewußten« als ihrem »Aufenthalt und Thron« lokalisiert. Alle diese Seelenvermögen, die Jean Paul im Gegensatz zur Psychologie Herbarts statuiert, sollen Kontinuität gewährleisten; die »körperbauende Seele« zumal, die »anima Stahlii«, die Jean Paul aus der Psychosomatik Georg Ernst Stahls übernimmt, soll gegen die Vernichtung immunisieren, von der das Bewußtsein weiß. Und es ist klar, daß keines dieser Vermögen, auch der »Trieb« nicht, Anlaß zu Vedrängung und Widerstand bietet, wie es dann für die »ernüchterte Romantik« Freuds (Odo Marquard) der Fall ist. Selbst dort, wo Jean Paul mit einer durch Schellings »Urseyn« des Wollens vorbereiteten und dann durch Schopenhauer berühmt gewordenen Doppelformel die »Vorstellungen« aus dem »Willen« als der dunkelsten [...] Urkraft der Seele, dem geistigen Abgrund der Natur« (*Museum* I, § 8) entstehen läßt, ist es eine »zweckmäßige Aufeinanderfolge«, die der Wille ihnen aufzwingt. Die »Gedanken schaffende Seele« hellt sich insoweit wieder aus afrikanischem Dunkel zu einer – so Jean Pauls unerhörtes Bild – *unter* uns liegenden Sonne auf.

Mit all diesen inneren Reichtümern freilich kommt Jean Paul letzten Endes nicht so sehr im Jenseits als bei einem inneren Diesseits an, dessen Bild die geographisch, explorativ und kolonial gefaßte Metaphorik des »wahren inneren Afrika« in der Form eines innerseelischen Konialwarenhandels fortspinnt. Einer von Jean Pauls Protagonisten – sinnreicherweise der ungläubigste – erfreut sich unverhofft der Möglichkeit, mit dem »Reich des Unbewußten« sein »ganzes geistiges Warenlager«, das er »gleichsam unsichtbar auf dem Rücken« trug, vorwärts »auf den Bauch« herumdrehen zu können. Für einen anderen, der sich von der »Leerheit oder Dürftigkeit« der ausrechenbaren Menschenseelen – nicht zuletzt der eigenen – nur allzuoft »ordentlich gequält, ja geekelt« fühlt, eröffnet dieses Reich, etwas weniger humoristisch gesehen, den verdeckten Reichtum aller jener armen Seelen, die eindimensional erscheinen, in ihrem Unbewußten aber bis zur Entgegensetzung verschiedenartig sind. So weit, so harmlos. Der erfreut vermerkte »Länderreichtum des Ich« droht sich indessen unversehens auch zu einem »Labyrinth voll Labyrinthe«, zu einer Sammlung mehrerer Iche zu erweitern. Und wie es mit diesen stehen mag, zeigt sich, wenn die »tief verschatteten Gründe und Abgründe des Innern«, ja, ein »ganzer ausgedehnter Abgrund großer Leidenschaften« sich auftut, der unheimlicher ist, als es die Hoffnung auf die Hitze im Inneren der Frauenseelen und -körper ahnen ließ. Da verändert sich das vom »Philosophen« »unter die undurchsichtige Bettdecke der Bewußtlosigkeit« gelagerte »ganze Himmelreich von geistigen Kräften« plötzlich in einen gewissensfreien Raum. »Das Bette« wird nächtens zur Walstatt tobender jugendlicher Tyrannen. Und gegen ein derart »unbändig zügelloses Traumreich« bleibt nur noch das Kopfschütteln von Frauen, deren Inneres weit moralischer, weit weniger afrikanisch als das der Männer sein soll. Gerade aber die galante Geste zeigt, wie tief zumindest an diesem Punkt die Sonne aus dem Reich der Geister wieder in innerafrikanische Dunkelheiten eingetaucht ist.

Johann Friedrich Herbarts *Lehrbuch zur Psychologie* (1816) und besonders seine *Psychologie als Wissenschaft neu gegründet auf Erfahrung, Metaphysik und Mathematik* (1824) – gewiß eine der glücklichsten Titelfindungen der Geistesgeschichte – wirken auf diesem dunklen Untergrund wie ein einziger monströser Beschwörungsversuch. Über Hunderte von Seiten hinweg, mit einer (sich) nie (den Leser geradezu tödlich) ermüdenden Hartnäckigkeit sucht Herbart das Leben der Seele in ein (hier nicht dokumentiertes) zwangsneurotisches Formelwesen zu bannen, überzeugt davon, daß es in seiner Gesetzmäßigkeit der des Sternenhimmels gleicht. Dieser Versuch liegt freilich um so näher, je dynamischer und konfliktträchtiger das Seelenleben erscheint. Und Herbarts Psychologie ist unerachtet der Kritik Jean Pauls an ihrer unzulässigen Simplifikation der Seelenvermögen in der Tat die erste, welche die dann von Freuds Metapsychologie »dynamisch« genannte Betrachtung psychischer Prozesse konsequent entfaltet.[20] Es ist kein Zufall, daß ihr Einfluß über drei Mittler bis in die Schul- und Studienjahre Freuds reicht: über Gustav Adolph Lindners *Lehrbuch der empirischen Psychologie nach genetischer Methode* (1858); über die Fechnersche Psychophysik; schließlich über die Psychiatrie Wilhelm Griesingers und des Freud-Lehrers Theodor Meynert.

Herbart konzentriert sich auf die Analyse der »Vorstellungen«, wenn sie als »Kräfte« wirken. Dabei schließt er einerseits wieder ausdrücklich an die Leibnizsche Vorstellungs- statt einer irrationalen Affektdynamik an: Diese »Vorstellungen« sind an sich selbst noch keine Triebe. Dynamisch *werden* sie erst, und zwar als voneinander verdrängte und einander verdrängende. Andererseits liegt gerade darin ein auf die Freudsche Neurosentheorie vorverweisendes Moment. Im übrigen verrät schon Leibniz für Herbart neben dem Hirn des Mathematikers (dem er in seinen Infinitesimalrechnungen folgt) das »Auge des Metaphysikers«, der hinter den »Vorhang der Wahrnehmungen« blickt. Und das heißt, daß er im Gegensatz zum »gemeinen Menschen« nicht glaubt, »sich selbst sehr gut zu kennen«, sondern »etwas Unbekanntes in sich« sucht. Was der Metaphysiker als Psychologe aber hinter dem Vorhang der gemeinen Selbstwahrnehmung erblickt, ist eine Reihe von Vorstellungen, die nicht, nicht mehr oder noch nicht wieder im Bewußtsein sind; ihre erfolgreicheren Konkurrenten: Sieger in einem permanenten Kampf – nicht ums Dasein, denn alle Vorstellungen sind da, seien sie nun bewußt oder latent, aber ums Oben-Sein, ums Bewußtsein – haben sie daraus verdrängt.

Es geht also um eine antagonistische seelische Zweiklassengesellschaft, die nach den Gesetzen der »Hemmung«, des »Widerstands« und eben der »Verdrängung« strukturiert ist und deren Grenze an der »Schwelle des Bewußtseins« verläuft. Die Vorstellungskräfte unter ihr sind dabei eine Art von intrapsychischem Proletariat, das die Entsprechung zur psychischen Ur- und Kolonialbevölkerung des »inneren Afrika« ist, so wie das reale Proletariat – auch! – als extrapsychisches Korrelat des Unbewußten aufgefaßt werden mag: bezeichnenderweise hat Herbart in seinen *Bruchstücken einer Statik und Mechanik des Staats* die Gesellschaft als einen »psychischen Mechanismus« im Großen gesehen, dessen Mitglieder sich fast so verhalten »wie die Vorstellungen in der Seele des Einzelnen«.

Wohl gibt es für diese Tiefensoziologie anfänglich keine Privilegierten: Die Vorstellungen sind prinzipiell gleichartig. Ihre Position ergibt sich erst im Laufe jenes Kampfes, den die Enge des Bewußtseins, die Knappheit der Bewußtseinsressourcen ihnen aufdrängt; eines Kampfes aller gegen alle, wenn sich nicht in den »Complexionen« und »Verschmelzungen« (Freud wird von »Verdichtung« sprechen) zeitweilige Koalitionsgemeinschaften ergeben. Außerdem haben die Vorstellungen die Chance, wieder ins Bewußtsein zu gelangen, zumal wenn sie nicht unwirksam auf der »statischen«, sondern auf der »mechanischen Schwelle« sind, auf der Herbart die Vorstellungen lokalisiert, die »aus dem Bewußtsein verdrängt und doch darin wirksam sind«: im sprunghaften Denken, in störenden Assoziationen etwa oder auch in Beklemmungen, die Herbart in der Vorwegnahme heutiger Depressionstheorien als »objektlose Gefühle« bestimmt, machen sie sich bemerkbar. Aber bei diesem Aufstieg ist eben auch wieder die »Schwelle des Bewußtseins« zu passieren. Und das ist just jener Punkt, an dem später Freuds unnachgiebiger, nur zu überlistender Zensor stehen wird. Es braucht für Herbarts dynamische Psychosoziologie der menschlichen Seele also eine Subversion des intrapsychischen Proletariats, in Freuds Bild: eine Revolution gegen den »Herrn im eigenen Haus«, wenn das Unbewußte wieder nach oben, ins Bewußtsein kommen will.

Fechners »Psychophysik« schließt mit ihrem Begriff der »psychophysischen Schwelle« und ihrer Seelenmathematik, die im Begriff der »negativen Größen« eine adäquate Formel für das zugleich Unbewußte und Wirksame findet, unmittelbar an Herbart an (weswegen sie hier im Widerspruch zur historischen Chronologie – Fechners *Elemente der Psychophysik* wurden erstmals 1860 publiziert – auch unmittelbar angeschlossen wird). Dann schlägt Fechner allerdings mit seinem Wellen-Modell für den Wechsel von Bewußtem und Unbewußtem doch eine weitaus weichere Lösung fern der Herbartianisch-Freudianischen Konfliktmodelle vor. Im übrigen ist bei ihm wie für die Tradition von Leibniz bis zu Jean Paul wieder das metaphysische Interesse leitend. Ein gradualistisches Modell oszillierender Seelenbewegungen soll allen tödlichen Einschnitten ins Seelenleben zuvorkommen und der Wegbereitung nicht sowohl eines »untergreifenden« allgemeinen Unbewußtseins als eines »übergreifenden« göttlichen Bewußtseins dienen. Die absteigende psychische Sonne sinkt in den Grund der »innerlich schaffenden Naturkräfte« und der in die »dunkle Tiefe der Erde, des Meeres, des Leibes versenkten Naturvorgänge« nur deswegen ein, um möglichst bald von dort wieder aufzutauchen.

Nichtsdestoweniger ist der psychophysische Taucher dabei fündig geworden. Bei der Exploration des »anderen Schauplatzes« der Träume wie dann auch in seiner Lehre vom Lust- und vom Konstanzprinzip stößt er zu Erkenntnissen vor, auf die Freud wiederholt und erstaunlich oft ausdrücklich anerkennend zurückgreifen konnte. Besonders der vom übrigen Seelenleben nicht *ge*-, aber höchst *ver*schiedene Schauplatz der Träume wird dabei so präfreudianisch gefaßt, daß er als der von Kindern, Irren und Wilden erscheint: Wie bei Jean Paul holen auch bei Fechner die Träume die metaphysischen Rationalisierungsversuche des Unbewußten ein.

Dagegen steht Schopenhauers blinder, an sich unbewußter Wille von Anfang an für jenes »Andere der Vernunft«, das gemäß Freuds Datierung der Tiefenpsychologie von der Tiefenphilosophie her kein anderer Autor vor Nietzsche so wie Schopenhauer erkundet hat. Im vollen Bewußtsein dessen, daß Bewußtseinstranszendentes nur uneigentlich vergegenwärtigt werden kann, verbildlicht seine »mystische Bildersprache« den noch nicht individuierten Willen als dunkle, ungeschiedene Tiefe. Er erscheint als Lotus, in die nächtigen Gewässer des Schlafes (auch des magnetischen) und des Traumes versenkt; als die Wurzel einer Krone, wobei beide, wie später für Freuds Ichphilosophie, im Wurzelstock des Ichs ihren gemeinsamen End- und Indifferenzpunkt finden, aber eben so, daß nicht Kants transzendentale synthetische Einheit der Apperzeption, das logische Ich, das »Ich denke«, sondern das Radikal des Volitiven die Einheit des Ichs begründet. Der Wille ist das Ursprüngliche und Herrschende. Die von Jean Paul noch logisierte Doppelformel von »Wille und Vorstellung« wird von Schopenhauer irrationalisiert, das ganze geistige Leben, Einfälle, Urteile, Beschlüsse, der Bedingungszusammenhang von Erkenntnis *durch* Interesse, im Willen fundiert, und zwar ohne daß das bewußte Ich auch nur annähernd von seinen eigenen Abgründen wüßte. Der kategorische delphische Imperativ der Selbsterkenntnis ist in der Tat nur »ad usum Delphini«. Das Gedächtnis; die – durchaus unfreie – Assoziation und beider Störungen; die gesamte Psychopathologie des Alltagslebens bis hin zur unalltäglichen Pathologie des Wahnsinns, wenn die vollkommene Rückerinnerung als Bedingung der eigentlichen Gesundheit des Geistes unterbrochen ist, sind Willensphänomene und -symptome: Freud wird sich später in der Wiener Psychoanalytischen Vereinigung darauf hinweisen lassen müssen, daß sein Konzept des freien bzw. behinderten innerseelischen Verkehrs als des maßgeblichen Kriteriums für Gesundheit und Krankheit in seinen Grundzügen bei Schopenhauer vorgebildet ist.

Die »Geschlechtsliebe«, nicht zu verwechseln mit den Galanteriewaren der »Geschlecht*er*liebe«, spielt dabei, wiederum in der Antizipation Freudscher Erkenntnisse, eine herausragende Rolle. Die Geschlechtsteile sind der Brennpunkt des Willens, die Menschen »konkreter Geschlechtstrieb«; Genialität und Genitalität kopulieren nicht nur im Wortspiel. Mit der Schopenhauer eigenen Drastik werden sämtliche Flausen der idealistischen Sublimerotik buchstäblich inkarniert.

Die Geschlechtsliebe ist freilich kein pläsierlicher Selbstzweck, vielmehr der Köder, der unbewußt zur Erneuerung des Lebens verführt: Der Wille als Wille zum Dasein kann nur blind operieren; Unbewußtheit wird zur Bedingung der Möglichkeit und Wirklichkeit der Kontinuation des Schöpfungsaktes. Und mit dieser Erkenntnis erreicht Schopenhauers psychologische Metaphysik ihre größte Radikalität. Die Entdeckung des Unbewußten verbindet sich mit der zentralen Frage der abendländischen Ontologie: warum überhaupt etwas sei und nicht vielmehr nichts. Daß es keine positive Antwort darauf gibt, ist die unerhörte neue Botschaft, die in der Pointe kulminiert: Wenn der Wille, das Unbewußte, das ist, was das Leben will, dann ist er und es wirklich und wahrhaftig das Alogischste und Unbegründetste, was sich bewußt überhaupt denken läßt. Oder umgekehrt: Welcher Sehende könnte das Dasein bewußt wollen?

Die Kontinuation des Schöpfungsaktes allerdings betreibt eben derselbe Wille höchst effektiv. Ja, er gewinnt bei seinem manipulativen Geschäft latent so logische, so teleologische Züge, daß Schopenhauer unversehens in die Nähe des perhorreszierten Hegelschen Panlogismus rückt. Mit dem in der Sexualität agierenden Genius der Gattung zum Beispiel, der für harmonisch balancierte Regeneration sorgt, lebt die List der Vernunft überraschend als List des unvernünftigen Willens wieder auf – damit letzten Endes aber auch jener von unsichtbaren Händen gelenkte providentielle Zusammenhang, den die idealistische Philosophie insgesamt für die Geschichte reklamiert. Was sich paart, ist ein Paar – so wie das, was geschieht, vernünftig gefügte Geschichte: das sind die Sätze, aus denen noch einmal, selbst beim »Fürsten des Atheismus«, das gläubige Zutrauen der Tradition spricht.

Auch der Wahnsinn hat seine eigene Logik – nicht weniger als die Störung der Assoziation. Und selbst das Schicksal, so zusammenhanglos und zufällig es auch erscheinen mag, ist so sehr unbewußt gewollt, daß es, zumindest für »transscendente Spekulationen«, den Charakter »anscheinender Absichtlichkeit« gewinnen kann. Wie Thomas Mann es an Schopenhauer beobachtet hat und es hier schon für Schellings psychologischen Transzendentalismus festgestellt wurde:

Das bewußt Widerfahrende entpuppt sich als latentes Machen. Das Unbewußte produziert die lebensgeschichtliche Wirklichkeit.

Mit dieser unterschwelligen Logisierung wird nun aber auch das Herr-Knecht-Verhältnis fragwürdig, das Schopenhauer zwischen Wille und Intellekt herrschen sieht. Ist ihre Beziehung ohnehin schon prekär genug, weil eine wohlfunktionierende instrumentelle Vernunft als Organon des Willens die ihm zugeschriebene Blindheit in Frage stellt, so bilden der »starke Blinde«, der den »sehenden Gelähmten« auf seinen Schultern trägt – diese wahrhaft provozierende Christophoros-Adaption – vollends eine harmonische, wiewohl defektbedingte Einheit. Und diese Einheit würde selbst dann, gerade dann bestätigt werden, wenn sich dasjenige, was eigentlich blind das Leben will, aus der Erfahrung und Erkenntnis des Lebens sehend wendete: Die Aufklärung über sich selbst wäre der Beginn der Erlösung von sich selbst. Die Transformation des Unbewußten ins Bewußte markiert so den Punkt, an dem Schopenhauers Willenslehre in eine Philosophie der Erlösung einmündet, die nicht dieses oder jenes, sondern die Biopathologie des Lebens von Grund auf kurieren will.

Carl Gustav Carus ist demgegenüber wieder von einem abgrundtiefen Vertrauen in die unbewußten Tiefen des Seelenlebens bestimmt. Kurieren, das will zwar auch er – das, was an Krankheiten aus dem Unbewußten aufsteigt, was sich indessen auch aus ihm heilt: Zwischen Georg Ernst Stahl und Georg Groddeck ist der Glaube an die psychosomatischen Selbstheilungskräfte nicht nachdrücklicher artikuliert worden. Im übrigen faßt dieser »vielkräftige« Geist – Arzt, Maler, Schriftsteller, Philosoph – in seiner *Psyche* (1846), zuvor bereits in seinen *Vorlesungen über Psychologie* (1831), die Erkenntnisse der ganzen klassisch-romantischen Epoche zusammen, neben denen der Schlegel und Schleiermacher, der Novalis und Solger die der romantischen Ärzte und Naturphilosophen, der Burdach, Kieser, Ennemoser, Reil, Heinroth, Ideler, Neumann, Treviranus, Troxler, Ritter, Schubert, Eschenmayer, Suabedissen zumal, die von Carus in eine zusammenhängende Lehre vom Unbewußten integriert werden (weshalb in dieser Sammlung auch auf die gesonderte Dokumentation ihrer fragmentarischen Ahndungen verzichtet werden kann). Daß man an Carus dabei keine Konsistenzforderungen stellen darf, wurde schon angedeutet: Er ist das Hauptbeispiel für die mäandrierenden, terminologisch oft verwirrenden Suchbewegungen, die das schwierige Wissen vom Unbewußten weiterzutreiben suchen. Aber es gibt reiche Geister, die eher ungenau sind – und äußerst genaue, welche eher arm...

Ihrem weltanschaulichen Gehalt nach ist Carus' Lehre pantheistisch, genauer: im Sinne Christian Friedrich Krauses pan*en*theistisch. Metaphorisch spannt sie einen harmonischen Regenbogen von den nächtigen, strömenden Tiefen des für die Romantik insgesamt noch nicht individuierten Unbewußtseins, in dem logisch und teleologisch doch die »Idee« präsent ist, bis zu einem höchsten Göttlichen, das seinerseits wieder – für uns! – ein »Unbewußtes« oder »Ungewußtes« ist. Und wo Carus die Spannung von Bewußtem und Unbewußtem in scheinbaren Gegensatzpaaren konkretisiert, da denkt er nicht eigentlich antagonistisch oder dualistisch, sondern aller vordergründigen Wertung zum Trotz in Polaritäten: von Männlichem und Weiblichem, von Kindheit und Erwachsensein, von Pro- und Epimetheischem, von Orient und Okzident, von Tag-, Dämmerungs- und Nachtvölkern, die bei ihm die afrikanische Population des Unbewußten sind, auch wenn er spätestens mit ihnen bei den nur zu vertrauten kolonialen Ideologien angekommen zu sein scheint. Charakteristisch für dieses Polaritätsdenken ist neben dem Bild des Regenbogens das der Kathedrale, bei der die Turmspitze keinen Vorzug vor ihrem »Grund« hat: Ganz offensichtlich konstruiert hier kein Logozentriker seine hierarchischen Architekturen. Bezeichnend genug auch, daß Carus so sehr den Begriff der Wechselwirkung betont – übrigens mit beträchtlichem Erkenntnisgewinn: In seiner kommunikativen Auslegung der Wechselwirkungen zwischen Bewußtem und Unbewußtem zum Beispiel stößt er zu Erkenntnissen vor, die die der Transaktionsanalyse vorwegnehmen.

Im Schutz dieses pantheistischen Polaritätsdenkens wagt Carus freilich auch Akzente zu setzen, die eigens hervorgehoben zu werden verdienen. Sein Schematismus des Unbewußten, der von Schellings Zentralbegriffen ausgeht und dann von Eduard von Hartmanns Metaphysik bis ins Detail aufgegriffen wird, läßt keinen Zweifel daran, daß das »absolut Unbewußte«, unterteilt in das allgemeine und partielle, zusammen mit dem relativ Unbewußten, in das alles Seelenleben periodisch zurückkehrt, ungleich größere Dimensionen als das Bewußte umgreift. Dieses Unbewußte ist aber nicht nur der Schlüssel für die rekonstruierende Erkenntnis des bewußten Seelenlebens, es ist vorab seine konstitutive Basis. Um das noch pointierter mit der Sprache eines fast gleichzeitigen Textes zu sagen, der unter dem Titel der »deutschen Ideologie« bekannt ist: Bewußtsein ist bewußtes, d. h. bewußt gewordenes, aber an sich unbewußtes Sein. Dementsprechend ist nicht verwunderlich, daß Carus, wie die genannten anderen romantischen Ärzte und Naturphilosophen, vehement an der Physiologie interessiert ist: an den körperlichen Wachstums- und Bildungsprozessen, an Ernährung, Verdauung, Atmung, am Blutkreislauf, am embryonalen Leben, an den Sekretionen, nicht zuletzt wie Schopenhauer, dessen »Metaphysik der Geschlechtsliebe« von Carus wieder aufgenommen wird, an einer durchaus körpergebundenen und dabei bewußt »scham-losen« Sexualität. Mit seinem Begriff des Gefühls, d. h. alles dessen, was »in der Nacht des Unbewußtseyns unsere Seele in uns bildet, schafft, tut, leidet, drängt und brütet«, ist Carus dann vollends auf dem Weg zum »Es«. Mit anderen Worten: Im Gegensatz zur vorherrschenden Lesart der deutsch-romantischen, und das heißt dann immer: anti-(west)europäischen Gegenaufklärung scheint es bei Carus zumindest gelegentlich so, daß die Materialisierung der Idee, die am Ende des Jahrhunderts in einen monistischen Materialismus mündet, (auch) über die Entdeckung des Unbewußten erfolgt: nicht über den »l'homme machine«, aber über die »nature inconsciente«...

Carus' Denken ist vor allem von der Lebensphilosophie und der Anthroposophie wiederbelebt worden. Sein jüngerer Zeitgenosse Karl Fortlage hingegen ist heute ganz und gar vergessen, obwohl die Rezeptionsgeschichte selten so ungerecht verfahren ist wie hier. Fortlage knüpft mit seinem *System der Psychologie als empirischer Wissenschaft aus der Beobachtung des innern Sinnes* (1855) wieder ausdrücklich an Schopenhauers psychologische Metaphysik des unbewußten Willens an: Ohne die Möglichkeit rationalisierender Mißverständnisse wird er bei ihm vorbehaltlos der »Trieb« genannt; und an diesem Begriff hängt »gleichsam die ganze Welt«. Folgerichtig gewinnt er eine geradezu ubiquitäre Bedeutung (weshalb es fast unmöglich ist, einen Auszug aus Fortlages *System* herauszulösen). Die Einleitung des zweiten Teils bietet indessen eine komprimierte Zusammenfassung, die hoffentlich zur Gesamtlektüre dieses singulären Werkes anregen kann (ein kommentierter Neudruck ist in Vorbereitung).

Der Trieb ist die Basis der Empfindungen und Gefühle, aber auch der scheinbar ausschließlich rationalen Prozesse des Urteilens, der Bejahung und Verneinung. Ja, er ist sogar die Basis der angeblichen Anschauungsformen Raum und Zeit. Denn sie werden von Fortlage in höchst bemerkenswerter Weise – erst die Philosophie von Günther Anders schlägt, ohne Fortlage zu kennen, wieder die Richtung einer triebpsychologisch verwandelten transzendentalen Ästhetik ein – als Distanzphänomene, als Entzugsbedingungen bestimmt. Die Unterteilung in den Lust- und den Unlust-, den Expansions- und den Repulsionstrieb nimmt den Dualismus der Freudschen Trieblehre vorweg. Und in alldem ist die Triebpriorität für Fortlage wie schon für Schopenhauer derart, daß Bewußtsein geradezu als »gehemmter Trieb« gefaßt werden kann.

Das heißt nicht, daß Bewußtsein gänzlich ohnmächtig wäre. Es kann vielmehr so sehr zur aktiven Kraft der Hemmung werden, daß es paradoxerweise bewußt gewordene Triebe in unbewußte zurückverwandeln kann. Aber es ist doch deutlich ein Sekundärphänomen: Die dunkle Basis des hellen Denkens – ohne die Bilder von Hell und Dunkel ist hier »nichts auszurichten«, weiß Fortlage – »ist der Trieb«.

Davon ist auch Immanuel Hermann Fichte, Sohn Johann Gottliebs, im Anschluß an Fortlage überzeugt. Die eigentümlichen Aufgaben der Psychologie will er zwar erst mit dem Bewußtsein beginnen lassen. Die un- oder »vorbewußte«, nur auf dem Wege des Rückschlusses indirekt zu erreichende »Dunkelregion des Geistes« ist aber auch für ihn wieder weitaus bedeutender als die helle. Der Transzendentalphilosophie hält er mit einer durchaus ungerechten Polemik gegen Kant entgegen, daß sie diese Region übersehen oder ihre Dimensionen unterschätzt habe. Herbart wiederum wirft Fichte bei aller Anerkennung seiner Verdienste vor, daß er die Bedeutung der Vorstellungen überschätzt und – so lautete schon Jean Pauls Kritik – die Seelenvermögen simplifiziert habe. Dagegen setzt Fichtes *Psychologie* (1864), auch über Fortlages negative Formulierung vom »*gehemmten* Trieb« noch hinausgehend: Vorstellungen, Bewußtsein, vor allem Aufmerksamkeit als die gezielte und gerichtete Verengung des Bewußtseins, sind positive Triebphänomene – Trieb verstanden als unterste Gestalt des Willens. Erkenntnis wird, wie schon der von Fortlage und Fichte hochgeschätzte, von Schopenhauer als Zitatenschwindler befehdete Eduard Beneke gelehrt hatte, durch das buchstäblich »erregte« Interesse inspiriert. Und Fichte spitzt zu: An sich selber ist Bewußtsein ausschließlich reflexiv und das heißt: ganz und gar unproduktiv. Es bringt nichts Neues hervor; es schafft nichts; es beleuchtet nur.

Die Pointe dieses Satzes intendiert freilich nichts weniger als einen materialistischen Irrationalismus. In den Tiefen des Vor- und des Unbewußten, in Instinkt, Phantasie und Eingebung lagern vielmehr die unverlorenen und unverlierbaren Schätze des »Geistes«, die in der Tradition von Leibniz – für Fichte ist er der Vater der »wahren Psychologie« –, von Jean Paul und Fechner wieder die Fortdauer des Geistes garantieren sollen. In Fichtes Restaurationsversuch eines spekulativen Theismus, der sich massiv gegen Schopenhauer wendet, konserviert das »innere Afrika« auch die Reichtümer, die es allein produziert.

Einen Konservator solcher Reichtümer kann man auch Eduard von Hartmann nennen, den lange Zeit geradezu populären »Philosophen des Unbewussten«. In seiner eklektischen Synthese »des philosophischen Dreigestirns des 19. Jahrhunderts« – Hegels, Schellings und

Schopenhauers – faßt er gegensätzlichste Impulse zusammen und bringt dabei manche bis dahin für unmöglich gehaltene Quadratur des Zirkels zustande. Den metaphysischen Pessimismus kombiniert er mit evolutionärem Optimismus, eine negative Ontologie mit unverdrossenen Fortschrittsgedanken – und bietet just so der Gründerzeit neben »spekulativen Resultaten nach induktiv-naturwissenschaftlicher Methode«, die der Untertitel der *Philosophie des Unbewussten* (1869) verheißt, jene Mischung von Erfolg und Erlösung, jenen Goldglanz auf Nachtgrund, die die sensibleren Zeitgenossen offenbar noch brauchten.

Der Erfolg des Werkes ließ denn auch nicht lange auf sich warten. Es avancierte alsbald zu dem fürwahr raren Exempel eines metaphysischen Bestsellers. Und damit wurde auch der Begriff des »Unbewussten«, der bei Hartmann erstmals titelgebend ist, zu einem der zentralen Schlagwörter der Zeit. Es tobte geradezu ein »Kampf ums Unbewusste« – und was könnte förderlicher für eine Begriffskarriere sein! Zwar folgte dem internationalen Riesenerfolg, der weder vor Rußland noch den USA haltmachte, bald eine zunehmende Vergessenheit. Und heute ist nur noch schwer vorstellbar, wie allgegenwärtig »das Unbewusste« in den Diskussionen und auch Konversationen der siebziger Jahre war: Daß der Begriff bereits um 1900 wieder zu den durchsetzungsbedürftigen zählte, erscheint uns nur zu selbstverständlich. Die jüngste wissenschaftshistorische Forschung zur Herkunft des »Es« hingegen hat vertreten, daß Freud mit der nur gelegentlichen Erwähnung Eduard von Hartmanns in der *Traumdeutung* und der *Psychopathologie des Alltagslebens* einer von »Kryptomnesien«, von Deckerinnerungen nur notdürftig kaschierten Verdrängung eines seiner wichtigsten Ahnen in Sachen des Unbewußten erlegen sei. Diese strenge Einschätzung muß man, noch einmal, nicht teilen. Eher verspricht es Aufschluß, wenn man Freuds Hinwendung zum strukturellen Modell des Unbewußten als Abkehr von Hartmanns metaphysiziertem Begriff versteht. Ganz ohne Frage ist aber festzuhalten, daß der Einfluß von Hartmanns System als publizistischem Höhepunkt der vorfreudianischen Entdeckungsgeschichte des Unbewußten kaum überschätzt werden kann.

Diese Geschichte wiederum ist in der *Philosophie des Unbewussten* in erstaunlichem Maße präsent. Hartmann, einer der Vielwissenden und ein präziser Historiker seines eigenen Systems, war sich im Unterschied zu Freud höchst klar darüber, wie viele Vorgänger im deutschen, im europäischen wie im außereuropäischen Bereich er hatte. Sein einleitender Text, so unkorrekt er etliche der in der vorliegenden

Sammlung dokumentierten Autoren herbeizitiert, ist wie seine terminologischen und begriffsgeschichtlichen Explorationen auch heute noch mit Gewinn zu lesen. Nur in bezug auf Carus werden die Auskünfte dürftiger: wohl deswegen, weil Carus' Schematismus des absolut und des relativ Unbewußten doch zu nahe am eigenen System war.

Im übrigen ist sowohl Hartmanns Phänomenologie wie seiner Metaphysik des Unbewußten prinzipiell wenig anderes zu entnehmen, als es die Schellingsche und Schopenhauersche Tradition, etwa für die Philosophie der Geschichte oder die Metaphysik der Geschlechtsliebe, schon zutage gefördert hatte. Hartmanns Bedeutung liegt zumeist in der weitgespannten Zusammenfassung und Ergänzung der verschiedenen kognitiven, volitiven und irrationalen Aspekte des Unbewußten sowie in der Verbindung der verschiedenen Forschungsdisziplinen von den Naturwissenschaften bis zur Soziologie und Politik. Kohärenzforderungen darf man an Hartmann womöglich noch weniger als an Carus stellen: Er selber war sich später nur zu bewußt, daß sein erfolgreichstes Werk – das eines gerade Fünfundzwanzigjährigen – durchaus nicht sein bestes war. Über weite Strecken schreibt er bestenfalls einen metaphysischen Roman, in dem der männliche Wille die weibliche Idee begattet, auf daß der Ehe beider zunächst die Welt und zum seligen Ende aller Dinge die Erlösung von der Welt entspringt. Und spekulationsgeschichtlich genommen, ist das, was Hartmann als das allein aktive und produktive, das nicht erkrankende, ermüdende, über-sinnliche, zeitlose, irrtumsfreie Wesen, als die Alleinheit von Wille und Vorstellung beschreibt, ganz offensichtlich nicht mehr als eine Neuausgabe jenes ens realissimum et metaphysicum, das aller behaupteten Unseligkeit zum Trotz noch einmal in wohlorganisierter Teleologie die beste aller Welten aus sich entläßt, die hier nur die zur Erlösung führende ist.

Mit seiner Beantwortung der zentralen Frage, wie sich Wille und Vorstellung unter der gemeinsamen Hülle des Unbewußten zueinander verhalten, geht Hartmann allerdings dann doch über den Rahmen jener Tradition hinaus, die von Schopenhauers Vorstellung des an sich vorstellungslosen Willens bis zu Freuds (außerordentlich schwieriger) Rede von der »Urverdrängung« mitsamt den Spätfolgen in Deleuze-Guattaris *Anti-Ödipus* reicht. »Kein Wille ohne Vorstellung«: diese These Hartmanns bewahrt den unbewußten Willen vor gänzlicher Objekt-, Ziel- und auch Weltlosigkeit, wenn sie auch seinen Charakter als Perpetuum mobile verfehlt. Zugleich sucht Hartmann, insofern wieder *in* der Tradition Schopenhauers, mit dem Bewußtsein die Möglichkeit der Emanzipation vom Willen zu garantieren: Bewußtsein ist par excellence ein Distanzierungsvermögen, Unbewußtes ein Determinationszusammenhang. Und das gilt auch bei ihm in bezug auf die Frage aller Fragen: warum denn etwas sein *wolle* und nicht vielmehr nichts. Die Entdeckung des Unbewußten zielt erneut auf den dunklen Grund aller Gründe, aber nicht, um den Willen zum Leben aus ihm zu begründen, sondern um ihn als das Grund- und Bodenlose zu entmächtigen.

Mit den provokativen Grund-Sätzen der negativen Ontologie Schopenhauers und Hartmanns wiederum setzt Nietzsches werk- und lebensprägender »Kampf ums Unbewusste« ein. Die Ambivalenzen seiner Beziehung zu Schopenhauer sind offensichtlich; nicht ganz so die der zu Hartmann. Hier wurden meist nur die Glossen der zweiten *Unzeitgemäßen Betrachtung* zur Kenntnis genommen – und dabei die brieflichen Zeugnisse übersehen, die zeigen, daß Hartmann zunächst ein durchaus positiver Anstoß für Nietzsche war.

Die Kritik des Bewußtseins steht bei Nietzsche durchweg im Vordergrund: Er ist in der Tat der massivste Subjektkritiker, den die Moderne auch schon vor ihrem postmodernen Salto mortale kennt. Dahinter steht dann freilich ein emphatischer Begriff des Unbewußten. Und hier ist Nietzsches Entdeckungsreichtum so groß, daß es nur plausibel ist, wenn die Genealogie der Psychoanalyse immer wieder auf ihn gestoßen ist, dessen Lektüre Freud sinnreicherweise wegen der zu großen Nähe mied – woher auch immer er von ihr wußte.

Das Bewußtsein analysieren heißt für Nietzsche: die Illusion eines autonomen, aktiven, freien, verantwortlichen und identischen Ichs analysieren, die sich zu Zwecken der sprachlichen und gesellschaftlichen Verallgemeinerung, »Vergemeinerung« einer unverwechselbaren Pluralität von Trieben übergestülpt hat. Bewußtsein ist für ihn schlechthin inkompetent – unmöglich, das Ding in sich, richtiger: die Dinge in sich, noch richtiger: die Triebe in sich, die wahre, die immanente Transzendenz zu erfassen. »Ich weiß, daß ich *von mir* nichts weiß«, lautet Nietzsches prägnante Umakzentuierung des Sokratischen Agnostizismus. Der von ihm so überzeugend proklamierte »Phänomenalismus« auch der inneren Welt, der den der äußeren noch überbietet, könnte ihn sogar zu einer Art »Kant der Psychologie« qualifizieren, wenn solche genealogischen Formeln nicht immer etwas Schiefes behielten.

Außerdem ist das Bewußtsein für Nietzsche im Widerspruch zu seiner narzißtischen Selbstüberschätzung ohnmächtig: Es tut nicht, sondern wird vom »Selbst« oder was immer getan. Wenn Nietzsche erklärt, daß nur ein gradueller, kein qualitativer Unterschied zwischen Bewußtsein und Unbewußtem bestehe (wie auch immer sich das mit der sonst aufgerissenen Kluft vertragen mag), und damit eine zentrale

Erkenntnis der voraufgegangenen Entdeckungsgeschichte des Unbewußten zu revidieren scheint, dann ist die Pointe just die, daß auch das Bewußtsein eine abhängige Provinz des Unbewußten ist. Um im hier titelgebenden Bild zu bleiben: Europa wäre eine der Randzonen des »inneren Afrika«. König Ödipus – er ist wie schon bei Schopenhauer und dann bei Freud das Paradigma der Determinationen, aus denen gerade der Bewußte lebt – kann weder für seine Träume noch für sein Wachen etwas. Kurz: Es ist »die Phase der Bescheidenheit des Bewusstseins«.

Angesichts der behaupteten Ohnmacht des Bewußtseins ist freilich um so weniger verständlich, wie es zu einer Gefahr für das Unbewußte werden kann. Nietzsches instrumentelle Theorie des Intellekts gerät hier in der Tradition Schopenhauers in das gleiche Dilemma wie er. Bei Nietzsche aber erhält dieses Problem womöglich noch größere Bedeutung, weil er in seinen Wertschätzungen vollständig denen Schopenhauers widerspricht. Für ihn nämlich ist das Bewußtsein nicht Erlösungsmöglichkeit, sondern buchstäblich »Lebensgefahr«: Ist für Schopenhauer der Wille, *weil* er das Leben will, blind, so ist er für Nietzsche, sofern er *nicht* mehr leben will, krank. Bewußtsein, wie auch immer sein ideologischer Name lauten möge, ob Sokratismus, Platonismus, Christentum, Schopenhauerianismus oder Wagnerianismus, ist par excellence das Organ des Nihilismus. Weil es Gründe braucht und Prinzipien hat, steht es quer zum Leben und zum Willen zum Leben, der wie jede Schöpfung allein dem Unbewußten entspringt. Die wissenden Götter sind Pessimisten, in letzter Instanz eben Nihilisten. Nur der dumme blonde Siegfried ist die Gestalt des Unbewußten, die selbstverständlich leben will: als Anti-Tristan – »unbewusst/Höchste Lust«, jedoch trinken und *nicht* versinken! Nietzsche selber allerdings ist – weiß Gott! – kein Siegfried. Mit anderen Worten: Im Zeichen des Unbewußten bekämpft er mit dem Bewußtsein auch den Nihilismus in sich selbst.

Dieser Widerspruch zwischen der Theorie des entmächtigten, unbewußt dominierten Bewußtseinssubjekts und der Bekämpfung der nihilistischen Bewußtseinskrankheit aber kann nur aufgelöst werden, wenn es am Ende das Unbewußte selbst (für Nietzsche: das unbewußte »Selbst«) ist, das nicht mehr leben will. So jedenfalls will es Zarathustras verächtliche Rede von den Leibverächtern. Und es braucht eine philosophische Anstrengung sondergleichen, um mit dem unbewußten Willen zur Macht den Willen zum Über-Leben zu retten: Nur als – wie der Mensch zum Über-Menschen – gesteigertes und überbotenes kann das Leben bei sich selber bleiben. Das »Fatum«, das der jugendliche

Aufsatzautor wie Schellings psychologischer Transzendentalismus, wie Schopenhauers »transscendente Spekulation« als Gestalt des Unbewußten bestimmt, muß zum Willensobjekt des bewußten »amor fati« werden, wenn Bewußtsein *und* Unbewußtes nicht im Willen zum Sterben untergehen soll. Auf der Turiner Piazza Carlo Alberto wird dieses Leben den Preis für seine Überanstrengung zahlen.

Nach Nietzsches fürwahr »fundamental-ontologischen« Explorationen führt der abschließende Text dieser Sammlung: Theodor Lipps' Vortrag *Über den Begriff des Unbewussten in der Psychologie*, gehalten 1896 auf dem dritten psychologischen Weltkongreß in München, in die begrenzteren Diskussionen der akademischen Psychologie hinein. Sie hatte im Verlaufe des 19. Jahrhunderts immer wieder versucht, Psychologie mit Bewußtseinspsychologie zu identifizieren und zum Beispiel den Begriff der »unbewussten Vorstellungen« für paradox zu erklären. Charakteristisch war dafür neben Franz Brentanos empirischer Psychologie die Entwicklung Wilhelm Wundts, der unter Lipps' Zuhörern war. Hatten seine *Beiträge zu einer Theorie der Sinneswahrnehmung* (1862) noch die unbewußten Wahrnehmungen betont, so war er danach zu einem entschiedenen Gegner aller Unbewußtseinspsychologie geworden. Den Hintergrund dieser Allergie kann man in jenen »mystischen« und »hypothetischen« Begriffen vom Unbewußten ausmachen, die auch Lipps für beliebig dehnbar und unbestimmt erklärt. Das zielt natürlich gegen die Begriffsorgien Hartmannscher Provenienz, die tatsächlich geeignet waren, die übliche akademische Verwechslung von wissenschaftlicher Solidität mit Inspirationslosigkeit zu rechtfertigen.

Mit diesen Mystizismen will Lipps indessen seinen Begriff vom »Unbewussten« keinesfalls verwechselt sehen. Gerade eine entschieden erfahrungswissenschaftlich verfahrende Psychologie, die sich weder mit den angeblichen »Tatsachen des Bewusstseins« noch mit dem »Unbemerkten«, dem Halb- oder Dunkelbewussten begnügen kann, kommt für ihn nicht ohne den Begriff des Unbewußten aus; schon bei den Vorstellungen nicht, zu schweigen von den Empfindungen oder was sonst noch die Basis des psychischen Lebens ausmachen mag: versunkene, submarine Gebirge, von denen »nur wenige höchste Gipfel über die Wasseroberfläche emporragen«. Beschreibende Psychologie wäre hier schiere Oberflächenpsychologie, bloße Symptomwissenschaft. Die heutige Opposition gegen die Psychologie des Unbewußten, die nach wie vor ihre akademischen Residuen hat und in der publizistischen Vermarktung fast schon so modisch ist, wie es die Psychoanalyse mancherorts auch sein mag, wird Lipps' differenzierte und zugleich souverän pointierte Argumentation – insgesamt ein glänzender wissenschaftlicher Text! – jedenfalls mit Gewinn zur Kenntnis nehmen können.

Freud hat denn auch das »kräftige Wort« von Lipps wenig später in der *Traumdeutung* (*GW* II/III, S. 616) mit verständlicher Freude zitiert: »Die Frage [des Unbewussten in der Psychologie, L. L.] ist weniger eine psychologische Frage, als die Frage der Psychologie.« Und dabei hat Freud zurückhaltenderweise nicht einmal Lipps' noch kräftigere Antwort erwähnt: »In der Psychologie auf das Unbewusste verzichten, so lautet mein Ergebnis, heißt auf die Psychologie verzichten.« Und wer wird schon auf die Psychologie verzichten wollen – zumal dann, wenn sie uns wirklich in das »innere Afrika« führt.

Anmerkungen

[1] Francis X. Dercum and Charles W. Burr, in: *Freud and the Americans*, New York 1971, p. 278.

[2] *Protokolle der Wiener psychoanalytischen Vereinigung*, hrsg. von H. Nunberg und E. Federn, Bde. I–IV, Frankfurt am Main 1976, besonders Bd. I, p. 335 ff., Bd. II, p. 22 ff. u. ö.

[3] Aus der inzwischen wie üblich unübersehbaren Sekundärliteratur sind hier nur zu nennen: die beiden Entdeckungsgeschichten des Unbewußten von L. L. Whyte (*The Unconscious before Freud*, London/New York 1960) und H. F. Ellenberger (*The Discovery of the Unconscious*, Bde. I und II, New York 1970, dt. Übersetzung Bern/Stuttgart/Wien 1973) sowie der konzentrierte Abriß von E. L. Margetts: ›The Concept of the Unconscious in the History of Medical Psychology‹, in: *Psychiatric Quarterly* 27 (1953), p. 115–138; daneben noch die kommentierten, allerdings allzu fragmentarischen Sammlungen von D. Brinkmann (*Probleme des Unbewussten*, Zürich/ Leipzig 1943), I. Levine (*The Unconscious*, London 1923) und J. Rattner (*Vorläufer der Tiefenpsychologie*, Wien/München/Zürich 1983).

[4] Vgl. B. Nitzschke: ›Zur Herkunft des »Es«‹, in: *Psyche* 37 (1983), H. 9, p. 769–804, und die anschließende Diskussion in den Heften 2/1985, p. 97–178, und 12/1985, p. 1102–1132.

[5] M. Kaiser-El-Safti: *Der Nachdenker. Die Entstehung der Metapsychologie Freuds in ihrer Abhängigkeit von Schopenhauer und Nietzsche*, Bonn 1987 (= Conscientia. Studien zur Bewußtseinsphilosophie, hrsg. von G. Funke, Bd. 13).

[6] P. Sloterdijk: *Der Zauberbaum. Die Entstehung der Psychoanalyse im Jahr 1785. Epischer Versuch zur Philosophie der Psychologie*, Frankfurt am Main 1985, p. 151 f.

[7] So lautet eines der Fragmente aus den Vorarbeiten zu *Selina*, in: *Sämtliche Werke, Historisch-Kritische Ausgabe*, hrsg. von der Preußischen Akademie der Wissenschaften, 2. Abtlg., Bd. IV, Weimar 1934, p. 210.

[8] J. G. Miller: *Unconsciousness*, New York 1942.

[9] Roy Schafer: *A New Language for Psychoanalysis*, New Haven/London 1976.

[10] Vgl. dazu besonders die *Nouveaux essais sur l'entendement humain*, Vorrede und Buch II, §§ 10ff., *Monadologie*, § 14, und *Principes de la Nature et de la Grace*, § 4.

[11] Vgl. dazu neben K. J. Grau (*Bewußtsein, Unbewußtes, Unterbewußtes*, München 1922, und *Die Entwicklung des Bewußtseinsbegriffs im 17. und 18. Jahrhundert*, Halle 1927) neuerdings die präzise Studie von H. Adler: ›Fundus Animae – der Grund der Seele. Zur Gnoseologie des Dunklen in der Aufklärung‹, in: *DVjs* H. 2/1988, p. 197–220.

[12] J.G. Fichte: *Gesamtausgabe der Bayerischen Akademie der Wissenschaften, Nachgelassene Schriften*, Bd. IV, p. 46ff. und 196ff.

[13] Dazu wie zur Entwicklung des Geniebegriffs insgesamt jetzt J. Schmidt: *Die Geschichte des Genie-Gedankens in der deutschen Literatur, Philosophie und Politik 1750–1945*, Darmstadt 1985, Bde. I und II.

[14] In: *J. G. Sulzers vermischte philosophische Schriften*, Leipzig 1773, p. 99ff.

[15] A.a.O., p. 261.

[16] In: *Sämmtliche Werke*, hrsg. von B. Suphan, Bd. 8, p. 178ff.

[17] Magazin zur Erfahrungsseelenkunde, Bde. I–X, Berlin 1783–1793, besonders Bd. I, p. 92ff.

[18] Zusammenfassend jetzt O. Marquard: *Transzendentaler Idealismus, Romantische Naturphilosophie, Psychoanalyse*, Köln 1987 (= Schriftenreihe zur Philosophischen Praxis, Bd. 3).

[19] L. Klages: *Goethe als Seelenforscher*, Frankfurt am Main 1928, p. 235ff.

[20] Dazu besonders M. Dorer: *Historische Grundlagen der Psychoanalyse*, Leipzig 1932.

FRIEDRICH WILHELM JOSEPH SCHELLING

Zur Geschichte der neueren Philosophie

Kant, Fichte
System des transscendentalen Idealismus

Nach Fichte also war alles nur durch das Ich und für das Ich. Fichte hatte damit die Selbständigkeit oder die Autonomie, welche Kant dem menschlichen Selbst für seine moralische Selbstbestimmung zuschrieb, zur theoretischen erweitert, oder dieselbe Autonomie dem menschlichen Ich auch für seine Vorstellungen von der Außenwelt vindicirt. Jener Satz: Alles ist nur durch das Ich und für das Ich, schmeichelt daher anfänglich zwar dem menschlichen Selbstgefühl und scheint dem innern Menschen die letzte Unabhängigkeit von allem Aeußern zu geben. Aber näher betrachtet hat er etwas Thrasonisches oder Großsprecherisches, solang nicht gezeigt ist, wie, auf welche *Weise* dieß alles, was wir als existirend anerkennen müssen, *durch* das Ich und *für* das Ich ist. Die Meinung dieses subjektiven Idealismus selbst konnte nicht seyn, daß das Ich die Dinge außer sich *frei* und mit *Wollen* setzte; denn nur zu vieles ist, das das Ich ganz anders wollte, wenn das äußere Seyn von ihm abhienge. Der unbedingteste Idealist kann nicht vermeiden, das Ich, was seine Vorstellungen von der Außenwelt betrifft, als *abhängig* zu denken – wenn auch nicht von einem Ding an sich, wie es Kant nannte, oder überhaupt von einer Ursache außer ihm selbst, aber doch wenigstens abhängig von einer innern Nothwendigkeit, und wenn er dem Ich ein Produciren jener Vorstellungen zuschreibt, so muß dieses wenigstens ein blindes, nicht in dem *Willen* sondern in der *Natur* des Ich gegründetes Produciren seyn. Um dieß alles zeigte sich nun Fichte unbekümmert, er gab sich gegen die gesammte Nothwendigkeit mehr das Verhältniß eines unwillig sie Negirenden, als eines sie Erklärenden. Angewiesen nun, die Philosophie da aufzunehmen, wo sie Fichte hingestellt hatte, mußte ich vor allem sehen, wie jene unleugbare und unabweisliche Nothwendigkeit, die Fichte gleichsam nur mit Worten hinwegzuschelten sucht, mit den Fichteschen Begriffen, also mit der behaupteten absoluten Substanz des Ich sich vereinigen ließe. Hier ergab sich nun aber sogleich, daß freilich die Außenwelt *für* mich nur da ist, inwiefern ich zugleich selbst da und mir bewußt bin (dies versteht sich von selbst), aber daß auch umgekehrt, *sowie* ich für mich selbst *da*, ich mir *bewußt* bin, daß, mit dem ausgesprochenen Ich bin, ich auch die Welt als bereits – da – seyend finde, also daß auf keinen Fall das *schon bewußte* Ich die Welt produciren kann. Nichts verhinderte aber, mit diesem *jetzt* in mir sich-bewußten Ich auf einen Moment zurückzugehen, wo es seiner noch nicht bewußt war, – eine Region jenseits des *jetzt vorhandenen* Bewußtseyns anzunehmen und eine Thätigkeit, die nicht mehr selbst, sondern nur durch ihr Resultat in das Bewußtseyn kommt. Diese Thätigkeit konnte nun keine andere seyn als eben die Arbeit des zu-sich-selbst-Kommens, des sich Bewußtwerdens selbst, wo es denn natürlich ist und nicht anders seyn kann, als daß diese Thätigkeit mit dem erlangten Bewußtseyn aufhört und bloß ihr Resultat stehen bleibt. Dieses bloße Resultat, in welchem sie dem Bewußtseyn stehen bleibt, ist dann eben die Außenwelt, der sich eben darum das Ich nicht als einer von ihm selbst producirten, sondern nur als einer zugleich mit ihm da seyenden bewußt seyn kann. Ich suchte also mit Einem Wort den unzerreißbaren Zusammenhang des Ich mit einer von ihm nothwendig vorgestellten Außenwelt durch eine dem *wirklichen* oder empirischen Bewußtseyn vorausgehende transscendentale Vergangenheit dieses Ich zu erklären, eine Erklärung, die sonach auf eine transscendentale Geschichte des Ichs führte. Und so verrieth sich schon durch meine ersten Schritte in der Philosophie die Tendenz zum Geschichtlichen wenigstens in der Form des sich selbst bewußten, zu sich selbst gekommenen Ich. Denn das Ich bin ist eben nur der Ausdruck des zu-sich-Kommens selber – also dieses zu-sich-Kommen, das im Ich bin sich ausspricht, setzt ein *außer*- und von-sich-Gewesenseyn voraus. Denn nur das kann zu *sich* kommen, was zuvor *außer* sich war. Der erste Zustand des Ichs ist also ein außer-sich-Seyn. Hiebei ist nur noch zu bemerken (und dieß ist ein sehr wesentlicher Punkt), *daß* das Ich, inwiefern es jenseits des Bewußtseyns gedacht wird, eben darum noch nicht das individuelle ist, denn zum individuellen bestimmt es sich eben erst im zu-sich-Kommen, also das *jenseits* des Bewußtseyns oder des *ausgesprochenen* Ich bin gedachte *Ich* ist für alle menschlichen Individuen das gleiche und selbe, es *wird* in jedem erst *sein* Ich, sein individuelles Ich, indem es eben in ihm *zu* sich kommt. Daraus, daß das jenseits des Bewußtseyns gedachte für alle Individuen dasselbe ist, daß hier das Individuum noch nicht mitwirkt, daraus erklärt sich alsdann, warum ich für meine Vorstellung von der Außenwelt unbedingt, und ohne selbst erst eine Erfahrung darüber gemacht zu haben, auf die Uebereinstimmung aller menschlichen Individuen zähle (das Kind schon, das mir einen Gegenstand zeigt, setzt voraus, daß dieser Gegenstand ebensowohl für mich als für es existiren müsse). Allerdings nun indem das Ich zum *individuellen* wird – was eben durch das Ich bin sich ankündigt – angekommen also bei dem *Ich bin*, womit sein individuelles Leben beginnt, erinnert es sich nicht mehr des Wegs, den es bis dahin zurückgelegt hat, denn da das Ende dieses Wegs eben erst das Bewußtseyn ist, so hat es (das jetzt individuelle) den Weg zum Bewußtseyn selbst bewußtlos und ohne es zu wissen zurückgelegt. Hier erklärt sich die Blindheit und Nothwendigkeit seiner Vorstellungen von der Außenwelt, wie dort die Gleichheit und Allgemeinheit derselben in allen Individuen. Das individuelle Ich findet in seinem Bewußtseyn nur noch gleichsam die Monumente, die Denkmäler jenes Wegs, nicht den Weg selbst. Aber eben darum ist es nun Sache der Wissenschaft und zwar der Urwissenschaft, der Philosophie, jenes Ich des Bewußtseyns *mit Bewußtseyn* zu sich selbst, d. h. ins Bewußtseyn, kommen zu lassen. Oder: die Aufgabe der Wissenschaft ist, daß jenes Ich des Bewußtseyns den ganzen Weg von dem Anfang seines Außersichseyns bis zu dem höchsten Bewußtseyn – *selbst* mit Bewußtseyn zurücklege. Die Philosophie ist insofern für das Ich nichts anderes als eine Anamnese, Erinnerung dessen, was es in seinem allgemeinen (seinem vorindividuellen) Seyn gethan und gelitten hat: ein Ergebniß, das mit bekannten Platonischen Ansichten (wenn gleich diese zum Theil einen andern Sinn und nicht ohne eine gewisse Zuthat von Schwärmerischem verstanden waren) übereinstimmten.

Dieß war also der Weg, den ich zuerst und noch eben von Fichte herkommend, einschlug, um meinerseits wieder ins Objektive zu kommen [...].

FRIEDRICH WILHELM JOSEPH SCHELLING

System des transscendentalen Idealismus

Vierter Hauptabschnitt
System der praktischen Philosophie nach Grundsätzen des transscendentalen Idealismus.

[...] Freiheit soll Nothwendigkeit, Nothwendigkeit Freiheit seyn. Nun ist aber Nothwendigkeit im Gegensatz gegen Freiheit nichts anderes als das Bewußtlose. Was bewußtlos in mir ist, ist unwillkürlich; was mit Bewußtseyn, ist durch mein Wollen in mir.

In der Freiheit soll wieder Nothwendigkeit seyn, heißt also ebenso viel als: durch die Freiheit selbst, und indem ich frei zu handeln glaube, soll bewußtlos, d. h. ohne mein Zuthun, entstehen, was ich nicht beabsichtigte; oder anders ausgedrückt: der bewußten, also jener freibestimmenden Thätigkeit, die wir früher abgeleitet haben, soll eine bewußtlose entgegenstehen, durch welche der uneingeschränktesten Aeußerung der Freiheit unerachtet etwas ganz unwillkürlich, und vielleicht selbst wider den Willen des Handelnden, entsteht, was er selbst durch sein Wollen nie hätte realisiren können. Dieser Satz, so paradox er auch scheinen möchte, ist doch nichts anderes als nur der transscendentale Ausdruck des allgemein angenommenen und vorausgesetzten Verhältnisses der Freiheit zu einer verborgenen Nothwendigkeit, die bald Schicksal, bald Vorsehung genannt wird, ohne daß bei dem einen oder dem andern etwas Deutliches gedacht würde, jenes Verhältnisses, kraft dessen Menschen durch ihr freies Handeln selbst, und doch wider ihren Willen, Ursache von etwas werden müssen, was sie nie gewollt, oder kraft dessen umgekehrt etwas mißlingen und zu Schanden werden muß, was sie durch Freiheit und mit Anstrengung aller ihrer Kräfte gewollt haben.

Ein solches Eingreifen einer verborgenen Nothwendigkeit in die menschliche Freiheit wird vorausgesetzt nicht etwa nur von der tragischen Kunst, deren ganze Existenz auf jener Voraussetzung beruht, sondern selbst im Wirken und Handeln; es ist eine Voraussetzung, ohne die man nichts Rechtes wollen kann, und ohne welche kein um die Folgen ganz unbekümmerter Muth, zu handeln wie die Pflicht gebietet, ein menschliches Gemüth begeistern könnte; denn wenn keine Aufopferung möglich ist, ohne die Ueberzeugung, daß die Gattung, zu der man gehört, nie aufhören könne fortzuschreiten, wie ist denn diese Ueberzeugung möglich, wenn sie einzig und allein auf die Freiheit gebaut ist? Es muß hier etwas seyn, das höher ist denn menschliche Freiheit, und auf welches allein im Wirken und Handeln sicher gerechnet werden kann; ohne welches nie ein Mensch wagen könnte, eine Handlung von großen Folgen zu unternehmen, da selbst die vollkommenste Berechnung derselben durch den Eingriff fremder Freiheit so durchaus gestört werden kann, daß aus seiner Handlung etwas ganz anderes resultiren kann, als er beabsichtigte. Die Pflicht selbst kann mir nicht gebieten, in Ansehung der Folgen meiner Handlungen ganz ruhig zu seyn, sobald sie entschieden hat, wenn nicht mein Handeln zwar von mir, d. h. von meiner Freiheit, die Folgen meiner Handlungen aber, oder das, was sich aus ihnen für mein ganzes Geschlecht entwickeln wird, gar nicht von meiner Freiheit, sondern von etwas ganz anderem und Höherem abhängig sind.

Es ist also eine Voraussetzung, die selbst zum Behuf der Freiheit nothwendig ist, daß der Mensch zwar, was das Handeln selbst betrifft, frei, was aber das endliche Resultat seiner Handlungen betrifft, abhängig sey von einer Nothwendigkeit, die über ihm ist, und die selbst im Spiel seiner Freiheit die Hand hat. Diese Voraussetzung nun soll transscendental erklärt werden. Sie aus der Vorsehung oder aus dem Schicksal erklären, heißt, sie gar nicht erklären, denn Vorsehung oder Schicksal ist eben das, was erklärt werden soll. An der Vorsehung zweifeln wir nicht; ebensowenig an dem, was ihr Schicksal nennt, denn wir fühlen seine Eingriffe in unserem eigenen Handeln, im Gelingen und Mißlingen unserer eigenen Entwürfe. Aber was ist denn dieses Schicksal?

Wenn wir das Problem auf transscendentale Ausdrücke reduciren, so heißt es so viel: wie kann uns, indem wir völlig frei, d. h. mit Bewußtseyn, handeln, bewußtlos etwas entstehen, was wir nie beabsichtigten, und was die sich selbst überlassene Freiheit nie zu Stande gebracht hätte?

Was mir ohne Absicht entsteht, entsteht wie die objektive Welt; nun soll mir ja aber durch mein freies Handeln auch etwas Objektives, eine zweite Natur, die Rechtsordnung, entstehen. Aber durch ein freies Handeln kann mir nichts Objektives entstehen, denn alles Objektive als solches entsteht bewußtlos. Wie also jenes zweite Objektive durch freies Handeln entstehen könne, wäre unbegreiflich, wenn nicht der bewußten Thätigkeit eine bewußtlose entgegenstünde.

Aber ein Objektives entsteht mir bewußtlos nur im Anschauen, also heißt jener Satz so viel: das Objektive in meinem freien Handeln muß eigentlich ein Anschauen seyn; wodurch wir denn auf einen früheren Satz zurückkommen, der zum Theil schon erläutert ist, zum Theil aber seine vollkommene Deutlichkeit erst hier erlangen kann.

Es bekommt nämlich hier das Objektive im Handeln eine ganz andere Bedeutung, als es bisher gehabt hat. Nämlich alle meine Handlungen gehen als auf ihren letzten Zweck auf etwas, das nicht durch das Individuum allein, sondern nur *durch die ganze Gattung* realisirbar ist; wenigstens sollen alle meine Handlungen darauf gehen. Der Erfolg meiner Handlungen ist also nicht von mir, sondern vom Willen aller übrigen abhängig, und ich vermag nichts zu jenem Zweck, wenn nicht alle denselben Zweck wollen. Aber dieß eben ist zweifelhaft und ungewiß, ja unmöglich, da bei weitem die meisten sich jenen Zweck nicht einmal denken. Wie läßt sich nun aus dieser Ungewißheit herauskommen? Man könnte sich hier etwa unmittelbar auf eine moralische Weltordnung getrieben glauben, und eine solche als Bedingung der Erreichung jenes Zwecks postuliren. Allein wie will man den Beweis führen, daß diese moralische Weltordnung als objektiv, als schlechthin unabhängig von der Freiheit existirend gedacht werden könne? Die moralische Weltordnung, kann man sagen, existirt, sobald wir sie errichten, aber wo ist sie denn errichtet? Sie ist der gemeinschaftliche Effekt aller Intelligenzen, sofern nämlich alle mittelbar oder unmittelbar nichts anderes als eben eine solche Ordnung wollen. Solang dieß nicht der Fall ist, existirt sie auch nicht. Jede einzelne Intelligenz kann betrachtet werden als ein integrirender Theil Gottes, oder der moralischen Weltordnung. Jedes Vernunftwesen kann sich selbst sagen: auch mir ist die Ausführung des Gesetzes, und die Ausübung des Rechts in meinem Wirkungskreise anvertraut, und auch mir ist ein Theil der moralischen Weltregierung übertragen, aber was bin ich gegen die vielen? Jene Ordnung existirt nur, insofern alle anderen mit mir gleich denken, und jeder sein göttliches Recht ausübt, die Gerechtigkeit herrschend zu machen.

Also: entweder berufe ich mich auf eine *moralische* Weltordnung, so kann ich sie nicht als absolut objektiv denken, oder ich verlange etwas schlechthin Objektives, was schlechthin unabhängig von der *Freiheit* den Erfolg der Handlungen für den höchsten Zweck sichere und gleichsam garantire, so sehe ich mich, weil das einzig Objektive im Wollen das Bewußtlose ist, auf ein *Bewußtloses* getrieben, durch welches der äußere Erfolg aller Handlungen gesichert seyn muß.

Denn nur dann, wenn in dem willkürlichen, d. h. völlig gesetzlosen, Handeln der Menschen wieder eine bewußtlose Gesetzmäßigkeit herrscht, kann ich an eine endliche Vereinigung aller Handlungen zu einem gemeinschaftlichen Zweck denken. Aber Gesetzmäßigkeit ist nur im Anschauen, also ist jene Gesetzmäßigkeit nicht möglich, wenn nicht das, was uns als ein freies Handeln erscheint, objektiv, oder an sich betrachtet, ein Anschauen ist.

Nun ist ja aber hier nicht vom Handeln des Individuums, sondern vom Handeln der *ganzen Gattung* die Rede. Jenes zweite Objektive, was uns entstehen soll, kann nur durch die Gattung, d. h. in der Geschichte, realisirt werden. Die Geschichte aber objektiv angesehen ist nichts anderes als eine Reihe von Begebenheiten, die nur subjektiv als eine Reihe freier Handlungen erscheint. Das Objektive in der Geschichte ist also allerdings ein Anschauen, aber nicht ein Anschauen des Individuums, denn nicht das Individuum handelt in der Geschichte, sondern die Gattung; also müßte das Anschauende, oder das Objektive der Geschichte *Eines* seyn für die ganze Gattung.

Nun handelt aber doch jedes einzelne Individuum, obgleich das Objektive in allen Intelligenzen dasselbe ist, absolut frei, es würden also die Handlungen verschiedener Vernunftwesen nicht nothwendig zusammenstimmen, vielmehr, je freier das Individuum, desto mehr Widerspruch würde im Ganzen seyn, wenn nicht jenes Objektive, allen Intelligenzen Gemeinschaftliche eine *absolute Synthesis* wäre, in welcher alle Widersprüche zum voraus aufgelöst und aufgehoben sind. – Daß aus dem völlig gesetzlosen Spiel der Freiheit, das jedes freie Wesen, als ob kein anderes außer ihm wäre, für sich treibt (welches immer als Regel angenommen werden muß), doch am Ende etwas Vernünftiges und Zusammenstimmendes herauskomme, was ich bei jedem Handeln vorauszusetzen genöthigt bin, ist nicht zu begreifen, wenn nicht das Objektive in allem Handeln etwas Gemeinschaftliches ist, durch welches alle Handlungen der Menschen zu Einem harmonischen Ziel gelenkt werden, so, daß sie, wie sie sich auch anstellen mögen, und wie ausgelassen sie ihre Willkür üben, doch ohne, und selbst wider ihren Willen, durch eine ihnen verborgene Nothwendigkeit, durch welche es zum voraus bestimmt ist, daß sie eben durch das Gesetzlose des Handelns, und je gesetzloser es ist, desto gewisser, eine Entwicklung des Schauspiels herbeiführen, die sie selbst nicht beabsichtigen konnten, dahin müssen, wo sie nicht hin wollten. Diese Nothwendigkeit selbst aber kann nur gedacht werden durch eine absolute Synthesis aller Handlungen, aus welcher alles, was geschieht, also auch die ganze Geschichte sich entwickelt, und in welcher, weil sie absolut ist, alles zum voraus so abgewogen und berechnet ist, daß alles, was auch geschehen mag, so widersprechend und disharmonisch es scheinen mag, doch in ihr seinen Vereinigungsgrund habe und finde. Diese absolute Synthesis selbst aber muß in das Absolute gesetzt werden, was das Anschauende und ewig und allgemein Objektive in allem freien Handeln ist.

Nun führt uns aber diese ganze Ansicht doch nur auf einen Naturmechanismus, durch welchen der letzte Erfolg aller Handlungen gesichert, und durch welchen alle ohne Zuthun der Freiheit auf das höchste Ziel der ganzen Gattung gerichtet werden. Denn das ewig und allein Objektive für alle Intelligenzen ist eben die Gesetzmäßigkeit der Natur oder des Anschauens, welches im Wollen etwas von der Intelligenz schlechthin Unabhängiges wird. Diese Einheit des Objektiven für alle Intelligenzen erklärt mir nun aber bloß eine Prädetermination der ganzen Geschichte für die *Anschauung* durch eine absolute Synthesis, deren bloße Entwicklung in verschiedenen Reihen die Geschichte ist; nicht aber, wie mit dieser objektiven Prädetermination aller Handlungen die Freiheit des Handelns selbst zusammenstimme; jene Einheit erklärt uns also auch nur die Eine Bestimmung im Begriff der Geschichte, nämlich die *Gesetzmäßigkeit*, welche, wie jetzt erhellt, bloß in Ansehung des Objektiven im Handeln stattfindet (weil nämlich dieses wirklich zur Natur gehört, also ebenso gesetzmäßig seyn *muß*, als es die Natur ist, weßhalb es auch völlig unnütz wäre, diese objektive Gesetzmäßigkeit des Handelns durch Freiheit hervorbringen zu wollen, da sie ganz mechanisch und gleichsam von selbst sich hervorbringt); aber jene Einheit erklärt mir nicht die andere Bestimmung, nämlich die Coexistenz der Gesetzlosigkeit, d.h. der *Freiheit*, mit der Gesetzmäßigkeit; mit anderen Worten, sie läßt uns noch immer unerklärt, wodurch denn die Harmonie zwischen jenem *Objektiven*, was ganz unabhängig von der Freiheit durch seine eigene Gesetzmäßigkeit hervorbringt, was es hervorbringt, und dem *Freibestimmenden* gestiftet sey.

Es stehen sich auf dem gegenwärtigen Reflexionspunkt einander gegenüber – auf der einen Seite die Intelligenz *an sich* (das absolut Objektive, allen Intelligenzen Gemeinschaftliche), auf der andern das Freibestimmende, schlechthin Subjektive. Durch die *Intelligenz an sich* ist die objektive Gesetzmäßigkeit der Geschichte ein für allemal prädeterminirt, aber, da das Objektive und das Freibestimmende ganz voneinander unabhängig, jedes nur von sich abhängig ist, – woher bin ich gewiß, daß die objektive Prädetermination, und die Unendlichkeit des durch Freiheit Möglichen sich wechselseitig erschöpfen, daß also jenes Objektive wirklich eine *absolute* Synthesis für das Ganze aller freien Handlungen sey? und wodurch wird denn nun, da die Freiheit absolut ist, und durch das Objektive schlechthin nicht bestimmt seyn kann, doch die fortwährende Uebereinstimmung zwischen beiden gesichert?

Wenn das Objektive immer das Bestimmte ist, wodurch ist es denn nun gerade so bestimmt, daß es zu der Freiheit, welche nur in der Willkür sich äußert, objektiv hinzubringt, was in ihr selbst nicht liegen kann, nämlich das Gesetzmäßige? Eine solche prästabilirte Harmonie des Objektiven (Gesetzmäßigen) und des Bestimmenden (Freien) ist allein denkbar durch etwas Höheres, was *über* beiden ist, was also weder Intelligenz noch frei, sondern gemeinschaftliche Quelle des Intelligenten zugleich und des Freien ist.

Wenn nun jenes Höhere nichts anderes ist als der Grund der Identität zwischen dem absolut Subjektiven und dem absolut Objektiven, dem Bewußten und dem Bewußtlosen, welche eben zum Behuf der Erscheinung im freien Handeln sich trennen, so kann jenes Höhere selbst weder Subjekt noch Objekt, auch nicht beides zugleich, sondern nur die *absolute Identität* seyn, in welcher gar keine Duplicität ist, und welche eben deßwegen, weil die Bedingung alles Bewußtseyns Duplicität ist, nie zum Bewußtseyn gelangen kann. Dieses ewig Unbewußte, was, gleichsam die ewige Sonne im Reich der Geister, durch sein eignes ungetrübtes Licht sich verbirgt, und obgleich es nie Objekt wird, doch allen freien Handlungen seine Identität aufdrückt, ist zugleich dasselbe für alle Intelligenzen, die unsichtbare Wurzel, wovon alle Intelligenzen nur die Potenzen sind, und das ewig Vermittelnde des sich selbst bestimmenden Subjektiven in uns und des Objektiven oder Anschauenden, zugleich der Grund der Gesetzmäßigkeit in der Freiheit und der Freiheit in der Gesetzmäßigkeit des Objektiven.

Es ist nun aber leicht einzusehen, daß es für jenes *absolut-Identische*, das schon im ersten Akt des Bewußtseyns sich trennt, und durch diese Trennung das ganze System der Endlichkeit hervorbringt, überhaupt keine Prädicate geben kann, denn es ist das absolut-Einfache, auch keine Prädicate, die vom Intelligenten, oder vom Freien hergenommen wären, daß es also auch nie Objekt des Wissens, sondern nur des ewigen Voraussetzens im Handeln, d. h. des Glaubens, seyn kann.

Wenn nun aber jenes Absolute der eigentliche Grund der Harmonie zwischen dem Objektiven und dem Subjektiven im freien Handeln, nicht nur des Individuums, sondern der ganzen Gattung ist, so werden wir die Spur dieser ewigen und unveränderlichen Identität am ehesten in der Gesetzmäßigkeit finden, welche als das Gewebe einer unbekannten Hand durch das freie Spiel der Willkür in der Geschichte sich hindurchzieht.

Richtet sich nun unsere Reflexion nur auf das *Bewußtlose* oder *Objektive* in allem Handeln, so müssen wir alle freie Handlungen, also auch die ganze Geschichte, als schlechthin prädeterminirt annehmen, nicht durch eine bewußte, sondern durch eine völlig blinde Vorherbestimmung, die durch den dunkeln Begriff des Schicksals ausgedrückt wird, welches das System des *Fatalismus* ist. Richtet sich die Reflexion allein auf das *Subjektive*, willkürlich Bestimmende, so entsteht uns ein System der absoluten Gesetzlosigkeit, das eigentliche System der *Irreligion* und des *Atheismus*, nämlich die Behauptung, daß in allem Thun und Handeln kein Gesetz und keine Nothwendigkeit sey. Erhebt sich aber die Reflexion bis zu jenem Absoluten, was der gemeinschaftliche Grund der Harmonie zwischen der Freiheit und dem Intelligenten ist, so entsteht uns das System der Vorsehung, d. h. *Religion*, in der einzig wahren Bedeutung des Worts.

Wenn nun aber jenes Absolute, welches überall nur sich *offenbaren* kann, in der Geschichte wirklich und vollständig sich geoffenbart hätte, oder jemals sich offenbarte, so wäre es eben damit um die Erscheinung der Freiheit geschehen. Diese vollkommene Offenbarung würde erfolgen, wenn das freie Handeln mit der Prädetermination vollständig zusammenträfe. Wäre aber je ein solches Zusammentreffen, d. h. wäre die absolute Synthesis je vollständig entwickelt, so würden wir einsehen, daß alles, was durch Freiheit im Verlauf der Geschichte geschehen ist, in diesem Ganzen gesetzmäßig war, und daß alle Handlungen, obgleich sie frei zu seyn schienen, doch nothwendig waren, eben um dieses Ganze hervorzubringen. Der Gegensatz zwischen der bewußten und der bewußtlosen Thätigkeit ist nothwendig ein unendlicher, denn wäre er je aufgehoben, so wäre auch die Erscheinung der Freiheit aufgehoben, welche einzig und allein auf ihm beruht. Wir können uns also keine Zeit denken, in welcher sich die absolute Synthesis, d. h., wenn wir uns empirisch ausdrücken, der Plan der Vorsehung, vollständig entwickelt hätte.

Wenn wir uns die Geschichte als ein Schauspiel denken, in welchem jeder, der daran Theil hat, ganz frei und nach Gutdünken seine Rolle spielt, so läßt sich eine vernünftige Entwicklung dieses verworrenen Spiels nur dadurch denken, daß es Ein Geist ist, der in allen dichtet, und daß der Dichter, dessen bloße Bruchstücke (disjecti membra poëtae) die einzelnen Schauspieler sind, den objektiven Erfolg des Ganzen mit dem freien Spiel aller einzelnen schon zum voraus so in Harmonie gesetzt hat, daß am Ende wirklich etwas Vernünftiges herauskommen muß. *Wäre* nun aber der Dichter unabhängig von seinem Drama, so wären wir nur die Schauspieler, die ausführen, was er gedichtet hat. *Ist* er nicht unabhängig von uns, sondern offenbart und enthüllt er sich nur successiv durch das Spiel unserer Freiheit selbst, so daß ohne diese Freiheit auch er selbst nicht *wäre*, so sind wir Mitdichter des Ganzen, und

Selbsterfinder der besonderen Rolle, die wir spielen. – Der letzte Grund der Harmonie zwischen der Freiheit und dem Objektiven (Gesetzmäßigen) kann also nie vollständig objektiv werden, wenn die Erscheinung der Freiheit bestehen soll. – Durch jede einzelne Intelligenz handelt das Absolute, d. h. ihr Handeln ist *selbst* absolut, insofern weder frei noch unfrei, sondern beides zugleich, *absolut*-frei, und eben deßwegen auch nothwendig. Aber wenn nun die Intelligenz aus dem absoluten Zustand, d. h. aus der allgemeinen Identität, in welcher sich nichts unterscheiden läßt, heraustritt, und sich ihrer bewußt wird (sich selbst unterscheidet), welches dadurch geschieht, daß ihr Handeln ihr objektiv wird, übergeht in die objektive Welt, so trennt sich das Freie und Nothwendige in demselben. Frei ist es nur als innere Erscheinung, und darum sind wir, und glauben wir innerlich immer frei zu seyn, obgleich die Erscheinung unserer Freiheit, oder unsere Freiheit, insofern sie übergeht in die objektive Welt, ebenso unter Naturgesetze tritt wie jede andere Begebenheit.

Es folgt nun aus dem Bisherigen von selbst, welche Ansicht der Geschichte die einzig wahre ist. Die Geschichte als Ganzes ist eine fortgehende, allmählich sich enthüllende Offenbarung des Absoluten. Also man kann in der Geschichte nie die einzelne Stelle bezeichnen, wo die Spur der Vorsehung oder Gott selbst gleichsam sichtbar ist. Denn Gott *ist* nie, wenn Seyn das ist, was in der objektiven Welt sich darstellt; *wäre er*, so wären wir nicht: aber er *offenbart* sich fortwährend. Der Mensch führt durch seine Geschichte einen fortgehenden Beweis von dem Daseyn Gottes, einen Beweis, der aber nur durch die ganze Geschichte vollendet seyn kann. Es kommt alles darauf an, daß man jene Alternative einsehe. *Ist* Gott, d. h. ist die objektive Welt eine vollkommene Darstellung Gottes, oder was dasselbe ist, des vollständigen Zusammentreffens des Freien mit dem Bewußtlosen, so kann nichts *anders* seyn, als es ist. Aber die objektive Welt ist es ja nicht. Oder ist sie etwa wirklich eine vollständige Offenbarung Gottes? – Ist nun die Erscheinung der Freiheit nothwendig unendlich, so ist auch die vollständige Entwicklung der absoluten Synthesis eine unendliche, und die Geschichte selbst eine nie ganz geschehene Offenbarung jenes Absoluten, das zum Behuf des Bewußtseyns, also auch nur zum Behuf der Erscheinung, in das Bewußte und Bewußtlose, Freie und Anschauende sich trennt, *selbst* aber in dem unzugänglichen Lichte, in welchem es wohnt, die ewige Identität und der ewige Grund der Harmonie zwischen beiden ist.

Wir können drei Perioden jener Offenbarung, also auch drei Perioden der Geschichte annehmen. Den Eintheilungsgrund dazu geben uns die beiden Gegensätze, Schicksal und Vorsehung, zwischen welchen in der Mitte die Natur steht, welche den Uebergang von dem einen zum andern macht.

Die erste Periode ist die, in welcher das Herrschende nur noch als Schicksal, d. h. als völlig blinde Macht, kalt und bewußtlos auch das Größte und Herrlichste zerstört; in diese Periode der Geschichte, welche wir die tragische nennen können, gehört der Untergang des Glanzes und der Wunder der alten Welt, der Sturz jener großen Reiche, von denen kaum das Gedächtniß übrig geblieben, und auf deren Größe wir nur aus ihren Ruinen schließen, der Untergang der edelsten Menschheit, die je geblüht hat, und deren Wiederkehr auf die Erde nur ein ewiger Wunsch ist.

Die zweite Periode der Geschichte ist die, in welcher, was in der ersten als Schicksal, d. h. als völlig blinde Macht, erschien, als Natur sich offenbart, und das dunkle Gesetz, das in jener herrschend war, wenigstens in ein offenes *Naturgesetz* verwandelt erscheint, das die Freiheit und die ungezügelte Willkür zwingt einem *Naturplan* zu dienen, und so allmählich wenigstens eine mechanische Gesetzmäßigkeit in der Geschichte herbeiführt. Diese Periode scheint von der Ausbreitung der großen römischen Republik zu beginnen, von welcher an die ausgelassenste Willkür in allgemeiner Eroberungs- und Unterjochungssucht sich äußernd, indem sie zuerst allgemein die Völker untereinander verband, und was bis jetzt von Sitten und Gesetzen, Künsten und Wissenschaften nur abgesondert unter einzelnen Völkern bewahrt wurde, in wechselseitige Berührung brachte, bewußtlos, und selbst wider ihren Willen, einem Naturplan zu dienen gezwungen wurde, der in seiner vollständigen Entwicklung den allgemeinen Völkerbund und den universellen Staat herbeiführen muß. Alle Begebenheiten, die in diese Periode fallen, sind daher auch als bloße Naturerfolge anzusehen, so wie selbst der Untergang des römischen Reichs weder eine tragische noch moralische Seite hat, sondern nach Naturgesetzen nothwendig, und eigentlich nur ein an die Natur entrichteter Tribut war.

Die dritte Periode der Geschichte wird die seyn, wo das, was in den früheren als Schicksal und als Natur erschien, sich als *Vorsehung* entwickeln und offenbar werden wird, daß selbst das, was bloßes Werk des Schicksals oder der Natur zu seyn schien, schon der Anfang einer auf unvollkommene Weise sich offenbarenden Vorsehung war.

Wann diese Periode beginnen werde, wissen wir nicht zu sagen. Aber wenn diese Periode seyn wird, dann wird auch Gott *seyn*.

[...]

Sechster Hauptabschnitt.
Deduktion eines allgemeinen Organs der Philosophie, oder Hauptsätze der Philosophie der Kunst nach Grundsätzen des transscendentalen Idealismus.

§. 1
Deduktion des Kunstprodukts überhaupt.

Die postulirte Anschauung soll zusammenfassen, was in der Erscheinung der Freiheit und was in der Anschauung des Naturprodukts getrennt existirt, nämlich *Identität des Bewußten* und *Bewußtlosen im Ich* und *Bewußtseyn dieser Identität.* Das Produkt dieser Anschauung wird also einerseits an das Naturprodukt, andererseits an das Freiheitsprodukt grenzen, und die Charaktere beider in sich vereinigen müssen. Kennen wir das Produkt der Anschauung, so kennen wir auch die Anschauung selbst, wir brauchen also nur das Produkt abzuleiten, um die Anschauung abzuleiten.

Das Produkt wird mit dem Freiheitsprodukt gemein haben, daß es ein mit Bewußtseyn Hervorgebrachtes, mit dem Naturprodukt, daß es ein bewußtlos Hervorgebrachtes ist. In der ersten Rücksicht wird es also das Umgekehrte des organischen Naturprodukts seyn. Wenn aus dem organischen Produkt die bewußtlose (blinde) Thätigkeit als bewußte reflektirt wird, so wird umgekehrt aus dem Produkt, von welchem hier die Rede ist, die bewußte Thätigkeit als bewußtlose (objektive) reflektirt werden, oder, wenn das organische Produkt mir die bewußtlose Thätigkeit als bestimmt durch die bewußte reflektirt, so wird umgekehrt das Produkt, welches hier abgeleitet wird, die bewußte Thätigkeit als bestimmt durch die bewußtlose reflektiren. Kürzer: die Natur fängt bewußtlos an und endet bewußt, die Produktion ist nicht zweckmäßig, wohl aber das Produkt. Das Ich in der Thätigkeit, von welcher hier die Rede ist, muß mit Bewußtseyn (subjektiv) anfangen, und im Bewußtlosen oder *objektiv* enden, das Ich ist bewußt der Produktion nach, bewußtlos in Ansehung des Produkts.

Wie sollen *wir uns* nun aber eine solche Anschauung transscendental erklären, in welcher die bewußtlose Thätigkeit durch die bewußte bis zur vollkommenen Identität mit ihr gleichsam hindurchwirkt? – Wir reflektiren vorerst darauf, daß die Thätigkeit eine bewußte seyn soll. Nun ist es aber schlechthin unmöglich, daß mit Bewußtseyn etwas Objektives hervorgebracht werde, was doch hier verlangt wird. Objektiv ist nur, was bewußtlos entsteht, das eigentlich Objektive in jener Anschauung muß also auch nicht mit *Bewußtseyn* hinzugebracht werden können. Wir können uns hierüber unmittelbar auf die Beweise berufen, die schon wegen des freien Handelns geführt worden sind, daß nämlich das Objektive in demselben durch etwas von der Freiheit Unabhängiges hinzukomme. Der Unterschied ist nur der, [a)] daß im freien Handeln die Identität beider Thätigkeiten aufgehoben seyn muß, eben darum, damit das Handeln als frei erscheine, [hier dagegen im *Bewußtseyn* selbst ohne Negation desselben beide als Eins erscheinen sollen]. Auch [b)] können die beiden Thätigkeiten im freien Handeln *nie* absolut identisch werden, weßhalb auch das Objekt des freien Handelns nothwendig ein *unendliches*, nie vollständig realisirtes ist, denn wäre es vollständig realisirt, so fielen die bewußte und die objektive Thätigkeit in Eins zusammen, d.h. die Erscheinung der Freiheit hörte auf. Was nun durch die Freiheit schlechthin unmöglich war, soll durch das jetzt postulirte Handeln möglich seyn, welches aber eben um diesen Preis aufhören muß ein freies Handeln zu seyn, und ein solches wird, in welchem Freiheit und Nothwendigkeit absolut vereinigt sind. Nun sollte aber doch die Produktion mit Bewußtseyn geschehen, welches unmöglich ist, ohne daß beide [Thätigkeiten] getrennt seyen. Hier ist also ein offenbarer Widerspruch. [Ich stelle ihn nochmals dar.] Bewußte und bewußtlose Thätigkeit, sollen absolut Eins seyn im Produkt, gerade wie sie es im organischen Produkt auch sind, aber sie sollen auf andere Art Eines seyn, beide sollen Eines seyn *für das Ich selbst*. Dieß ist aber unmöglich, außer wenn das Ich sich der Produktion bewußt ist. Aber ist das Ich der Produktion sich bewußt, so müssen beide Thätigkeiten getrennt seyn, denn dieß ist nothwendige Bedingung des Bewußtseyns der Produktion. Beide Thätigkeiten müssen also Eines seyn, denn sonst ist keine Identität, beide müssen getrennt seyn, denn sonst ist Identität, aber nicht für das Ich. Wie ist dieser Widerspruch aufzulösen?

Beide Thätigkeiten müssen getrennt seyn zum Behuf des Erscheinens, des Objektivwerdens der Produktion, gerade so, wie sie im freien Handeln zum Behuf des Objektivwerdens des Anschauens getrennt seyn müssen. Aber sie können nicht *ins Unendliche* getrennt seyn, wie beim freien Handeln, weil sonst das Objektive niemals eine vollständige Darstellung jener Identität wäre [1]. Die Identität beider sollte aufgehoben seyn nur zum Behuf des Bewußtseyns, aber die Produktion soll in Bewußtlosigkeit enden; also muß es einen Punkt geben, wo beide in

[1] Das, was für das freie Handeln in einem unendlichen Progressus liegt, soll in der gegenwärtigen Hervorbringung eine *Gegenwart* seyn, in einem Endlichen wirklich, objektiv werden.

Eins zusammenfallen, und umgekehrt, wo beide in Eines zusammenfallen, muß die Produktion aufhören als eine freie zu erscheinen[1].

Wenn dieser Punkt in der Produktion erreicht ist, so muß das Produciren absolut aufhören, und es muß dem Producirenden unmöglich seyn weiter zu produciren, denn die Bedingung alles Producirens ist eben die Entgegensetzung der bewußten und der bewußtlosen Thätigkeit, diese sollen hier aber absolut zusammentreffen, es soll also in der Intelligenz aller Streit aufgehoben, aller Widerspruch vereinigt seyn[2].

Die Intelligenz wird also in einer vollkommenen Anerkennung der im Produkt ausgedrückten Identität, als einer solchen, deren Princip in ihr selbst liegt, d. h. sie wird in einer vollkommenen Selbstanschauung enden[3]. Da es nun die freie Tendenz zur Selbstanschauung in jener Identität war, welche die Intelligenz ursprünglich mit sich selbst entzweite, so wird das Gefühl, was jene Anschauung begleitet, das Gefühl einer unendlichen Befriedigung seyn. Aller Trieb zu produciren steht mit der Vollendung des Produkts stille, alle Widersprüche sind aufgehoben, alle Räthsel gelöst. Da die Produktion ausgegangen war von Freiheit, d. h. von einer unendlichen Entgegensetzung der beiden Thätigkeiten, so wird die Intelligenz jene absolute Vereinigung beider, in welcher die Produktion endet, nicht der *Freiheit* zuschreiben können, denn gleichzeitig mit der Vollendung des Produkts ist alle Erscheinung der Freiheit hinweggenommen; sie wird sich durch jene Vereinigung selbst überrascht und *beglückt* fühlen, d. h. sie gleichsam als freiwillige Gunst einer höheren Natur ansehen, die das Unmögliche durch sie möglich gemacht hat.

Dieses Unbekannte aber, was hier die objektive und die bewußte Thätigkeit in unerwartete Harmonie setzt, ist nichts anderes als jenes Absolute[4], welches den allgemeinen Grund der prästabilirten Harmonie zwischen dem Bewußten und dem Bewußtlosen enthält. Wird also jenes Absolute reflektirt aus dem Produkt, so wird es der Intelligenz erscheinen als etwas, das über ihr ist, und was selbst entgegen der Freiheit zu dem, was mit Bewußtseyn und Absicht begonnen war, das Absichtslose hinzubringt.

Dieses unveränderlich Identische, was zu keinem Bewußtseyn gelan-

[1] Da ist die freie Thätigkeit ganz übergegangen in das Objektive, das Nothwendige. Die Produktion also ist im Beginn frei, das Produkt dagegen erscheint als absolute Identität der freien Thätigkeit mit der nothwendigen.

[2] der letzte Passus: Wenn dieser Punkt u. s. w. ist im Handexemplar durchgestrichen.

[3] Denn sie (die Intelligenz) ist selbst das Producirende; zugleich aber hat sich diese Identität von ihr ganz losgerissen: sie ist ihr völlig objektiv geworden, d. i. *sie ist sich selbst* völlig objektiv geworden.

[4] das Urselbst.

gen kann und nur aus dem Produkt widerstrahlt, ist für das Producirende eben das, was für das Handelnde das Schicksal ist, d. h. eine dunkle unbekannte Gewalt, die zu dem Stückwerk der Freiheit das Vollendete oder das Objektive hinzubringt; und wie jene Macht, welche durch unser freies Handeln ohne unser Wissen, und selbst wider unsern Willen, *nicht vorgestellte* Zwecke realisirt, Schicksal genannt wird, so wird das Unbegreifliche, was ohne Zuthun der Freiheit und gewissermaßen der Freiheit entgegen, in welcher ewig sich flieht, was in jener Produktion vereinigt ist, zu dem Bewußten das Objektive hinzubringt, mit dem dunkeln Begriff des *Genies* bezeichnet.

Das postulirte Produkt ist kein anderes als das Genieprodukt[1], oder, da das Genie nur in der Kunst möglich ist, das *Kunstprodukt*.

Die Deduktion ist vollendet, und wir haben zunächst nichts zu thun, als durch vollständige Analysis zu zeigen, daß alle Merkmale der postulirten Produktion in der ästhetischen zusammentreffen.

Daß alle ästhetische Produktion auf einem Gegensatz von Thätigkeiten beruhe, läßt sich schon aus der Aussage aller Künstler, daß sie zur Hervorbringung ihrer Werke unwillkürlich getrieben werden, daß sie durch Produktion derselben nur einen unwiderstehlichen Trieb ihrer Natur befriedigen, mit Recht schließen, denn wenn jeder Trieb von einem Widerspruch ausgeht, so, daß, den Widerspruch gesetzt, die freie Thätigkeit unwillkürlich wird, so muß auch der künstlerische Trieb aus einem solchen Gefühl eines inneren Widerspruchs hervorgehen. Dieser Widerspruch aber, da er den ganzen Menschen mit allen seinen Kräften in Bewegung setzt, ist ohne Zweifel ein Widerspruch, der *das Letzte in ihm*, die Wurzel seines ganzen Daseyns[2], angreift. Es ist gleichsam, als ob in den seltenen Menschen, welche vor andern Künstler sind im höchsten Sinne des Worts, jenes unveränderlich Identische, auf welches alles Daseyn aufgetragen ist, seine Hülle, mit der es sich in andern umgibt, abgelegt habe, und so wie es unmittelbar von den Dingen afficirt wird, ebenso auch unmittelbar auf alles zurückwirke. Es kann also nur der Widerspruch zwischen dem Bewußten und dem Bewußtlosen im freien Handeln seyn, welcher den künstlerischen Trieb in Bewegung setzt, sowie es hinwiederum nur der Kunst gegeben seyn kann, unser unendliches Streben zu befriedigen und auch den letzten und äußersten Widerspruch in uns aufzulösen.

So wie die ästhetische Produktion ausgeht vom Gefühl eines scheinbar unauflöslichen Widerspruchs, ebenso endet sie nach dem Bekennt-

[1] Produkt des Genies.
[2] das wahre An sich.

niß aller Künstler, und aller, die ihre Begeisterung theilen, im Gefühl einer *unendlichen* Harmonie, und daß dieses Gefühl, was die Vollendung begleitet, zugleich eine *Rührung* ist, beweist schon, daß der Künstler die vollständige Auflösung des Widerspruchs, die er in seinem Kunstwerk erblickt, nicht [allein] sich selbst, sondern einer freiwilligen Gunst seiner Natur zuschreibt, die, so unerbittlich sie ihn in Widerspruch mit sich selbst setzte, ebenso gnädig den Schmerz dieses Widerspruchs von ihm hinwegnimmt[1]; denn so wie der Künstler unwillkürlich, und selbst mit innerem Widerstreben zur Produktion getrieben wird (daher bei den Alten die Aussprüche: *pati* Deum u. s. w., daher überhaupt die Vorstellung von Begeisterung durch fremden Anhauch), 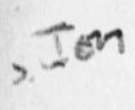 ebenso kommt auch das Objektive zu seiner Produktion gleichsam ohne sein Zuthun, d. h. selbst bloß objektiv, hinzu. Ebenso wie der verhängnißvolle Mensch nicht vollführt, was er will, oder beabsichtigt, sondern was er durch ein unbegreifliches Schicksal, unter dessen Einwirkung er steht, vollführen muß, so scheint der Künstler, so absichtsvoll er ist, doch in Ansehung dessen, was das eigentlich Objektive in seiner Hervorbringung ist, unter der Einwirkung einer Macht zu stehen, die ihn von allen andern Menschen absondert, und ihn Dinge auszusprechen oder darzustellen zwingt, die er selbst nicht vollständig durchsieht, und deren Sinn unendlich ist. Da nun jenes absolute Zusammentreffen der beiden sich fliehenden Thätigkeiten schlechthin nicht weiter erklärbar, sondern bloß eine *Erscheinung* ist, die, obschon unbegreiflich[2], doch nicht geleugnet werden kann, so ist die Kunst die einzige und ewige Offenbarung, die es gibt, und das Wunder, das, wenn es auch nur Einmal existirt hätte, uns von der absoluten Realität jenes Höchsten überzeugen müßte.

Wenn nun ferner die Kunst durch zwei voneinander völlig verschiedene Thätigkeiten vollendet wird, so ist das Genie weder die eine noch die andere, sondern das, was über beiden ist. Wenn wir in der einen jener beiden Thätigkeiten, der bewußten nämlich, das suchen müssen, was insgemein *Kunst* genannt wird, was aber nur der eine Theil derselben ist, nämlich dasjenige an ihr, was mit Bewußtseyn, Ueberlegung und Reflexion ausgeübt wird, was auch gelehrt und gelernt, durch Ueberlieferung und durch eigne Uebung erreicht werden kann, so werden wir dagegen in dem Bewußtlosen, was in die Kunst mit eingeht, dasjenige suchen müssen, was an ihr nicht gelernt, nicht durch Uebung,

[1] Im Handexemplar: sondern einer freiwilligen Gunst seiner Natur, also einem Zusammentreffen der bewußtlosen Thätigkeit mit der bewußten zuschreibt.
[2] vom Standpunkt der bloßen Reflexion.

noch auf andere Art erlangt werden, sondern allein durch freie Gunst der Natur angeboren seyn kann, und welches dasjenige ist, was wir mit Einem Wort die *Poesie* in der Kunst nennen können.

Es erhellt aber eben daraus von selbst, daß es eine höchst unnütze Frage wäre, welchem von den beiden Bestandtheilen der Vorzug vor dem andern zukomme, da in der That jeder derselben ohne den andern keinen Werth hat, und nur beide zusammen das Höchste hervorbringen. Denn obgleich das, was nicht durch Uebung erreicht wird, sondern mit uns geboren ist, allgemein als das Herrlichere betrachtet wird, so haben doch die Götter auch die Ausübung jener ursprünglichen Kraft an das ernstliche Bemühen der Menschen, an den Fleiß und die Ueberlegung so fest geknüpft, daß die Poesie, selbst wo sie angeboren ist, ohne die Kunst nur gleichsam todte Produkte hervorbringt, an welchen kein menschlicher Verstand sich ergötzen kann, und welche durch die völlig blinde Kraft, die darin wirksam ist, alles Urtheil und selbst die Anschauung von sich zurückstoßen. Es läßt sich vielmehr umgekehrt noch eher erwarten, daß Kunst ohne Poesie, als daß Poesie ohne Kunst etwas zu leisten vermöge, theils weil nicht leicht ein Mensch von Natur ohne alle Poesie, obgleich viele ohne alle Kunst sind, theils weil das anhaltende Studium der Ideen großer Meister den ursprünglichen Mangel an objektiver Kraft einigermaßen zu ersetzen im Stande ist, obgleich dadurch immer nur ein Schein von Poesie entstehen kann, der an seiner Oberflächlichkeit im Gegensatz gegen die unergründliche Tiefe, welche der wahre Künstler, obwohl er mit der größten Besonnenheit arbeitet, unwillkürlich in sein Werk legt, und welche weder er noch irgend ein anderer ganz zu durchdringen vermag, so wie an vielen anderen Merkmalen, z. B. dem großen Werth, den er auf das bloß Mechanische der Kunst legt, an der Armuth der Form, in welcher er sich bewegt, u. s. w. leicht unterscheidbar ist.

Es erhellt nun aber auch von selbst, daß ebensowenig als Poesie und Kunst einzeln und für sich, ebensowenig auch eine abgesonderte Existenz beider das Vollendete hervorbringen könne[1], daß also, weil die Identität beider nur ursprünglich seyn kann, und durch Freiheit schlechthin unmöglich und unerreichbar ist, das Vollendete nur durch das Genie möglich sey, welches eben deßwegen für die Aesthetik dasselbe ist, was das Ich für die Philosophie, nämlich das Höchste absolut Reelle, was selbst nie objektiv wird, aber Ursache alles Objektiven ist.

[1] Keines vor dem andern hat eine Priorität. Eben nur die Indifferenz beider (der Kunst und der Poesie) ist es, die in dem Kunstwerk reflektirt wird.

§. 2.

Charakter des Kunstprodukts.

a) Das Kunstwerk reflektirt uns die Identität der bewußten und der bewußtlosen Thätigkeit. Aber der Gegensatz dieser beiden ist ein unendlicher, und er wird aufgehoben ohne alles Zuthun der Freiheit. Der Grundcharakter des Kunstwerks ist also eine *bewußtlose Unendlichkeit* [Synthesis von Natur und Freiheit]. Der Künstler scheint in seinem Werk außer dem, was er mit offenbarer Absicht darein gelegt hat, instinktmäßig gleichsam eine Unendlichkeit dargestellt zu haben, welche ganz zu entwickeln kein endlicher Verstand fähig ist. Um uns nur durch Ein Beispiel deutlich zu machen, so ist die griechische Mythologie, von der es unleugbar ist, daß sie einen unendlichen Sinn und Symbole für alle Ideen in sich schließt, unter einem Volk und auf eine Weise entstanden, welche beide eine durchgängige Absichtlichkeit in der Erfindung und in der Harmonie, mit der alles zu Einem großen Ganzen vereinigt ist, unmöglich annehmen lassen. So ist es mit jedem wahren Kunstwerk, indem jedes, als ob eine Unendlichkeit von Absichten darin wäre, einer unendlichen Auslegung fähig ist, wobei man doch nie sagen kann, ob diese Unendlichkeit im Künstler selbst gelegen habe, oder aber bloß im Kunstwerk liege. Dagegen in dem Produkt, welches den Charakter des Kunstwerks nur heuchelt, Absicht und Regel an der Oberfläche liegen und so beschränkt und umgrenzt erscheinen, daß das Produkt nichts anderes als der getreue Abdruck der bewußten Thätigkeit des Künstlers und durchaus nur ein Objekt für die Reflexion, nicht aber für die Anschauung ist, welche im Angeschauten sich zu vertiefen liebt, und nur auf dem Unendlichen zu ruhen vermag.

b) Jede ästhetische Produktion geht aus vom Gefühl eines unendlichen Widerspruchs, also muß auch das Gefühl, was die Vollendung des Kunstprodukts begleitet, das Gefühl einer solchen Befriedigung seyn, und dieses Gefühl muß auch wiederum in das Kunstwerk selbst übergehen. Der äußere Ausdruck des Kunstwerks ist also der Ausdruck der Ruhe und der stillen Größe, selbst da, wo die höchste Spannung des Schmerzes oder der Freude ausgedrückt werden soll.

c) Jede ästhetische Produktion geht aus von einer an sich unendlichen Trennung der beiden Thätigkeiten, welche in jedem freien Produciren getrennt sind. Da nun aber diese beiden Thätigkeiten im Produkt als vereinigt dargestellt werden sollen, so wird durch dasselbe ein Unendliches endlich dargestellt. Aber das Unendliche endlich dargestellt ist Schönheit. Der Grundcharakter jedes Kunstwerks, welcher die beiden vorhergehenden in sich begreift, ist also die *Schönheit*, und ohne

Schönheit ist kein Kunstwerk. Denn ob es gleich erhabene Kunstwerke gibt, und Schönheit und Erhabenheit in gewisser Rücksicht sich entgegengesetzt sind, indem eine Naturscene z. B. schön seyn kann, ohne deßhalb erhaben zu seyn, und umgekehrt, so ist doch der Gegensatz zwischen Schönheit und Erhabenheit ein solcher, der nur in Ansehung des Objekts, nicht aber in Ansehung des Subjekts der Anschauung stattfindet, indem der Unterschied des schönen und erhabenen Kunstwerks nur darauf beruht, daß, wo Schönheit ist, der unendliche Widerspruch im Objekt selbst aufgehoben ist, anstatt daß, wo Erhabenheit ist, der Widerspruch nicht im Objekt selbst vereinigt, sondern nur bis zu einer Höhe gesteigert ist, bei welcher er in der Anschauung unwillkürlich sich aufhebt, welches alsdann ebensoviel ist, als ob er im Objekt aufgehoben wäre[1]. Es läßt sich auch sehr leicht zeigen, daß die Erhabenheit auf demselben Widerspruch beruht, auf welchem auch die Schönheit beruht, indem immer, wenn ein Objekt erhaben genannt wird, durch die bewußtlose Thätigkeit eine Größe aufgenommen wird, welche in die bewußte aufzunehmen unmöglich ist, wodurch denn das Ich mit sich selbst in einen Streit versetzt wird, welcher nur in einer ästhetischen Anschauung enden kann, welche beide Thätigkeiten in unerwartete Harmonie setzt, nur daß die Anschauung, welche hier nicht im Künstler, sondern im anschauenden Subjekt selbst liegt, völlig unwillkürlich ist, indem das Erhabene (ganz anders als das bloß Abenteuerliche, was der Einbildungskraft gleichfalls einen Widerspruch vorhält, welchen aber aufzulösen nicht der Mühe werth ist) alle Kräfte des Gemüths in Bewegung setzt, um den die ganze intellektuelle Existenz bedrohenden Widerspruch aufzulösen.

Nachdem nun die Charaktere des Kunstwerks abgeleitet sind, so ist zugleich auch der *Unterschied* desselben von allen andern Produkten ins Licht gesetzt.

Denn vom organischen Naturprodukt unterscheidet sich das Kunstprodukt hauptsächlich dadurch, [a) daß das organische Wesen noch ungetrennt darstellt, was die ästhetische Produktion nach der Trennung, aber vereinigt darstellt; b)] daß die organische Produktion nicht vom Bewußtseyn, also auch nicht von dem unendlichen Widerspruch ausgeht, welcher Bedingung der ästhetischen Produktion ist. Das organische Naturprodukt wird also, [wenn Schönheit durchaus Auflösung

[1] Statt des letzten Passus im Handexemplar: Denn ob es gleich erhabene Kunstwerke gibt, und die Erhabenheit der Schönheit entgegengesetzt zu werden pflegt, so ist kein wahrer, objektiver Gegensatz zwischen Schönheit und Erhabenheit; das wahrhaft und absolut Schöne ist immer auch erhaben, das Erhabene (wenn dieß wahrhaft) ist auch schön.

eines unendlichen Widerstreits], auch nicht nothwendig *schön* seyn, und wenn es schön ist, so wird die Schönheit, weil ihre Bedingung in der Natur nicht als existirend gedacht werden kann, als schlechthin zufällig erscheinen, woraus sich das ganz eigenthümliche Interesse an der Naturschönheit, nicht insofern sie Schönheit überhaupt, sondern insofern sie bestimmt *Natur*schönheit ist, erklären läßt. Es erhellt daraus von selbst, was von der Nachahmung der Natur als Princip der Kunst zu halten sey, da, weit entfernt, daß die bloß zufällig schöne Natur der Kunst die Regel gebe, vielmehr, was die Kunst in ihrer Vollkommenheit hervorbringt, Princip und Norm für die Beurtheilung der Naturschönheit ist.

Wodurch sich das ästhetische Produkt vom *gemeinen Kunstprodukt* unterscheide, ist leicht zu beurtheilen, da alle ästhetische Hervorbringung in ihrem Princip eine absolut freie ist, indem der Künstler zu derselben zwar durch einen Widerspruch, aber nur durch einen solchen, der in dem Höchsten seiner eignen Natur liegt, getrieben werden kann, anstatt daß jede andere Hervorbringung durch einen Widerspruch veranlaßt wird, der außer dem eigentlich Producirenden liegt, und also auch jede einen Zweck außer sich hat[1]. Aus jener Unabhängigkeit von äußern Zwecken entspringt jene Heiligkeit und Reinheit der Kunst, welche so weit geht, daß sie nicht etwa nur die Verwandtschaft mit allem, was bloß Sinnenvergnügen ist, welches von der Kunst zu verlangen der eigentliche Charakter der Barbarei ist, oder mit dem Nützlichen, welches von der Kunst zu fordern nur einem Zeitalter möglich ist, das die höchsten Efforts des menschlichen Geistes in ökonomische Erfindungen setzt[2], sondern selbst die Verwandtschaft mit allem, was zur Moralität gehört, ausschlägt, ja selbst die Wissenschaft, welche in Ansehung ihrer Uneigennützigkeit am nächsten an die Kunst grenzt, bloß darum, weil sie immer auf einen Zweck außer sich geht, und zuletzt selbst nur als Mittel für das Höchste (die Kunst) dienen muß, weit unter sich zurückläßt.

Was insbesondere das Verhältniß der Kunst zur Wissenschaft betrifft, so sind sich beide in ihrer Tendenz so sehr entgegengesetzt, daß, wenn die Wissenschaft je ihre ganze Aufgabe gelöst hätte, wie sie die Kunst immer gelöst hat, beide in Eines zusammenfallen und übergehen müßten, welches der Beweis völlig entgegengesetzter Richtungen ist. Denn obgleich die Wissenschaft in ihrer höchsten Funktion mit der Kunst eine und dieselbe Aufgabe hat, so ist doch diese Aufgabe, wegen

[1] (absoluten Uebergang ins Objektive).
[2] Runkelrüben.

der Art sie zu lösen, für die Wissenschaft eine unendliche, so, daß man sagen kann, die Kunst sey das Vorbild der Wissenschaft, und wo die Kunst sey, soll die Wissenschaft erst hinkommen. Es läßt sich eben daraus auch erklären, warum und inwiefern es in Wissenschaften kein Genie gibt, nicht etwa, als ob es unmöglich wäre, daß eine wissenschaftliche Aufgabe genialisch gelöst werde, sondern weil dieselbe Aufgabe, deren Auflösung durch Genie gefunden werden kann, auch mechanisch auflösbar ist, dergleichen z. B. das Newtonische Gravitationssystem ist, welches eine genialische Erfindung seyn konnte, und in seinem ersten Erfinder Kepler wirklich war, aber ebenso gut auch eine ganz scientifische Erfindung seyn konnte, was es auch durch Newton geworden ist. Nur das, was die Kunst hervorbringt, ist allein und *nur* durch Genie möglich, weil in jeder Aufgabe, welche die Kunst aufgelöst hat, ein unendlicher Widerspruch vereinigt ist. Was die Wissenschaft hervorbringt, *kann* durch Genie hervorgebracht seyn, aber es ist nicht nothwendig dadurch hervorgebracht. Es ist und bleibt daher in Wissenschaften problematisch, d. h. man kann wohl immer bestimmt sagen, wo es nicht ist, aber nie, wo es ist. Es gibt nur wenige Merkmale, aus welchen in Wissenschaften sich auf Genie schließen läßt; (daß man darauf schließen muß, zeigt schon eine ganz eigne Bewandtniß der Sache). Es ist z. B. sicherlich da nicht, wo ein Ganzes, dergleichen ein System ist, theilweise, und gleichsam durch Zusammensetzung, entsteht. Man müßte also umgekehrt Genie da voraussetzen, wo offenbar die Idee des Ganzen den einzelnen Theilen vorangegangen ist. Denn da die Idee des Ganzen doch nicht deutlich werden kann, als dadurch, daß sie in den einzelnen Theilen sich entwickelt, und doch hinwiederum die einzelnen Theile nur durch die Idee des Ganzen möglich sind, so scheint hier ein Widerspruch zu seyn, der nur durch einen Akt des Genies, d. h. durch ein unerwartetes Zusammentreffen der bewußtlosen mit der bewußten Thätigkeit, möglich ist. Ein anderer Vermuthungsgrund des Genies in Wissenschaften wäre, wenn einer Dinge sagt und Dinge behauptet, deren Sinn er, entweder der Zeit nach, in der er gelebt hat, oder seinen sonstigen Aeußerungen nach, unmöglich ganz durchsehen konnte, wo er also etwas scheinbar mit Bewußtseyn aussprach, was er doch nur bewußtlos aussprechen konnte. Allein daß auch diese Vermuthungsgründe höchst trüglich seyn können, ließe sich sehr leicht auf verschiedene Art beweisen.

Das Genie ist dadurch von allem anderen, was bloß Talent oder Geschicklichkeit ist, abgesondert, daß durch dasselbe ein Widerspruch aufgelöst wird, der absolut und sonst durch nichts anderes auflösbar ist. In allem, auch dem gemeinsten und alltäglichsten Produciren wirkt mit der bewußten Thätigkeit eine bewußtlose zusammen; aber nur ein Produciren, dessen Bedingung ein unendlicher Gegensatz beider Thätigkeiten war, ist ein ästhetisches und *nur* durch Genie mögliches.

§. 3.
Folgesätze.

Nachdem wir das Wesen und den Charakter des Kunstprodukts so vollständig, als es zum Behuf der gegenwärtigen Untersuchung nöthig war, abgeleitet haben, so ist uns nichts übrig, als das Verhältniß anzugeben, in welchem die Philosophie der Kunst zu dem ganzen System der Philosophie überhaupt steht.

1) Die ganze Philosophie geht aus, und muß ausgehen von einem Princip, das als das absolut Identische schlechthin nichtobjektiv ist. Wie soll nun aber dieses absolut Nichtobjektive doch zum Bewußtseyn hervorgerufen und verstanden werden, was nothwendig ist, wenn es Bedingung des Verstehens der ganzen Philosophie ist? Daß es durch Begriffe ebensowenig aufgefaßt als dargestellt werden könne, bedarf keines Beweises. Es bleibt also nichts übrig, als daß es in einer unmittelbaren Anschauung dargestellt werde, welche aber wiederum selbst unbegreiflich, und da ihr Objekt etwas schlechthin Nichtobjektives seyn soll, sogar in sich selbst widersprechend zu seyn scheint. Wenn es denn nun aber doch eine solche Anschauung gäbe, welche das absolut Identische, an sich weder Sub- noch Objektive zum Objekt hat, und wenn man sich wegen dieser Anschauung, welche nur eine intellektuelle seyn kann, auf die unmittelbare Erfahrung beriefe, wodurch kann denn nun auch diese Anschauung wieder objektiv, d.h. wie kann außer Zweifel gesetzt werden, daß sie nicht auf einer bloß subjektiven Täuschung beruhe, wenn es nicht eine allgemeine und von allen Menschen anerkannte Objektivität jener Anschauung gibt? Diese allgemein anerkannte und auf keine Weise hinwegzuleugnende Objektivität der intellektuellen Anschauung ist die Kunst selbst. Denn die ästhetische Anschauung eben ist die objektiv gewordene intellektuelle.[1] Das

[1] Die ganze Philosophie geht aus, und muß ausgehen von einem Princip, das als das absolute Princip auch zugleich das schlechthin Identische ist. Ein absolut Einfaches, Identisches läßt sich nicht durch Beschreibung, überhaupt nicht durch Begriffe auffassen oder mittheilen. Es kann nur angeschaut werden. Eine solche Anschauung ist das Organ aller Philosophie. – Aber diese Anschauung, die nicht eine sinnliche, sondern eine intellektuelle ist, die nicht das Objektive oder das Subjektive, sondern das absolut Identische, an sich weder Subjektive noch Objektive, zum Gegenstand hat, ist selbst bloß eine innere, die für sich selbst nicht wieder objektiv werden kann:

Kunstwerk nur reflektirt mir, was sonst durch nichts reflektirt wird, jenes absolut Identische, was selbst im Ich schon sich getrennt hat; was also der Philosoph schon im ersten Akt des Bewußtseyns sich trennen läßt, wird, sonst für jede Anschauung unzugänglich, durch das Wunder der Kunst aus ihren Produkten zurückgestrahlt.

Aber nicht nur das erste Princip der Philosophie und die erste Anschauung, von welcher sie ausgeht, sondern auch der ganze Mechanismus, den die Philosophie ableitet, und auf welchem sie selbst beruht, wird erst durch die ästhetische Produktion objektiv.

Die Philosophie geht aus von einer unendlichen Entzweiung entgegengesetzter Thätigkeiten[1]; aber auf derselben Entzweiung beruht auch jede ästhetische Produktion, und dieselbe wird durch jede einzelne Darstellung der Kunst vollständig aufgehoben[2]. Was ist denn nun jenes wunderbare Vermögen, durch welches nach der Behauptung des Philosophen in der produktiven Anschauung ein unendlicher Gegensatz sich aufhebt? Wir haben diesen Mechanismus bisher nicht vollständig begreiflich machen können, weil es nur das Kunstvermögen ist, was ihn ganz enthüllen kann. Jenes produktive Vermögen ist dasselbe, durch welches auch der Kunst das Unmögliche gelingt, nämlich einen unendlichen Gegensatz in einem endlichen Produkt aufzuheben. Es ist das Dichtungsvermögen, was in der ersten Potenz die ursprüngliche Anschauung ist, und umgekehrt[3], es ist nur die in der höchsten Potenz sich wiederholende produktive Anschauung, was wir Dichtungsvermögen nennen. Es ist ein und dasselbe, was in beiden thätig ist, das Einzige, wodurch wir fähig sind auch das Widersprechende zu denken und zusammenzufassen, – die Einbildungskraft. Es sind also auch Produkte einer und derselben Thätigkeit, was uns jenseits des Bewußtseyns als wirkliche, diesseits des Bewußtseyns als idealische, oder als Kunstwelt erscheint. Aber eben dieß, daß, bei sonst ganz gleichen Bedingungen des Entstehens, der Ursprung der einen jenseits, der andern diesseits des Bewußtseyns liegt, macht den ewigen und nie aufzuhebenden Unterschied zwischen beiden.

sie kann objektiv werden nur durch eine zweite Anschauung. Diese zweite Anschauung ist die ästhetische. (So lautet der letzte Passus nach dem Handexemplar).

[1] Die Philosophie läßt alle Produktion der Anschauung hervorgehen aus einer Trennung vorher nicht entgegengesetzter Thätigkeiten.

[2] die letzten Worte »und – aufgehoben« sind im Handexemplar delirt.

[3] Statt der letzten Perioden heißt es im Handexemplar: Jenes produktive Vermögen, wodurch das Objekt entsteht, ist dasselbe, aus welchem auch der Kunst ihr Gegenstand entspringt, nur daß jene Thätigkeit dort *getrübt* – begrenzt – hier rein und unbegrenzt ist. Das Dichtungsvermögen in seiner ersten Potenz angeschaut ist, das erste Produktionsvermögen der Seele, sofern es in endlichen und wirklichen Dingen sich ausspricht, und umgekehrt...

Denn obgleich die wirkliche Welt ganz aus demselben ursprünglichen Gegensatz hervorgeht, aus welchem auch die Kunstwelt, welche gleichfalls als Ein großes Ganzes gedacht werden muß, und in allen ihren einzelnen Produkten nur das Eine Unendliche darstellt, hervorgehen muß, so ist doch jener Gegensatz jenseits des Bewußtseyns nur insoweit unendlich, daß durch die objektive Welt als *Ganzes*, niemals aber durch das einzelne Objekt ein Unendliches dargestellt wird, anstatt daß jener Gegensatz für die Kunst ein unendlicher ist in Ansehung *jedes einzelnen Objekts*, und jedes einzelne Produkt derselben die Unendlichkeit darstellt. Denn wenn die ästhetische Produktion von Freiheit ausgeht, und wenn eben für die Freiheit jener Gegensatz der bewußten und der unbewußten Thätigkeit ein absoluter ist, so gibt es eigentlich auch nur Ein absolutes Kunstwerk, welches zwar in ganz verschiedenen Exemplaren existiren kann, aber doch nur Eines ist, wenn es gleich in der ursprünglichsten Gestalt noch nicht existiren sollte. Es kann gegen diese Ansicht kein Vorwurf seyn, daß mit derselben die große Freigebigkeit, welche mit dem Prädicate des Kunstwerks getrieben wird, nicht bestehen kann. Es ist nichts ein Kunstwerk, was nicht ein Unendliches unmittelbar oder wenigstens im Reflex darstellt. Werden wir z. B. auch solche Gedichte Kunstwerke nennen, welche ihrer Natur nach nur das Einzelne und Subjektive darstellen? Dann werden wir auch jedes Epigramm, das nur eine augenblickliche Empfindung, einen gegenwärtigen Eindruck aufbewahrt, mit diesem Namen belegen müssen, da doch die großen Meister, die sich in solchen Dichtungsarten geübt, die Objektivität selbst nur durch das *Ganze* ihrer Dichtungen hervorzubringen suchten, und sie nur als Mittel gebrauchten, ein ganzes unendliches Leben darzustellen und durch vervielfältigte Spiegel zurückzustrahlen.

2) Wenn die ästhetische Anschauung nur die objektiv gewordene transscendentale[1] ist, so versteht sich von selbst, daß die Kunst das einzige wahre und ewige Organon zugleich und Document der Philosophie sey, welches immer und fortwährend aufs neue beurkundet, was die Philosophie äußerlich nicht darstellen kann, nämlich das Bewußtlose im Handeln und Produciren und seine ursprüngliche Identität mit dem Bewußten. Die Kunst ist eben deßwegen dem Philosophen das Höchste, weil sie ihm das Allerheiligste gleichsam öffnet, wo in ewiger und ursprünglicher Vereinigung gleichsam in Einer Flamme brennt, was in der Natur und Geschichte gesondert ist, und was im Leben und Handeln ebenso wie im Denken, ewig sich fliehen muß. Die Ansicht,

[1] intellektuelle (Correktur).

welche der Philosoph von der Natur künstlich sich macht, ist für die Kunst die ursprüngliche und natürliche. Was wir Natur nennen, ist ein Gedicht, das in geheimer wunderbarer Schrift verschlossen liegt. Doch könnte das Räthsel sich enthüllen, würden wir die Odyssee des Geistes darin erkennen, der wunderbar getäuscht, sich selber suchend, sich selber flieht; denn durch die Sinnenwelt blickt nur wie durch Worte der Sinn, nur wie durch halbdurchsichtigen Nebel das Land der Phantasie, nach dem wir trachten. Jedes herrliche Gemälde entsteht dadurch gleichsam, daß die unsichtbare Scheidewand aufgehoben wird, welche die wirkliche und idealische Welt trennt, und ist nur die Oeffnung, durch welche jene Gestalten und Gegenden der Phantasiewelt, welche durch die wirkliche nur unvollkommen hindurchschimmert, völlig hervortreten. Die Natur ist dem Künstler nicht mehr, als sie dem Philosophen ist, nämlich nur die unter beständigen Einschränkungen erscheinende idealische Welt, oder nur der unvollkommene Widerschein einer Welt, die nicht außer ihm, sondern in ihm existirt.

Woher denn nun aber dieser Verwandtschaft der Philosophie und der Kunst unerachtet der Gegensatz beider komme, diese Frage ist schon durch das Vorhergehende hinlänglich beantwortet.

Wir schließen daher mit der folgenden Bemerkung. – Ein System ist vollendet, wenn es in seinen Anfangspunkt zurückgeführt ist. Aber eben dieß ist der Fall mit unserem System. Denn eben jener ursprüngliche Grund aller Harmonie des Subjektiven und Objektiven, welcher in seiner ursprünglichen Identität nur durch die intellektuelle Anschauung dargestellt werden konnte, ist es, welcher durch das Kunstwerk aus dem Subjektiven völlig herausgebracht und ganz objektiv geworden ist, dergestalt, daß wir unser Objekt, das Ich selbst, allmählich bis auf den Punkt geführt, auf welchem wir selbst standen, als wir anfingen zu philosophiren.

Wenn es nun aber die Kunst allein ist, welcher das, was der Philosoph nur subjektiv darzustellen vermag, mit allgemeiner Gültigkeit objektiv zu machen gelingen kann, so ist, um noch diesen Schluß daraus zu ziehen, zu erwarten, daß die Philosophie, so wie sie in der Kindheit der Wissenschaft von der Poesie geboren und genährt worden ist, und mit ihr alle diejenigen Wissenschaften, welche durch sie der Vollkommenheit entgegengeführt werden, nach ihrer Vollendung als ebenso viel einzelne Ströme in den allgemeinen Ocean der Poesie zurückfließen, von welchem sie ausgegangen waren. Welches aber das Mittelglied der Rückkehr der Wissenschaft zur Poesie seyn werde, ist im Allgemeinen nicht schwer zu sagen, da ein solches Mittelglied in der Mythologie existirt hat, ehe diese, wie es jetzt scheint, unauflösliche Trennung geschehen ist[1]. Wie aber eine neue Mythologie, welche nicht Erfindung des einzelnen Dichters, sondern eines neuen, nur Einen Dichter gleichsam vorstellenden Geschlechts seyn kann, selbst entstehen könne, dieß ist ein Problem, dessen Auflösung allein von den künftigen Schicksalen der Welt und dem weiteren Verlauf der Geschichte zu erwarten ist.

[1] Die weitere Ausführung dieses Gedankens enthält eine schon vor mehrern Jahren ausgearbeitete Abhandlung *über Mythologie*, welche nun binnen Kurzen erscheinen soll. (Anmerk. des Originals).

JOHANN WOLFGANG GOETHE –
FRIEDRICH SCHILLER

Briefwechsel

Schiller an Goethe

Jena, 27. März 1801.

Ich werde Jena nun bald verlassen, zwar mit keinen großen Taten und Werken beladen, aber doch auch nicht ohne alle Frucht; es ist immer doch soviel geschehen, als ich in ebenso vieler Zeit zu Weimar würde ausgerichtet haben. Ich habe also zwar nichts in der Lotterie gewonnen, habe aber doch im ganzen meinen Einsatz wieder.

Auch von der hiesigen Welt habe ich, wie es mir immer geht, weniger profitiert, als ich geglaubt hatte; einige Gespräche mit Schelling und Niethammern waren alles. Erst vor einigen Tagen habe ich Schelling den Krieg gemacht wegen einer Behauptung in s[einer] Transzendentalphilosophie, daß ›in der Natur von dem Bewußtlosen angefangen werde, um es zum Bewußten zu erheben, in der Kunst hingegen man vom Bewußtsein ausgehe zum Bewußtlosen‹. Ihm ist zwar hier nur um den Gegensatz zwischen dem Natur- und dem Kunstprodukt zu tun, und insofern hat er ganz recht. Ich fürchte aber, daß diese Herrn Idealisten ihrer Ideen wegen allzu wenig Notiz von der Erfahrung nehmen, und in der Erfahrung fängt auch der Dichter nur mit dem Bewußtlosen an, ja er hat sich glücklich zu schätzen, wenn er durch das klarste Bewußtsein seiner Operationen nur soweit kommt, um die erste dunkle Totalidee seines Werks in der vollendeten Arbeit ungeschwächt wiederzufinden. Ohne eine solche dunkle, aber mächtige Totalidee, die allem Technischen vorhergeht, kann kein poetisches Werk entstehen, und die Poesie, deucht mir, besteht eben darin, jenes Bewußtlose aussprechen und mitteilen zu können, d.h. es in ein Objekt überzutragen. Der Nichtpoet kann so gut als der Dichter von einer poetischen Idee gerührt sein, aber er kann sie in kein Objekt legen, er kann sie nicht mit einem Anspruch auf Notwendigkeit darstellen. Ebenso kann der Nichtpoet so gut als der Dichter ein Produkt mit Bewußtsein und mit Notwendigkeit hervorbringen, aber ein solches Werk fängt nicht aus dem Bewußtlosen an und endigt nicht in demselben. Es bleibt nur ein Werk der Besonnenheit. Das Bewußtlose mit dem Besonnenen vereinigt macht den poetischen Künstler aus. [...]

Goethe an Schiller

3. April 1801

[...] Was die Fragen betrifft, die Ihr letzter Brief enthält, bin ich nicht allein Ihrer Meinung, sondern ich gehe noch weiter. Ich glaube, daß alles, was das Genie, als Genie, tut, unbewußt geschehe. Der Mensch von Genie kann auch verständig handeln, nach gepflogner Überlegung, aus Überzeugung; das geschieht aber alles nur so nebenher. Kein Werk des Genies kann durch Reflexion und ihre nächste Folgen verbessert, von seinen Fehlern befreit werden; aber das Genie kann sich durch Reflexion und Tat nach und nach dergestalt hinaufheben, daß es endlich musterhafte Werke hervorbringt. Je mehr das Jahrhundert selbst Genie hat, desto mehr ist das einzelne gefördert.

Was die großen Anforderungen betrifft, die man jetzt an den Dichter macht, so glaube ich auch, daß sie nicht leicht einen Dichter hervorbringen werden. Die Dichtkunst verlangt im Subjekt, das sie ausüben soll, eine gewisse gutmütige, ins Reale verliebte Beschränktheit, hinter welcher das Absolute verborgen liegt. Die Forderungen von oben herein zerstören jenen unschuldigen produktiven Zustand und setzen, für lauter Poesie, an die Stelle der Poesie etwas, das nun ein für allemal nicht Poesie ist. Wie wir in unsern Tagen leider gewahr werden; und so verhält es sich mit den verwandten Künsten, ja mit der Kunst im weitsten Sinne.

Dies ist mein Glaubensbekenntnis, welches übrigens keine weitere Ansprüche macht. [...]

JEAN PAUL

Vorschule der Ästhetik

§ 13
Der Instinkt des Menschen

Das Mächtigste im Dichter, welches seinen Werken die gute und die böse Seele einbläset, ist gerade das Unbewußte. Daher wird ein großer wie Shakespeare Schätze öffnen und geben, welche er so wenig wie sein Körperherz selber sehen konnte, da die göttliche Weisheit immer ihr All in der schlafenden Pflanze und im Tierinstinkt *ausprägt* und in der beweglichen Seele *ausspricht*. Überhaupt sieht die Besonnenheit nicht das Sehen, sondern nur das abgespiegelte oder zergliederte Auge; und das Spiegeln spiegelt sich nicht. Wären wir uns unserer ganz bewußt, so wären wir unsre Schöpfer und schrankenlos. Ein unauslöschliches Gefühl stellet in uns etwas Dunkles, was nicht unser Geschöpf, sondern unser Schöpfer ist, über alle unsre Geschöpfe. So treten wir, wie es Gott auf Sinai befahl, vor ihn mit einer Decke über den Augen.

Wenn man die Kühnheit hat, über das Unbewußte und Unergründliche zu sprechen: so kann man nur dessen Dasein, nicht dessen Tiefe bestimmen wollen. [...]

JEAN PAUL

Selina

IV. Mars

[...] »Ich dächte doch«, warf Nantilde ein, »daß wenn wir in dem so toten Schlafe träumen, [wir] da manches vermögen, was wir nicht einmal im Wachen konnten, z. B. fliegen, dramatisieren, weissagen?« – »Das erste oder das Wichtigste«, versetzte Alex, »was dein Träumen anlangt, so setz' es nur aus, ob du gleich darin so hoch fliegst, daß du nach dem Erwachen noch nicht ganz herunter bist. Denn mir wäre völliges Eingraben und dickes erdiges Überschütten mit dem Schlaf- und Betthügel – wie eigentlich bei den derb gesunden Leibern gewöhnlich ist, ja sogar bei dem geist- und blitzreichen Lessing – sogar noch lieber als das Träumen; denn unter die undurchsichtige Bettdecke der Bewußtlosigkeit könnte ein Philosoph ein ganzes Himmelreich von geistigen Kräften lagern und man müßte ihm glauben; aber den Traum kennen wir desto deutlicher mit all seinen Unsinnigkeiten und er übt weit uneingeschränktere Lehnsherrlichkeit des Körpers als selber der Schlaf aus.« – »Hier«, sagte Karlson, »hat Alexander recht. Ich weiß noch aus meinen Jünglingjahren, wie ich in meinen Träumen tobte, verwüstete, umbrachte und das Bette zur Bühne abspielender Tyrannen machte.« – »Wie oft vor dem Einschlafen«, fuhr Alexander fort, »sag' ich mir: nun reisest du sogleich in ein Land, wo du nichts voraus kennst und nichts durchsetzest, dein ganzer diplomatischer Charakter nicht den jüngsten Kabinettsekretär, geschweige dessen Fürsten, der deinen zugemachten Augen erscheint, lenken kann, ja nicht einmal dich selber, weil du im Bette wider alle bessern Vorsätze Dinge begehen kannst, wofür man gehangen zu werden verdient. Ich bedauere daher manche zarte Seele, welche nach einem unter der schönsten Herrschaft des Gewissens rein durchgeführten Tag sich ängstlich in das unbändige zügellose Traumreich hineinbegeben, wo sie alle moralische Freiheit an der Grenze hinter sich lassen muß.«

Hier schüttelten die Frauen die Köpfe, als sei es nicht so. »Im ganzen« – fiel ich zur Rechtfertigung der geschüttelten Köpfe ein – »sind die weiblichen Träume weit moralischer als die männlichen, so wie sie auch selten solche verrenkte Zerrwelten wie die des wachen italienischen Prinzen von Palagonien vorführen. – –

[...] Denn nirgend ist so viel Platz – nämlich unermeßlicher –, so viel Mannigfaltigkeit, so viel Verträglichkeit des Widerspenstigen und Unbegriffenes als im Ich. Das Körperliche als solches oder das Unorganische zeigt sich als das Widerspiel; das Goldstäubchen z. B. behält ewig dieselbe Schwere und Dichtigkeit, ohne Wechsel innerer Zustände und ist keiner Übung fähig. Nur das organische und der Geist können sich ab- und angewöhnen und sich üben. Der Geist wirkt abgesetzt, der Leib unausgesetzt.

Herbart und andere lassen dem Ich keine Verschiedenheit der Seelenvermögen zu; aber ist bei einem einfachen Wesen oder einer Kraft denn Verschiedenheit der Zustände gedenklicher? Oder auch bei verschiedenen Wesen Unterschiede ihrer Kräfte selber? Und wohnet nicht in der Einfachheit des höchsten Wesens die ganze Unermeßlichkeit aller Kräfte und Zeiten, wogegen das All zur Endlichkeit einschwindet?

Nur im Ich wohnt Entgegengesetztes, neben der Einheit und Verknüpfung, indes das Äußere nur erst in ihm den Schein derselben annimmt, und zweitens die Mannigfaltigkeit und Verschiedenheit, die es außen anschaut und innen selber besitzt. Wir machen aber von dem Länderreichtum des Ich viel zu kleine oder enge Messungen, wenn wir das ungeheure Reich des Unbewußten, dieses wahre innere Afrika, auslassen. Von der weiten vollen Weltkugel des Gedächtnisses drehen sich dem Geiste in jeder Sekunde immer nur einige erleuchtete Bergspitzen vor und die ganze übrige Welt bleibt in ihrem Schatten liegen; und ein Gelehrter wie Böttiger brauchte vielleicht Jahre, wenn seine aufgehäuften Sach- und Sprachschätze, nur in jeder Sekunde ein fremdes Wort oder eine Tatsache oder eine Idee vor ihm vorüberziehen oder fliegen sollte – Aber unser geistiger Mond, der uns nur in schmalen Sicheln erleuchtet aufgeht, hat noch wie der himmlische eine Welthälfte, die er unserem Bewußtsein gar nicht zuwendet, die Regiergeschäfte der Muskeln durch die Nerven.

Will man mir die unwillkürlichen, folglich unaufhörlichen und desto unabänderlichern Bewegungen, wie die des Herzens u. s. w., nicht als Werke des Geistes gelten lassen, wofür sie der tiefe Stahl in seiner Hypothese nimmt: so bleiben mir doch bei Menschen, bei Tieren sogar die Tausende Gang-, Sprung-, Wurfbewegungen, die Flügelschläge und Fingersetzungen übrig, welche die ersten Male mit Willen, Bewußtsein und Berechnung gelernt und vollführt wurden, später aber ohne mithelfenden Geist zu geschehen den Anschein haben, was eben unmöglich ist; denn das Körperliche an sich erlernt und behält nichts, noch abgezogen, daß jede berechnete Bewegung, sogar die Sprungweite in jedem einzelnen Falle neues Rechnen sogar vom Tiere verlangt.

Noch zwei wichtige Erscheinungen stellen sich im Reiche des Geistes auf, um uns zu zeigen, daß wir seine Schätze und seine Fundgruben nicht nach dem, was auf der Oberfläche des Bewußtseins bloßliegt, sondern nach dem zu schätzen haben, was in der Tiefe der Unsichtbarkeit ruht. Unsere geistigen Wurzeln laufen viel weiter, breiter und länger aus als unsere Zweige. Ich gebe nur *ein* Beispiel. Die feinsten und neusten Bemerkungen über Menschen und Welt werden ohne allen Beweis ausgesprochen; und doch findet sie der Leser richtig und folglich bewiesen; mithin muß der Beweis schon in ihm voraus fertig gelegen haben, also die ganze dunkle Reihe der Erfahrungen; so ists auch mit unsern eignen Bemerkungen, ein einziger Fall reicht uns eine, welche ohne unser Wissen 1000 vorige Fälle umfaßt. So wird oft ein ganzes schweigendes Leben von dem Wunderworte eines Dichters ausgesprochen, und nun spricht es selber fort. – So fühlt man die Unhaltbarkeit mancher Behauptungen lebendig und man weiß entschieden, sie fielen zusammen, wenn man sie nur ein wenig antastete; aber man läßt es dabei und so braucht man nicht immer zu prüfen, um zu widerlegen. –

Ich komme nun auf ein Rätsel, das die meisten für kein großes halten und doch elend lösen und das uns selber andere Rätsel aufschließen kann, ich meine den Instinkt. Die gemeine Entzifferung desselben – die nicht einmal eine musikalische Bezifferung ist – läßt ihn in einem künstlichen Gliederbau für gewisse Lebens-Kunstwerke bestehen, welcher die Tierseele zur Ausführung derselben durch ein Bedürfnis reizt, anregt und bestimmt. So treibt nach Darwin z. B. die Hitze der Brust die Vögel zum Sitzen über den Eiern, der Kühlung wegen, und die Milchfülle der Brust das Säugtier zum Säugen. Aber was kann denn eigentlich für den Instinkt anders im Körper vorbereitet sein als Arbeitstoff und Arbeitzeug, z. B. in der Spinne die Fadenmaterie und die Spinnwarzen samt den Spinnfüßen? Wo ist aber damit nur im geringsten die geometrische Kunst der konzentrischen Vielecke und Zirkel gegeben, und sind die Spinnmaschinen Webstühle, die ohne eine geistige abmessende Weberin die Vergrößerung der Umkreise, die Abänderungen nach den Orten des Gewebes und die Verbesserung nach den Zeiten ausführen? Ein Handwerkzeug ist noch kein Handwerker, Sprachwerkzeuge geben noch keine Sprache. –

Nirgends weder für die Wehr-, noch für die Nähr- und Fangkünste legte die liebende Allmutter so zusammengesetzte Instinkt-Getriebe an als in den kleinen Müttern für die Brut-Erhaltung; und gerade die winzigsten und die unscheinbarsten Tiere, die Insekten, sind die größten bildenden Künstler gegen die höhern und großen Tiere mit wenigen Jungen. Der größte Teil des Schmetterling- und Käferreichs fliegt über sich hinauf, verrichtet *eine* Wundertat des Instinkt-Testaments und sinkt dann untergehend zu Boden. Wenn nun ein Darwin und andere wieder wie bei Vögeln mit Drang und Reiz der Eier und Brut das Elterliche motivieren wollen: so ziehen gerade fünf Insektenvölker gegen sie aus, die Bienen, Wespen, Hummeln, die Ameisen und die Termiten, und bekriegen sie. Nämlich nicht die Eltern pflegen die junge Nachkommenschaft, sondern bloß die geschlecht- und kinderlosen Bienen und Ameisen. Weiset mir nun in den Nerven, Gefäßen, Muskeln der Arbeitameisen irgendeinen andern Unterschied als den des mangelnden Geschlechts nach, welcher ihre nach Zeit und Ort und Mühe so zusammengesetzten und abwechselnden Arbeiten erklärte, ihr Bauen, ihr Sonnen der Puppen, ihr Enthülsen oder ihre Hebammendienste bei ihnen, das Füttern der Neugebornen bis zu ihrem Davonfluge! Eben dies gilt von den Pflege- und Baukünsten der geschlechtlosen oder Arbeitbienen, welche mit bloßer platonischer Liebe der Königin heiß anhängen und (falls sie selber Weibchen sind) so unbelohnt die trägen Drohnen füttern und die für eine ferne Zukunft einer ihnen folglich noch ganz unbekannten Brut, die mit keinen Sinnenreizen besticht, Wiegen, Wiegendecken, Brot und Honig bereiten und ihre kurzen Flugtage des Lebens opfern. – Ich führe flüchtig nur noch das Nächste an, daß z. B. bei den Vögeln das Männchen frei ohne Brut- und Eierdrang, ebenso in der lustigsten Zeit sich selber zum unermüdeten Baugefangnen verdammt und der Bau- und Bettmeisterin des Nestes treu die Handdienste leistet. Noch mehr ists, daß der rege, kräftige, singende Mann ohne Selbstbedürfnis und in der wärmsten schönsten Zeit (ganz beschwerlicher als die Männer gewisser Völker) das Kindbett hütet. Und endlich sehe man den Schwalben nach, welche, ungeachtet sie schon ein Troglodyten-Loch zur Wohnung haben, noch früher als das Bette vor der Wiege die Kinderstube machen, und zwar so lange vor aller Ahnung einer Nachkommenschaft und mit einer so seltsamen Abweichung von jeder Vogelweise. Ein langsames bissenweises Zusammenschleppen eines schmutzigen, mehr den Sumpfvögeln gewohnten Elements – ein freies Halbrundformen von zwei Schnäbeln zugleich, dem nicht wie bei den einfachern Zellen der Bienen die Nachbarschaft den Bauriß aufdringt – und sogar die schmale, nicht zu große Öffnung, die zu schätzen ist, dieses Logen-Arbeiten an den Mauern ist eine höhere, aber geheimnisvollere als die der Freimäuerer hinter den Mauern.

Ich will mich aber nicht einmal mit meinen Fragen bei diesen leichtern Fällen aufhalten – noch überhaupt bei dem ganzen ausgebreiteten

Vorrate der übrigen tierischen Kunstfertigkeiten, sondern ich will nur fragen, wo sind in den Nerven, Gefäßen, Muskeln, kurz im ganzen Körperbau organische Zwanganstalten und Kunstbestecke aufzuweisen, wodurch nur ein Vogel sich vom andern so unterschiede wie sein Nest, oder gar Bienen und Ameisen sich wie ihre dreifache Lebensweise? Und die Superlative des Instinkts erscheinen gerade bei den kleinsten und vergänglichsten Tieren, den Insekten, die nicht einmal Herz und Blut und Umlauf und statt eines Nervensystems bloß zwei dicke Fäden mit Knötchen und statt eines Gehirns bloß zwei Knoten besitzen, zu welchen die Fäden sich knüpfen. Wo aber nun soll denn der Instinkt doch sitzen und lenken? Da er in der Vielheit vergeblich gesucht wird, so bleibt nur die Einheit übrig, kurz die Tierseele, welche man bisher bloß als die leidende Zuschauerin und als die mitgetriebne Maschine der treibenden Maschine gelten ließ. Auf welche Weise freilich der Ur-Mechanikus das ganze Räderwerk einer Zukunft in *einer* geistigen Kraft aufgestellt und aufgezogen zu einem bis im Kleinen unabänderlichen Ablauf: dies ist bloß eine Unbegreiflichkeit, die im Geiste ohnehin schon ihresgleichen mehr als einmal hat. Aber [keine] größere [als] die der langen Reihe einer handelnden Zukunft, gleichsam als ob eine Seele sie nicht faßte; denn Himmel! welch ein All von Anlagen, Gesetzen, Trieben und Ideen beherbergt nicht ein Geist! Und kann er in seine Einfachheit eine weite *vergangne* Welt aufnehmen, warum nicht ebensogut in sich eine *kommende* bereithalten und bewahren, welche er gebiert? – Aber eine andere Unbegreiflichkeit oder eine Nacht bleibt es für uns – die wir ohnehin nur zwischen Nächten und Dämmerungen wechseln –, wie einer geistigen Kraft oder Seele eine unabänderliche Vorstellreihe, die sich an Zeit und Ort entwickelt, einzuschaffen und einzupflanzen sei. Aber ist nicht die Gedanken schaffende Seele überhaupt eine Sonne, zu deren Boden wir durch das Lichtgewölk, das über ihr liegt, nicht hinuntersehen können? Wir können, da wir in der Werkstätte selber arbeiten, ja nur aus ihr, nicht in sie schauen. Ganz irrig legen wir den groben dicken Maßstab der Körperwelt, in der nie ein Schaffen, sondern nur ein Nacheinanderfolgen und Mischen des Alten erscheint, an die Seelenwelt an, worin im eigentlichen Sinne geschaffen wird, mithin Neues gemacht, so schnell es auch als Wille und als Gedanke hervor- und vorüberfliege. Noch niemand, selber kein Herbart hat den unbegreiflichen Bund zwischen dem unaussetzenden Entstehen und Emporspringen der Vorstellungen und ihrer Abhängigkeit von einem Wollen, [das] ihnen [bei ihrer] Geburt eine zweckmäßige Aufeinanderfolge aufzwang, ohne Gewalttätigkeit vermitteln können; denn ohne jenen Bund könnte niemand sich vornehmen, nachzusinnen und zu ersinnen. Aber am stärksten tritt das Wunder in Künstlern und unter diesen in Tonkünstlern hervor. Ein Mozart kann wohl die Harmonie und ihre Erweiterung, die Instrumentalbegleitung, aus- und errechnen, da sie als ein *Zugleich* kann gemessen und verglichen werden; aber die *Melodie* als ein vielseitiges, freies *Nach-* und *Auseinander* steigt in neuen, fremden Gestalten aus den Tiefen der Empfindungen empor und wieder in die der unsrigen hinunter und weckt, was schwieg. Mozart, unbekannt mit großen Begebenheiten, großen Dichtern und mit dem ganzen ausgedehnten Abgrunde großer Leidenschaften, kurz dieses Kind an Verstand hört bloß sein Inneres an – und hört darin die Zauberflöte. Und das Erhabene und das Rührende und das Leidenschaftliche, kurz jedes Tonwort ist wahrhaft aus tausend Seelen gesprochen. So empfängt denn der Tonkünstler im weit stärkern Sinne Eingebungen als der mehr besonnen schaffende Dichter.

Genug, uns ist neben der Körperwelt noch die wunderbare Seelenwelt aufgetan, über deren Tiefe freilich unser Wurfblei nur schwimmend hängt und nicht fest greift, weil lauter Unbegreiflichkeiten Vorordner und Vorgeordnete sind, empfangne und gebärende Fülle, und Schaffen nach Endabsichten (was irgendwo nach dem längsten Verschieben doch einmal eintreten muß) in der geistigen einfachen Kraft zusammenkommen, von den Instinkttaten an bis zu den menschlichen Ideenschöpfungen. – Man kann mir einen wichtigen Einwurf zu machen glauben und sagen, es gebe ja außer Leib und Seele noch ein Drittes, und dies tue noch größere Wunder als beide, die Lebenskraft; denn das Lehrgebäude, das Tongebäude, das Schwalbenhaus sei leichter gebaut als ein ausgeschnittenes Schneckenauge, oder vielmehr das ursprüngliche selber und jedes Glied; denn was seien alle tierische und menschliche Wunderwerke gegen einen organischen Körper, ein Labyrinth voll Labyrinthe von sich bekämpfenden und sich helfenden Kräften, ein All voll tierischer Bewegungen, wogegen die himmlischen der Weltkörper nur eine leichte Rechenaufgabe sind, eine bis über das Kleinste hinaus durchgearbeitete Repetier- und Sekundenuhr, die sich selber aufzieht und ihre ausgebrochnen Räderzähne selber einsetzt; und wer schaffe und erhalte diesen Körper als das *Leben*? ... Aber der Einwurf ist selber eine schöne Erweiterung meiner Sätze. Denn kann dieses Leben oder Beleben eine einzige allgemeine unteilbare Kraft sein, die wie Anziehung oder Wärme alle Wesen durchzieht und sich auf eine unbegreifliche Weise einschränkt und individualisiert, und zerspaltet in die verschiedenen Tierleiber, wie man sonst den Gott Spinozas darstellte, die zu gleicher Zeit hier den Polypen wiedererzeugte – dort eine abgesprengte Krebsschere oder einen Salamanderschenkel oder das Fleisch einer Wunde? Doch wozu bestimmte Wiedererzeugung, da es ja die Zeugung und Erhaltung aller Leiber besorgt? – Kann dieselbe unteilbare Kraft zu gleicher Zeit in den verfliegenden Aufgußtieren als kunstlos und in den langlebenden Menschenleibern kunstreich gestaltend erscheinen?

Nähme man jedes Leben als ein drittes Wesen zwischen Leib und Seele an: so bekäme man einen Wolkenschwarm neuer Wesen, für welche kein Himmel und kein Orkus, ja gar kein Gedanke zu finden wäre.[1] – Aber wem sollen wir nun die organisch bauende und erhaltende Lebenskraft, deren unfaßliche Wunder doch offenbar täglich vor uns und in uns fortdauernd vorgehen, zuschreiben und einverleiben? Offenbar keinem Kreuzen und Wirbeln und Strudeln von elektrischen, galvanischen oder andern unorganischen Kräften, welche ja den ganzen organischen Kunstbau voraussetzen müßten, um ihn zu benützen und zu beleben; ebensowenig den an sich unorganischen Teilen des Leibes, welche eben die Lebenskraft zu *einem* organischen Ganzen bändigt und ausgleicht und befreundet. Also bleibt nichts übrig für den Aufenthalt und Thron der Lebenskraft als das große Reich des Unbewußten in der Seele selber. Denn daß nur niemand, wie Haller, den für unser *Bewußtsein* kaum zu fassenden Verstand in dem Kunstgebäude und den Kunstarbeiten des Körpers für unverträglich mit der Seele halte, da er ja denselben Verstand mit allen seinen Wunderwerken doch einem unbekannten blinden bewußtlosen Dinge, Leben genannt, zuschreiben muß, wenn er nicht zur Gottheit hinaufspringen und droben an die Gottheit alle Fäden zu allen augenblicklichen Bewegungen der Tierwelt befestigen will.«

Ich endigte das Herausheben dessen, was die gegenwärtigen Fragen unsers Geistes am meisten berührte und beantwortet; denn über das Leben selber, über sein Hinablaufen in das dunkle Pflanzenreich unter der Erde und über sein Zerspringen im Aufgußtierchen, am meisten aber über das Wunder, womit es sich selber anfängt und über das, womit es sich verdoppelt, war die Untersuchung anderswo und länger anzustellen. Aber mit Anteil sahen die meisten das Reich des Unbewußten von mir aufgeschlossen. Der Rittmeister sagte: es hab' ihn oft bei einer Menge Menschen ordentlich gequält, ja geekelt, daß er bestimmt alle ihre Ansichten und Kenntnisse anzugeben und die Zweige und Wurzeln ihres Herzens bis auf das kleinste Fäserchen zu verfolgen wußte und dann darüber hinaus nichts weiter fand. »Man sieht«, fuhr er fort, »bei gewissen Menschen sogleich über die ganze angebaute

[1] Wolfart S. 123.

Seele hinüber bis an die Grenze der aufgedeckten Leerheit oder Dürftigkeit. Ja oft könnt' ich aus ähnlichen Gefühlen mich selber nicht recht ertragen, wenn mich nicht die lange Perspektive eines unabsehlichen Verbesserns tröstete. Aber Ihr Reich des Unbewußten, zugleich ein Reich des Unergründlichen und Unermeßlichen, das jeder Menschengeist besitzt und regiert, macht den Dürftigen reich und rückt ihm die Grenzen ins Unsichtbare.« – »Und mir«, versetzte Alex, »kann das Reich des Unbewußten auch nichts schaden, wenn ich in manchen Stunden widerlicher Bescheidenheit mich aufrichten kann, daß ich ein ganzes geistiges Warenlager gleichsam unsichtbar auf dem Rücken trage, das ich am Ende wohl auch einmal vorwärts herumdrehen kann auf den Bauch.«

»Und ernsthaft, warum nicht?« sagt' ich. »Bis zum Unendlichen hinauf, der nichts ist als lauter Besonnenheit und dem nichts verborgen sein kann[2], nicht einmal er sich selber, steigert sich auf unzählichen Stufen das Bewußtsein so schnell, daß dem Weisen ganze dem Wilden tief verschattete Gründe und Abgründe des Innern erleuchtet daliegen.«

»Ach«, sagte Selina, »ist es nicht ein tröstlicher Gedanke, dieser verdeckte Reichtum in unserer Seele? Können wir nicht hoffen, daß wir unbewußt Gott vielleicht inniger lieben als wir wissen und daß ein stiller Instinkt für die zweite Welt in uns arbeite, indes wir bewußt uns so sehr der äußern übergeben? – Vielleicht kommen daher manche Rührung, manch[e] Andacht, manche innere schnelle Freudigkeit, deren Grund wir nicht erraten. Und wie wohl tut es, daß wir an allen Nebenmenschen, auch unscheinbaren, das zu achten haben, was Gott allein kennt.«

[...]

[2] Gäb' es ein absolut Verborgnes: so wäre dies der Herr des All.

JOHANN FRIEDRICH HERBART

Lehrbuch zur Psychologie

Zweyter Abschnitt.
Von den Vorstellungen als Kräften.

Erstes Capitel.
Von dem Zustande der Vorstellungen, wenn sie als Kräfte wirken.

124. Vorstellungen werden Kräfte, indem sie einander widerstehen. Dieses geschieht, wenn ihrer mehrere entgegengesetzte zusammentreffen.

Man fasse diesen Satz Anfangs so einfach als möglich. Demnach werde dabey nicht an zusammengesetzte Vorstellungen irgend einer Art gedacht, nicht an solche, die irgend ein Ding mit mehrern Merkmalen, oder etwas Zeitliches und Räumliches bezeichnen, sondern an ganz einfache, wie *roth, blau, sauer, süß*, und zwar nicht an die allgemeinen Begriffe hievon, sondern an solche Vorstellungen, wie sie in einer momentanen Auffassung durch die Sinne würden entstehen können.

Wiederum aber gehört auch die Frage nach dem Ursprunge der genannten Vorstellungen gar nicht hieher, viel weniger darf schon jetzt auf irgend etwas anderes, das noch sonst in der Seele seyn oder vorgehn möchte, Rücksicht genommen werden.

Der Satz sagt nun, daß die entgegengesetzten einander widerstehen werden. Sie könnten auch nicht entgegengesetzt seyn, wie ein Ton und eine Farbe. Es wird angenommen, daß sie alsdann einander *nicht* widerstehen. (Mittelbarer Weise kann es allerdings geschehn, wovon unten.)

Widerstand ist Kraftäußerung (und zwar die einzige metaphysisch mögliche); dem Widerstehenden aber ist sein Wirken ganz zufällig, es richtet sich nach der Anfechtung, die unter Vorstellungen gegenseitig ist und durch den Grad ihres Gegensatzes bestimmt wird. Dieser ihr Gegensatz also kann angesehen werden als das, wovon sie sämmtlich leiden. An sich selbst aber sind die Vorstellungen *nicht* Kräfte.

125. Was geschieht nun durch den angegebenen Widerstand? Vernichten sich die Vorstellungen ganz oder theilweise? Oder bleiben sie unverändert, trotz dem Widerstande?

Da wir *hier* in diesem Buche auf speculative Gründe nicht eingehn können, so bestimme man den Sinn der Hypothese nach der Erfahrung. Diese zeigt sogleich, daß keins von beyden Statt finden darf, in wiefern die Hypothese etwas erklären soll. Vernichtete Vorstellungen sind so gut als gar keine. Blieben aber die Vorstellungen, trotz der gegenseitigen Anfechtung, ganz unverändert, so könnte nicht, wie wir jeden Augenblick in uns wahrnehmen, eine von der andern verdrängt werden. – Würde endlich das *Vorgestellte* einer jeden Vorstellung durch ihren Widerstreit abgeändert, so führte dieses nicht weiter, als ob von Anfang an ein andres Vorgestelltes vorhanden gewesen wäre.

Das *Vorstellen* also muß nachgeben, ohne vernichtet zu werden. Das heißt, *das wirkliche Vorstellen verwandelt sich in ein Streben vorzustellen.*

Hier sagt schon der Ausdruck, daß, sobald das Hinderniß weicht, die Vorstellung durch ihr eigenes Streben wieder hervortreten wird. – Darin liegt die Möglichkeit (obgleich noch nicht für alle Fälle der einzige Grund) der *Reproduction.*

126. Wenn eine Vorstellung nicht ganz, sondern nur zum Theil in ein Streben verwandelt wird, so hüte man sich, diesen Theil für ein abgeschnittenes Stück der ganzen Vorstellung zu halten. Er hat zwar allemal eine *bestimmte Größe* (auf deren Kenntniß sehr viel ankommt), allein diese Größe bezeichnet nur einen *Grad der Verdunkelung* der *ganzen* Vorstellung. (Wenn in der Folge von mehrern solchen Theilen einer und derselben Vorstellung die Rede seyn wird, so halte man diese Theile nicht für verschiedene abgeschnittene Stücke, sondern man betrachte die kleinern unter denselben als enthalten in den größeren.) Dasselbe gilt von den *Resten nach der Hemmung*, d. h. von denjenigen Theilen einer Vorstellung, die unverdunkelt bleiben, denn auch diese Theile sind *Grade*, nämlich des wirklichen Vorstellens.

Zweytes Capitel.
Vom Gleichgewichte und den Bewegungen der Vorstellungen.

127. Vorstellungen sind im Gleichgewichte, wenn der nothwendigen Hemmung unter ihnen gerade Genüge geschehn ist. Nur allmählig kommen sie dahin; die fortgehende Veränderung ihres Grades von Verdunkelung nenne man ihre Bewegung.

Mit der Berechnung des Gleichgewichts und der Bewegung der Vorstellungen beschäfftigt sich die *Statik* und *Mechanik des Geistes.*

128. Alle Untersuchungen der Statik des Geistes beginnen mit zwey verschiedenen Größen-Bestimmungen; es kommt nämlich dabey an auf die *Summe der Hemmung* und auf das *Hemmungs-Verhältniß.* Jene ist gleichsam die zu vertheilende Last, welche aus den Gegensätzen der Vorstellungen entspringt. Weiß man sie anzugeben und kennt man das Verhältniß, in welchem die verschiedenen Vorstellungen ihr nachgeben, so findet man durch eine leichte Proportions-Rechnung den *statischen Punct* einer jeden Vorstellung, d. h. den Grad ihrer Verdunkelung im Gleichgewichte.

129. Die Summe sowohl als das Verhältniß der Hemmung hängt ab von der Stärke jeder einzelnen Vorstellung – sie leidet die Hemmung im umgekehrten Verhältnisse ihrer Stärke, – und von dem *Grade des Gegensatzes* unter je zweyen Vorstellungen, denn mit ihm steht ihre Wirkung auf einander im geraden Verhältniß.

Der Hauptgrundsatz zur Bestimmung der Hemmungs-Summe ist, daß man sie als möglichst klein betrachten müsse, weil alle Vorstellungen der Hemmung entgegenstreben, und gewiß nicht mehr als nöthig davon übernehmen.

(Die einfachsten statischen Rechnungen sind schon in den Hauptpuncten der Metaphysik angegeben. Hier würde eine ausführlichere Entwickelung am unrechten Orte seyn.)

130. Durch die wirkliche Rechnung erhält man das merkwürdige Resultat: daß zwar unter zweyen Vorstellungen eine die andre niemals ganz verdunkelt, wohl aber unter dreyen oder mehrern sehr leicht eine ganz verdrängt, und ungeachtet ihres fortdauernden Strebens so unwirksam gemacht werden kann, als ob sie gar nicht vorhanden wäre. Ja dies kann einer wie immer großen Anzahl von Vorstellungen begegnen, und zwar durch zwey, oder überhaupt durch wenige stärkere. Darin liegt schon größtentheils die Erklärung jener engen Pupille des geistigen Auges. (85)

Hier muß der Ausdruck: *Schwelle des Bewußtseyns*, erklärt werden, dessen wir manchmal bedürfen werden. Eine Vorstellung ist *im Bewußtseyn*, in wiefern sie nicht gehemmt, sondern ein wirkliches Vorstellen ist. Sie tritt *ins Bewußtseyn*, wenn sie aus einem Zustande *völliger* Hemmung so eben sich erhebt. Hier also ist sie an der *Schwelle* des Bewußtseyns. Es ist sehr wichtig, durch Rechnung zu bestimmen, wie stark eine Vorstellung sein müsse, um neben zweyen oder mehrern stärkeren noch gerade auf der Schwelle des Bewußtseyns *stehn* zu können, so daß sie beym geringsten Nachgeben des

Hindernisses sogleich anfangen würde, in ein wirkliches Vorstellen überzugehn.

Anmerkung. Der Ausdruck: *eine Vorstellung ist im Bewußtseyn,* muß unterschieden werden von dem: *ich bin mir meiner Vorstellung bewußt.* Zu dem letztern gehört innere Wahrnehmung, zum erstern nicht. Man bedarf in der Psychologie durchaus eines Worts, das *die Gesammtheit alles gleichzeitigen wirklichen Vorstellens* bezeichne. Dafür findet sich kein anderes, als das Wort *Bewußtseyn.* Man wird sich hier einen erweiterten Sprachgebrauch müssen gefallen lassen, um so mehr, da die innere Wahrnehmung, welche man sonst zum Bewußtseyn erfordert, keine veste Gränze hat, wo sie anfängt und aufhört; und da überdies der Actus des Wahrnehmens selbst nicht wahrgenommen wird, so daß man diesen, weil *man sich seiner* nicht bewußt ist, auch von *dem Bewußtseyn* ausschließen müßte, obgleich er ein actives Wissen, und keinesweges eine gehemmte Vorstellung ist.

131. Unter den höchst mannigfaltigen und größtentheils sehr verwickelten Bewegungs-Gesetzen der Vorstellungen ist folgendes das einfachste:

Während die Hemmungssumme sinkt, ist dem noch ungehemmten Quantum derselben in jedem Augenblicke das Sinkende proportional.

Hieraus erkennt man den ganzen Verlauf des Sinkens bis zum statischen Puncte.

Anmerkung. In mathematischen Ausdrücken ergiebt sich daraus das Gesetz: $\sigma = S\,(1 - e^{-t})$, wo S die Hemmungssumme, t die abgelaufene Zeit, σ das in dieser Zeit von sämmtlichen Vorstellungen Gehemmte bedeutet. Indem man das letztere auf die einzelnen Vorstellungen vertheilt, findet sich, daß diejenigen, welche unter die statische Schwelle (130) fallen, sehr schnell dahin getrieben werden, während die übrigen ihren statischen Punct in keiner endlichen Zeit ganz genau erreichen. Wegen des letztern Umstandes sind beym wachenden Menschen, selbst im besten Gleichmuthe, doch immer die Vorstellungen in einem gelinden Schweben begriffen. Dies ist auch der erste Grund, warum die innere Wahrnehmung niemals einen Gegenstand antrifft, der ihr ganz still hielte.

132. Wenn zu mehrern Vorstellungen, die schon ihrem Gleichgewichte nahe waren, eine neue kommt, so entsteht eine Bewegung, bey welcher jene auf kurze Zeit unter ihren statischen Punct sinken, nach deren Verlauf sie sich schnell, und ganz von selbst wieder erheben. (Ungefähr wie eine Flüssigkeit erst sinkt, dann steigt, wenn etwas hineingeworfen wird.) Hiebey kommen mehrere merkwürdige Umstände vor.

133. Erstlich: eine der älteren Vorstellungen kann bey dieser Gelegenheit durch eine neue, die viel schwächer ist als sie, auf eine Zeitlang völlig aus dem Bewußtseyn verdrängt werden. Alsdann aber ist ihr Streben nicht als unwirksam zu betrachten (wie in dem Falle oben, 130), sondern es arbeitet mit ganzer Macht wider die im Bewußtseyn befindlichen Vorstellungen. Sie bewirkt also einen Zustand des Bewußtseyns, während ihr Object keinesweges wirklich vorgestellt wird. Sind viele Vorstellungen zugleich in der nämlichen Lage, so entstehn daraus die objectlosen Gefühle der Beklemmung (59), die meistens zugleich Affecten sind, weil bey so weiter Abweichung vom statischen Puncte die Gemüthslage sehr veränderlich seyn muß. Physiologische Umstände können sich damit verbinden, auch etwas ähnliches allein hervorbringen. – Man benenne die Art und Weise, wie jene Vorstellungen aus dem Bewußtseyn verdrängt und doch darin wirksam sind, mit dem Ausdrucke: *sie sind auf der mechanischen Schwelle;* die obige Schwelle (130) heiße dagegen zum Unterschiede *die statische Schwelle.*

Anmerkung. Wirkten die Vorstellungen auf der statischen Schwelle eben so, wie die auf der mechanischen, so würden wir uns unaufhörlich in dem Zustande der unerträglichsten Beklemmung befinden; oder vielmehr, der menschliche Leib würde in eine Spannung gerathen, die in wenigen Augenblicken tödten müßte, wie schon jetzt der *Schreck* zuweilen tödtlich wird. Denn alle die Vorstellungen, welche, wie wir zu sagen pflegen, das Gedächtnis aufbewahrt, und von denen wir wohl wissen, daß sie sich bey der leichtesten Veranlassung reproduciren können, – sind im unaufhörlichen Aufstreben begriffen; jedoch leidet der Zustand des Bewußtseyns von ihnen gar nichts.

134. Zweytens: die Zeit, während welcher eine oder einige Vorstellungen auf der mechanischen Schwelle verweilen, kann verlängert werden, wenn eine Reihe von neuen, aber schwächern Vorstellungen, successiv hinzukommt.

In diesen Fall versetzt uns jede, nicht ganz und gar gewohnte, anhaltende Beschäfftigung. Sie drängt die frühern Vorstellungen zurück; diese aber, weil sie die stärkern sind, bleiben gespannt, afficiren mehr und mehr den Organismus, und machen es endlich nothwendig, daß die Beschäfftigung aufhöre; alsdann erheben sie sich schnell, mit einem Gefühl der Erleichterung, das man *Erhohlung* nennt und das zum Theil vom Organismus abhängt, obgleich die *erste* Ursache rein psychologisch ist.

135. Drittens: wenn mehrere Vorstellungen nach einander auf die mechanische Schwelle getrieben werden, so entstehen schnell hinter einander mehrere *plötzliche Abänderungen* in den Gesetzen der geistigen Bewegungen.

Auf solche Weise erklärt es sich, daß der Lauf unserer Gedanken so oft stoßweise und springend, ja scheinbar ganz unregelmäßig gefunden wird. Dieser Schein betriegt, so wie das Umherirren der Planeten. Die Gesetzmäßigkeit im menschlichen Geiste gleicht vollkommen der am Sternenhimmel.

JOHANN FRIEDRICH HERBART

Psychologie als Wissenschaft neu gegründet auf Erfahrung, Metaphysik und Mathematik.

Einleitung
§ 11

[...]

Die ganze Psychologie kann nichts anders seyn, als Ergänzung der innerlich wahrgenommenen Thatsachen; Nachweisung des Zusammenhangs dessen was sich wahrnehmen ließ, vermittelst dessen was die Wahrnehmung nicht erreicht; nach allgemeinen Gesetzen.

Während die Beobachtung nur dann erst und nur so lange die im Bewußtseyn auf und niedersteigenden Vorstellungen erblickt, wann sie in einem gewissen höheren Grade von Lebhaftigkeit sich äußern: müssen sie der Wissenschaft immer gleich klar vor Augen liegen, sie mögen nun wachen und das Gemüth erfüllen, oder in den Vorrathskammern des Gedächtnisses ruhig schlafen, und auf Anlässe zum Hervortreten warten. Denn von den geistigen Bewegungsgesetzen sind sie hier so wenig ausgenommen wie dort.

Während die moralische Selbstkritik bekennt, die Falten des eignen Herzens nicht durchforschen zu können: muß die Wissenschaft eben so wohl von der Möglichkeit des Einflusses der schwächsten Motive unterrichtet seyn, als von der Gewalt, welche die stärksten ausüben, und von der Klarheit, wodurch die überdachtesten sich auszeichnen.

Aber was die Wissenschaft mehr weiß als die Erfahrung: das kann sie nur dadurch wissen, *daß das Erfahrene ohne Voraussetzung des Verborgenen sich nicht denken läßt*. Denn nichts anders als eben die Erfahrung ist ihr gegeben: in dieser muß sie die Spuren alles dessen antreffen und erkennen, was hinter dem Vorhange sich regt und wirkt.

In diesem Sinne also muß sie *die Erfahrung überschreiten:* welches übrigens von jeher jede Philosophie gethan hat; auch jene, die zwar das Überschreiten verbot, aber gleichwohl von einem noch unverbundenen, in der Receptivität anzutreffenden Mannigfaltigen redete; das in der Erfahrung niemals vorkommen kann, vielmehr erst, indem es die Formen der Spontaneität annähme, sich ins Bewußtsein erhoben finden müßte: – anderer Beyspiele nicht zu gedenken!

Wo nun und in wie vielen Puncten der ganzen Masse aller innern Wahrnehmungen sich Beziehungen entdecken lassen, die auf Voraussetzungen, auf Ergänzungen, auf nothwendigen Zusammenhang mit anderem, das entweder im Bewußtseyn oder hinter dem Bewußtseyn vorgegangen seyn muß, hindeuten, und nach was immer für einer Methode mit Sicherheit darauf zu schließen erlauben: da, und so vielfach sind die Principien der Psychologie.

ARTHUR SCHOPENHAUER

Die Welt als Wille und Vorstellung
Zweiter Band

Kapitel 14.
Über die Gedankenassociation.

Die Gegenwart der Vorstellungen und Gedanken in unserm Bewußtseyn ist dem Satze vom Grund, in seinen verschiedenen Gestalten, so streng unterworfen, wie die Bewegung der Körper dem Gesetze der Kausalität. So wenig ein Körper ohne Ursache in Bewegung gerathen kann, ist es möglich, daß ein Gedanke ohne Anlaß ins Bewußtseyn trete. Dieser Anlaß ist nun entweder ein *äußerer*, also ein Eindruck auf die Sinne; oder ein *innerer*, also selbst wieder ein Gedanke, der einen andern herbeiführt, vermöge der *Association*. Diese wieder beruht entweder auf einem Verhältniß von Grund und Folge zwischen beiden; oder aber auf Aehnlichkeit, auch bloße Analogie; oder endlich auf Gleichzeitigkeit ihrer ersten Auffassung, welche wieder in der räumlichen Nachbarschaft ihrer Gegenstände ihren Grund haben kann. [...]

Eine Ausnahme zu dem Gesagten scheinen die Fälle zu liefern, wo ein Gedanke, oder ein Bild der Phantasie, uns plötzlich und ohne bewußten Anlaß in den Sinn kommt. Meistens ist dies jedoch Täuschung, die darauf beruht, daß der Anlaß so gering, der Gedanke selbst aber so hell und interessant war, daß er jenen augenblicklich aus dem Bewußtseyn verdrängte: bisweilen aber mag ein solcher urplötzlicher Eintritt einer Vorstellung innere körperliche Eindrücke, entweder der Theile des Gehirns auf einander, oder auch des organischen Nervensystems auf das Gehirn zur Ursache haben.

Ueberhaupt ist in der Wirklichkeit der Gedankenproceß unsers Innern nicht so einfach, wie die Theorie desselben; da hier vielerlei ineinandergreift. Vergleichen wir, um uns die Sache zu veranschaulichen, unser Bewußtseyn mit einem Wasser von einiger Tiefe; so sind die deutlich bewußten Gedanken bloß die Oberfläche: die Masse hingegen ist das Undeutliche, die Gefühle, die Nachempfindung der Anschauungen und des Erfahrenen überhaupt, versetzt mit der eigenen Stimmung unsers Willens, welcher der Kern unsers Wesens ist. Diese Masse des ganzen Bewußtseyns ist nun, mehr oder weniger, nach Maaßgabe der intellektuellen Lebendigkeit, in steter Bewegung, und was in Folge dieser auf die Oberfläche steigt, sind die klaren Bilder der Phantasie, oder die deutlichen, bewußten, in Worten ausgedrückten Gedanken und Beschlüsse des Willens. Selten liegt der ganze Proceß unsers Denkens und Beschließens auf der Oberfläche, d. h. besteht in einer Verkettung deutlich gedachter Urtheile; obwohl wir dies anstreben, um uns und Andern Rechenschaft geben zu können: gewöhnlich aber geschieht in der dunkeln Tiefe die Rumination des von außen erhaltenen Stoffes, durch welche er zu Gedanken umgearbeitet wird; und sie geht beinahe so unbewußt vor sich, wie die Umwandelung der Nahrung in die Säfte und Substanz des Leibes. Daher kommt es, daß wir oft vom Entstehen unserer tiefsten Gedanken keine Rechenschaft geben können: sie sind die Ausgeburt unsers geheimnißvollen Innern. Urtheile, Einfälle, Beschlüsse steigen unerwartet und zu unserer eigenen Verwunderung aus jener Tiefe auf. Ein Brief bringt uns unvermuthete, wichtige Nachrichten, in Folge deren eine Verwirrung unserer Gedanken und Motive eintritt: wir entschlagen uns der Sache einstweilen und denken nicht wieder daran; aber am anderen, oder dem dritten, vierten Tage steht bisweilen das ganze Verhältniß, mit dem was wir dabei zu thun haben, deutlich vor uns. Das Bewußtseyn ist die bloße Oberfläche unsers Geistes, von welchem, wie vom Erdkörper, wir nicht das Innere, sondern nur die Schaale kennen.

Was aber die Gedankenassociation selbst, deren Gesetze oben dargelegt worden, in Thätigkeit versetzt, ist, in letzter Instanz, oder im Geheimen unsers Innern, der *Wille*, welcher seinen Diener, den Intellekt antreibt, nach Maaßgabe seiner Kräfte, Gedanken an Gedanken zu reihen, das Ähnliche, das Gleichzeitige zurückzurufen, Gründe und Folgen zu erkennen: denn im Interesse des Willens liegt, daß überhaupt gedacht werde, damit man möglichst orientirt sei, für alle vorkommenden Fälle. Daher ist die Gestalt des Satzes vom Grunde, welche die Gedankenassociation beherrscht und thätig erhält, im letzten Grunde, das Gesetz der Motivation; weil Das, was das Sensorium lenkt und es bestimmt, in dieser oder jener Richtung, der Analogie, oder sonstigen Gedankenassociation, nachzugehen, der Wille des denkenden Subjekts ist. Wie nun also hier die Gesetze des Ideennexus doch nur auf der Basis des Willens bestehen; so besteht der Kausalnexus der Körper in der realen Welt eigentlich auch nur auf der Basis des in den Erscheinungen dieser sich äußernden Willens; weshalb die Erklärung aus Ursachen nie eine absolute und erschöpfende ist, sondern zurückweist auf Naturkräfte als ihre Bedingung, deren Wesen eben der Wille als Ding an sich ist; – wobei ich freilich das folgende Buch anticipirt habe.

Weil nun aber die *äußern* (sinnlichen) Anlässe der Gegenwart unserer Vorstellungen eben so wohl wie die *innern* (der Gedankenassociation), und beide unabhängig von einander, beständig auf das Bewußtseyn einwirken; so entstehen hieraus die häufigen Unterbrechungen unsers Gedankenlaufs, welche eine gewisse Zerstückelung und Verwirrung unsers Denkens herbeiführen, die zu den nicht zu beseitigenden Unvollkommenheiten desselben gehört, welche wir jetzt in einem eigenen Kapitel betrachten wollen.

Kapitel 15.
Von den wesentlichen Unvollkommenheiten des Intellekts.

Unser Selbstbewußtseyn hat nicht den Raum, sondern allein *die Zeit zur Form:* deshalb geht unser Denken nicht, wie unser Anschauen, nach *drei* Dimensionen vor sich, sondern bloß nach *einer*, also auf einer Linie, ohne Breite und Tiefe. Hieraus entspringt die größte der wesentlichen Unvollkommenheiten unsers Intellekts. Wir können nämlich Alles nur *successive* erkennen und nur Eines zur Zeit uns bewußt werden, ja, auch dieses Einen nur unter der Bedingung, daß wir derweilen alles Andere vergessen, also uns desselben gar nicht bewußt sind, mithin es so lange aufhört für uns dazuseyn. In dieser Eigenschaft ist unser Intellekt einem Teleskop mit einem sehr engen Gesichtsfelde zu vergleichen; weil eben unser Bewußtseyn kein stehendes, sondern ein fließendes ist. Der Intellekt apprehendirt nämlich nur successiv und muß, um das Eine zu ergreifen, das Andere fahren lassen, nichts, als die Spuren von ihm zurückbehaltend, welche immer schwächer werden. Der Gedanke, der mich jetzt lebhaft beschäftigt, *muß* mir, nach einer kurzen Weile, ganz entfallen seyn: tritt nun noch eine wohldurchschlafene Nacht dazwischen; so kann es kommen, daß ich ihn nie wiederfinde; es sei denn, daß er an mein persönliches Interesse, d. h. an meinen Willen geknüpft wäre, als welcher stets das Feld behauptet.

Auf dieser Unvollkommenheit des Intellekts beruht das Rhapsodische und oft *Fragmentarische unsers Gedankenlaufs*, welches ich bereits am Schlusse des vorigen Kapitels berührt habe, und aus diesem entsteht die unvermeidliche *Zerstreuung* unsers Denkens. Theils nämlich dringen äußere Sinneseindrücke störend und unterbrechend auf dasselbe ein, ihm jeden Augenblick das Fremdartigste aufzwingend, theils zieht am Bande der Association *ein* Gedanke den *andern* herbei und wird nun selbst von ihm verdrängt; theils endlich ist auch der Intellekt selbst nicht ein Mal fähig sich sehr lange und anhaltend auf *einen* Gedanken zu heften: sondern wie das Auge, wenn es lange auf *einen* Gegenstand hinstarrt, ihn bald nicht mehr deutlich sieht, indem die Umrisse in einander fließen, sich verwirren und endlich Alles dunkel wird; so wird auch, durch lange fortgesetztes Grübeln über *eine* Sache, allmälig das Denken verworren, stumpft sich ab und endigt in völliger Dumpfheit. Daher müssen wir jede Meditation oder Deliberation, welche glücklicherweise ungestört geblieben, aber doch nicht zu Ende geführt worden, auch wenn sie die wichtigste und uns angelegenste Sache betrifft, nach einer gewissen Zeit, deren Maaß individuell ist, vor der Hand aufgeben und ihren uns so interessanten Gegenstand aus dem Bewußtseyn entlassen, um uns, so schwer die Sorge darüber auch auf uns lastet, jetzt mit unbedeutenden und gleichgültigen Dingen zu beschäftigen. Während dieser Zeit nun ist jener wichtige Gegenstand für uns nicht mehr vorhanden: er ist jetzt, wie die Wärme im kalten Wasser, *latent*. Wenn wir ihn nun, zur andern Zeit, wieder aufnehmen; so kommen wir an ihn wie an eine neue Sache, in der wir uns von Neuem, wiewohl schneller, orientiren, und auch der angenehme, oder widrige Eindruck derselben auf unsern Willen tritt von Neuem ein. Inzwischen kommen wir selbst nicht ganz unverändert zurück. Denn mit der physischen Mischung der Säfte und Spannung der Nerven, welche, nach Stunden, Tagen und Jahreszeiten, stets wechselt, ändert sich auch unsere Stimmung und Ansicht: zudem haben die in der Zwischenzeit dagewesenen fremdartigen Vorstellungen einen Nachklang zurückgelassen, dessen Ton auf die folgenden Einfluß hat. Daher erscheint uns dieselbe Sache zu verschiedenen Zeiten, Morgens, Abends, Nachmittags, oder am andern Tage, oft sehr verschieden: entgegengesetzte Ansichten derselben drängen sich jetzt auf und vermehren unsern Zweifel. Darum spricht man vom Beschlafen einer Angelegenheit und fordert zu großen Entschlüssen lange Ueberlegungszeit. Wenn nun gleich diese Beschaffenheit unsers Intellekts, als aus der Schwäche desselben entspringend, ihre offenbaren Nachtheile hat; so gewährt sie andererseits den Vortheil, daß wir, nach der Zerstreuung und der physischen Umstimmung, als komparativ Andere, frisch und fremd zu unserer Angelegenheit zurückkehren und so sie mehrmals in stark verändertem Lichte erblicken können. – Aus diesem allen ist ersichtlich, daß das menschliche Bewußtseyn und Denken, seiner Natur nach, nothwendig fragmentarisch ist, weshalb die theoretischen oder praktischen Ergebnisse, welche durch die Zusammensetzung solcher Fragmente erlangt werden, meistens mangelhaft ausfallen. Dabei gleicht unser denkendes Bewußtseyn einer *Laterna magica*, in deren Fokus nur Ein Bild zur Zeit erscheinen kann und jedes, auch wenn es das Edelste darstellt, doch bald verschwinden muß, um dem Heterogensten, ja Gemeinsten Platz zu machen. – In praktischen Angelegenheiten werden die wichtigsten Pläne und Beschlüsse im Allgemeinen festgestellt: diesen aber ordnen andere, als Mittel zum Zweck, sich unter, diesen wieder Andere und so bis zum Einzelnen, *in concreto* Auszuführenden herab. Nun aber kommen sie nicht in der Reihe ihrer Dignität zur Ausführung, sondern während die Pläne im Großen und Allgemeinen uns beschäftigen, müssen wir mit den kleinsten Einzelheiten und der Sorge des Augenblickes kämpfen. Dadurch wird unser Bewußtseyn noch desultorischer. Ueberhaupt machen theoretische Geistesbeschäftigungen zu praktischen Angelegenheiten und diese wieder zu jenen unfähig.

In Folge des dargestellten unvermeidlich Zerstreuten und Fragmentarischen alles unsers Denkens, und des dadurch herbeigeführten Gemisches der heterogensten Vorstellungen, welches auch dem edelsten menschlichen Geiste anhängt, haben wir eigentlich nur *eine halbe Besinnung* und tappen mit dieser im Labyrinth unsers Lebenswandels und im Dunkel unserer Forschungen umher: helle Augenblicke erleuchten dabei wie Blitze unsern Weg. Aber was läßt sich überhaupt von Köpfen erwarten, unter denen selbst der weiseste allnächtlich der Tummelplatz der abenteuerlichsten und unsinnigsten Träume ist und von diesen kommend seine Meditationen wieder aufnehmen soll? Offenbar ist ein so großen Beschränkungen unterliegendes Bewußtseyn zur Ergründung des Räthsels der Welt wenig geeignet, und ein solches Bestreben müßte Wesen höherer Art, deren Intellekt nicht die Zeit zur Form, und deren Denken daher wahre Ganzheit und Einheit hätte, seltsam und erbärmlich erscheinen. Ja, es ist sogar zu bewundern, daß wir durch das so höchst heterogene Gemisch der Vorstellungs- und Denkfragmente jeder Art, welche sich beständig in unserm Kopfe durchkreuzen, nicht völlig verworren werden, sondern uns stets noch wieder darin zurechtzufinden und Alles aneinanderzupassen vermögen. Offenbar muß doch ein einfacher Faden daseyn, auf dem sich Alles aneinanderreiht: was ist aber dieser? – Das Gedächtniß allein reicht dazu nicht aus; da es wesentliche Beschränkungen hat, von denen ich bald reden werde, und überdies höchst unvollkommen und treulos ist. Das *logische Ich*, oder gar die *transscendentale synthetische Einheit der Apperception*, – sind Ausdrücke und Erläuterungen, welche nicht leicht dienen werden, die Sache faßlich zu machen, vielmehr wird Manchem dabei einfallen:

»Zwar euer Bart ist kraus, doch hebt ihr nicht die Riegel.«

Kants Satz: »das *Ich denke* muß alle unsere Vorstellungen begleiten«, ist unzureichend: denn das Ich ist eine unbekannte Größe, d.h. sich selber ein Geheimniß. – Das, was dem Bewußtseyn Einheit und Zusammenhang giebt, indem es, durchgehend durch dessen sämmtliche Vorstellungen, seine Unterlage, sein bleibender Träger ist, kann nicht selbst durch das Bewußtseyn bedingt, mithin keine Vorstellung seyn: vielmehr muß es das *Prius* des Bewußtseyns und die Wurzel des Baumes seyn, davon jenes die Frucht ist. Dieses, sage ich, ist der *Wille:* er allein ist unwandelbar und schlechthin identisch, und hat, zu seinen Zwekken, das Bewußtseyn hervorgebracht. Daher ist auch er es, welcher ihm Einheit giebt und alle Vorstellungen und Gedanken desselben zusammenhält, gleichsam als durchgehender Grundbaß sie begleitend. Ohne ihn hätte der Intellekt nicht mehr Einheit des Bewußtseyns, als ein Spiegel, in welchem sich successiv bald Dieses bald Jenes darstellt, oder doch höchstens nur soviel wie ein Konvexspiegel, dessen Strahlen in einen imaginären Punkt hinter seiner Oberfläche zusammenlaufen. Nun aber ist *der Wille* allein das Beharrende und Unveränderliche im Bewußtseyn. Er ist es, welcher alle Gedanken und Vorstellungen als Mittel zu seinen Zwecken zusammenhält, sie mit der Farbe seines Charakters, seiner Stimmung und seines Interesses tingirt, die Aufmerksamkeit beherrscht und den Faden der Motive, deren Einfluß auch Gedächtniß und Ideenassociation zuletzt in Thätigkeit setzt, in der Hand hält: von ihm ist im Grunde die Rede, so oft »Ich« in einem Urtheil vorkommt. Er also ist der wahre, letzte Einheitspunkt des Bewußtseyns und das Band aller Funktionen und Akte desselben: er gehört aber nicht selbst zum Intellekt, sondern ist nur dessen Wurzel, Ursprung und Beherrscher.

Aus der Form der Zeit und der einfachen Dimension der Vorstellungsreihe, vermöge welcher der Intellekt, um Eines aufzufassen, alles Andere fallen lassen muß, folgt, wie seine Zerstreuung, auch seine *Vergeßlichkeit.* Das Meiste von Dem, was er fallen gelassen, nimmt er nie wieder auf; zumal da die Wiederaufnahme an den Satz vom Grunde gebunden ist, also eines Anlasses bedarf, den die Gedankenassociation und Motivation erst zu liefern hat; welcher Anlaß jedoch um so entfernter und geringer seyn darf, je mehr unsere Empfindlichkeit dafür durch das Interesse des Gegenstandes erhöht ist. Nun aber ist das Gedächtniß, wie ich schon in der Abhandlung über den Satz vom Grunde gezeigt habe, kein Behältniß, sondern eine bloße Uebungsfähigkeit im Hervorbringen beliebiger Vorstellungen, die daher stets durch Wiederholung in Uebung erhalten werden müssen; da sie sonst sich allmälig verlieren. Demzufolge ist das Wissen auch des gelehrtesten Kopfes doch nur *virtualiter* vorhanden, als eine im Hervorbringen gewisser Vorstellungen erlangte Uebung: *actualiter* hingegen ist auch er auf eine einzige Vorstellung beschränkt und nur dieser einen sich zur Zeit bewußt. Hieraus entsteht ein seltsamer Kontrast zwischen dem, was er *potentiâ* und dem, was er *actu* weiß, d. h. zwischen seinem Wissen und seinem jedesmaligen Denken: Ersteres ist eine unübersehbare, stets etwas chaotische Masse, Letzteres ein einziger deutlicher Gedanke. Das Verhältniß gleicht dem, zwischen den zahllosen Sternen des Himmels und dem engen Gesichtsfelde des Teleskops: es tritt auffallend hervor, wann er, auf einen Anlaß, irgend eine Einzelheit aus seinem Wissen zur deutlichen Erinnerung bringen will, wo Zeit und Mühe erfordert wird, es aus jenem Chaos hervorzusuchen. Die Schnelligkeit hierin ist eine besondere Gabe, aber sehr von Tag und Stunde abhängig: daher versagt bisweilen das Gedächtniß seinen Dienst, selbst in Dingen, die es zur andern Zeit leicht zur Hand hat. Diese Betrachtung fordert uns auf, in unsern Studien mehr nach Erlangung richtiger Einsicht, als nach Vermehrung der Gelehrsamkeit zu streben, und zu beherzigen, daß die *Qualität* des Wissens wichtiger ist, als die *Quantität* desselben. Diese ertheilt den Büchern bloß Dicke, jene Gründlichkeit und zugleich Stil: denn sie ist eine *intensive* Größe, während die andere eine bloß extensive ist. Sie besteht in der Deutlichkeit und Vollständigkeit der Begriffe, nebst der Reinheit und Richtigkeit der ihnen zum Grunde liegenden anschaulichen Erkenntnisse; daher das ganze Wissen, in allen seinen Theilen von ihr durchdrungen wird und demgemäß werthvoll, oder gering ist. Mit kleiner Quantität, aber guter Qualität desselben leistet man mehr, als mit sehr großer Quantität, bei schlechter Qualität. –

Die vollkommenste und genügendeste Erkenntniß ist die anschauende: aber sie ist auf das ganz Einzelne, das Individuelle beschränkt. Die Zusammenfassung des Vielen und Verschiedenen in *eine* Vorstellung ist nur möglich durch den *Begriff*, d. h. durch das Weglassen der Unterschiede, mithin ist dieser eine sehr unvollkommene Art des Vorstellens. Freilich kann auch das Einzelne unmittelbar als ein Allgemeines aufgefaßt werden, wenn es nämlich zur (Platonischen) *Idee* erhoben wird: bei diesem Vorgang aber, den ich im dritten Buch analysirt habe, tritt auch schon der Intellekt aus den Schranken der Individualität und mithin der Zeit heraus: auch ist es nur eine Ausnahme.

Diese innern und wesentlichen Unvollkommenheiten des Intellekts werden noch erhöht durch eine ihm gewissermaaßen äußerliche, aber unausbleibliche Störung, nämlich durch den Einfluß, welchen auf alle seine Operationen der *Wille* ausübt, sobald er beim Resultat derselben irgend betheiligt ist. Jede Leidenschaft, ja, jede Neigung oder Abneigung, tingirt die Objekte der Erkenntniß mit ihrer Farbe. Am alltäglichsten ist die Verfälschung, welche Wunsch und Hoffnung an der Erkenntniß ausüben, indem sie uns das kaum Mögliche als wahrscheinlich und beinahe gewiß vorspiegeln und zur Auffassung des Entgegenstehenden uns fast unfähig machen: auf ähnliche Weise wirkt die Furcht; auf analoge jede vorgefaßte Meinung, jede Parteilichkeit und, wie gesagt, jedes Interesse, jede Regung und jeder Hang des Willens.

Zu allen diesen Unvollkommenheiten des Intellekts kommt endlich noch die, daß er, mit dem Gehirn, altert, d. h., wie alle physiologischen Funktionen, in den spätern Jahren seine Energie verliert; wodurch dann alle seine Unvollkommenheiten sehr zunehmen.

Die hier dargelegte mangelhafte Beschaffenheit des Intellekts wird uns indessen nicht wundern, wenn wir auf seinen Ursprung und seine Bestimmung zurücksehen, wie ich solche im zweiten Buche nachgewiesen habe. Zum Dienst eines individuellen Willens hat ihn die Natur hervorgebracht: daher ist er allein bestimmt, die Dinge zu erkennen, sofern sie die Motive eines solchen Willens abgeben; nicht aber, sie zu ergründen, oder ihr Wesen an sich aufzufassen. Der menschliche Intellekt ist nur eine höhere Steigerung des thierischen: und wie dieser ganz auf die Gegenwart beschränkt ist, so trägt auch der unserige starke Spuren dieser Beschränkung. Daher ist unser Gedächtniß und Rückerinnerung etwas sehr Unvollkommenes: wie wenig von dem, was wir gethan, erlebt, gelernt, gelesen haben, können wir uns zurückrufen! und selbst dies Wenige meistens nur mühsam und unvollständig. Aus demselben Grunde wird es uns so sehr schwer, uns vom Eindrucke der Gegenwart frei zu erhalten. – Bewußtlosigkeit ist der ursprüngliche und natürliche Zustand aller Dinge, mithin auch die Basis, aus welcher, in einzelnen Arten der Wesen, das Bewußtseyn, als die höchste Efflorescenz derselben, hervorgeht, weshalb auch dann jene immer noch vorwaltet. Demgemäß sind die meisten Wesen ohne Bewußtseyn: sie wirken dennoch nach den Gesetzen der Natur, d. h. ihres Willens. Die Pflanzen haben höchstens ein ganz schwaches Analogon von Bewußtseyn, die untersten Thiere bloß eine Dämmerung desselben. Aber auch nachdem es sich, durch die ganze Thierreihe, bis zum Menschen und seiner Vernunft gesteigert hat, bleibt die Bewußtlosigkeit der Pflanze, von der es ausgieng, noch immer die Grundlage, und ist zu spüren in der Nothwendigkeit des Schlafes, wie eben auch in allen hier dargelegten, wesentlichen und großen Unvollkommenheiten jedes durch physiologische Funktionen hervorgebrachten Intellekts: von einem andern aber haben wir keinen Begriff. [...]

Kapitel 19.[*]
Vom Primat des Willens im Selbstbewußtseyn.

Der Wille, als das Ding an sich, macht das innere, wahre und unzerstörbare Wesen des Menschen aus: an sich selbst ist er jedoch bewußtlos. Denn das Bewußtseyn ist bedingt durch den Intellekt, und dieser ist ein bloßes Accidenz unsers Wesens: denn er ist eine Funktion des Gehirns, welches, nebst den ihm anhängenden Nerven und Rückenmark, eine bloße Frucht, ein Produkt, ja, in sofern ein Parasit des übrigen Organismus ist, als es nicht direkt eingreift in dessen inneres Getriebe, sondern dem Zweck der Selbsterhaltung bloß dadurch dient, daß es die Verhältnisse desselben zur Außenwelt regulirt. Der Organismus selbst hingegen ist die Sichtbarkeit, Objektität, des individuellen Willens, das Bild desselben, wie es sich darstellt in eben jenem Gehirn (welches wir, im ersten Buch, als die Bedingung der objektiven Welt überhaupt, kennen gelernt haben), daher eben auch vermittelt durch dessen Erkenntnißformen, Raum, Zeit und Kausalität, folglich sich darstellend als ein Ausgedehntes, successiv Agirendes und Materielles, d. h. Wirkendes. Sowohl direkt empfunden, als mittelst der Sinne angeschaut werden die Glieder nur im Gehirn. – Diesem zufolge kann man sagen: der Intellekt ist das sekundäre Phänomen, der Organismus das primäre, nämlich die unmittelbare Erscheinung des Willens; – der Wille ist metaphysisch, der Intellekt physisch; – der Intellekt ist, wie seine Objekte, bloße Erscheinung; Ding an sich ist allein der Wille: – sodann in einem mehr und mehr *bildlichen* Sinne, mithin gleichnißweise: der Wille ist die Substanz des Menschen, der Intellekt das Accidenz: – der Wille ist die Materie, der Intellekt die Form: – der Wille ist die Wärme, der Intellekt das Licht.

Diese Thesis wollen wir nun zunächst durch folgende, dem innern Leben des Menschen angehörende Thatsachen dokumentiren und zugleich erläutern; bei welcher Gelegenheit für die Kenntniß des innern Menschen vielleicht mehr abfallen wird, als in vielen systematischen Psychologien zu finden ist.

1) Nicht nur das Bewußtseyn von anderen Dingen, d. i. die Wahr-

[*] Dieses Kapitel steht in Beziehung zu § 19 des ersten Bandes.

nehmung der Außenwelt, sondern auch das *Selbstbewußtseyn* enthält, wie schon oben erwähnt, ein Erkennendes und ein Erkanntes: sonst wäre es kein *Bewußtseyn*. Denn *Bewußtseyn* besteht im Erkennen: aber dazu gehört ein Erkennendes und ein Erkanntes; daher auch das Selbstbewußtseyn nicht Statt haben könnte, wenn nicht auch in ihm dem Erkennenden gegenüber ein davon Verschiedenes Erkanntes wäre. Wie nämlich kein Objekt ohne Subjekt seyn kann, so auch kein Subjekt ohne Objekt, d. h. kein Erkennendes ohne ein von ihm Verschiedenes, welches erkannt wird. Daher ist ein Bewußtseyn, welches durch und durch reine Intelligenz wäre, unmöglich. Die Intelligenz gleicht der Sonne, welche den Raum nicht erleuchtet, wenn nicht ein Gegenstand da ist, von dem ihre Strahlen zurückgeworfen werden. Das Erkennende selbst kann, eben als solches, nicht erkannt werden: sonst wäre es das *Erkannte* eines andern Erkennenden. Als das *Erkannte* im Selbstbewußtseyn finden wir nun aber ausschließlich den *Willen*. Denn nicht nur das Wollen und Beschließen, im engsten Sinne, sondern auch alles Streben, Wünschen, Fliehen, Hoffen, Fürchten, Lieben, Hassen, kurz, Alles was das eigene Wohl und Wehe, Lust und Unlust, unmittelbar ausmacht, ist offenbar nur Affektion des Willens, ist Regung, Modifikation des Wollens und Nichtwollens, ist eben Das, was, wenn es nach außen wirkt, sich als eigentlicher Willensakt darstellt.* Nun aber ist in aller Erkenntniß das Erkannte das Erste und Wesentliche, nicht das Erkennende; sofern Jenes der πρωτοτυπος, dieses der εκτυπος ist. Daher muß auch im Selbstbewußtseyn das Erkannte, mithin der Wille, das Erste und Ursprüngliche seyn; das Erkennende hingegen nur das Sekundäre, das Hinzugekommene, der Spiegel. Sie verhalten sich ungefähr wie der selbstleuchtende Körper zum reflektirenden; oder auch wie die vibrirende Saite zum Resonanzboden, wo dann der also entstehende Ton das Bewußtseyn wäre. – Als ein solches Sinnbild des Bewußtseyns können wir auch die Pflanze betrachten. Diese hat bekanntlich zwei Pole, Wurzel und Krone: jene ins Finstere, Feuchte, Kalte, diese ins Helle, Trockene, Warme strebend, sodann, als den Indifferenzpunkt beider Pole, da wo sie auseinandertreten, hart am Boden, den Wurzelstock (*rhizoma, le collet*). Die Wurzel ist das Wesentliche, Ursprüngliche, Perennirende, dessen Absterben das der Krone nach

* Merkwürdig ist es, daß schon *Augustinus* dieses erkannt hat. Nämlich im vierzehnten Buche *De civ. Dei, c. 6*, redet er von den *affectionibus animi*, welche er, im vorhergehenden Buche, unter vier Kategorien, *cupiditas, timor, laetitia, tristitia*, gebracht hat, und sagt: *voluntas est quippe in omnibus, imo omnes nihil aliud, quam voluntates sunt: nam quid est cupiditas et laetitia, nisi voluntas in eorum consensionem, quae volumus? et quid est metus atque tristitia, nisi voluntas in dissensionem ab his, quae nolumus? cet.*

sich zieht, ist also das Primäre; die Krone hingegen ist das Ostensible, aber Entsprossene und, ohne daß die Wurzel stirbt, Vergehende, also das Sekundäre. Die Wurzel stellt den Willen, die Krone den Intellekt vor, und der Indifferenzpunkt Beider, der Wurzelstock, wäre *Das Ich*, welches, als gemeinschaftlicher Endpunkt, Beiden angehört. Dieses Ich ist das *pro tempore* identische Subjekt des Erkennens und Wollens, dessen Identität ich schon in meiner allerersten Abhandlung (Ueber den Satz vom Grunde) und in meinem ersten philosophischen Erstaunen, das Wunder κατ' εξοχην genannt habe. Es ist der zeitliche Anfangs- und Anknüpfungspunkt der gesammten Erscheinung, d. h. der Objektivation des Willens: es bedingt zwar die Erscheinung, aber ist auch durch sie bedingt. – Das hier aufgestellte Gleichniß läßt sich sogar bis auf die individuelle Beschaffenheit der Menschen durchführen. Wie nämlich eine große Krone nur einer großen Wurzel zu entsprießen pflegt; so finden die größten intellektuellen Fähigkeiten sich nur bei heftigem, leidenschaftlichem Willen. Ein Genie von phlegmatischem Charakter und schwachen Leidenschaften würde den Saftpflanzen, die bei ansehnlicher, aus dicken Blättern bestehender Krone, sehr kleine Wurzeln haben, gleichen; wird jedoch nicht gefunden werden. Daß Heftigkeit des Willens und Leidenschaftlichkeit des Charakters eine Bedingung der erhöhten Intelligenz ist, stellt sich physiologisch dadurch dar, daß die Thätigkeit des Gehirns bedingt ist durch die Bewegung, welche die großen, nach der *basis cerebri* laufenden Arterien ihm mit jedem Pulsschlage mittheilen; daher ein energischer Herzschlag, ja sogar, nach *Bichat*, ein kurzer Hals, ein Erforderniß großer Gehirnthätigkeit ist. Wohl aber findet sich das Gegentheil des Obigen: heftige Begierden, leidenschaftlicher, ungestümer Charakter, bei schwachem Instinkt, d. h. bei kleinem und übel konformirtem Gehirn, in dicker Schaale; eine so häufige, als widrige Erscheinung: man könnte sie allenfalls den Runkelrüben vergleichen.

2) Um nun aber das Bewußtseyn nicht bloß bildlich zu beschreiben, sondern gründlich zu erkennen, haben wir zuvörderst aufzusuchen, was in jedem Bewußtseyn sich auf gleiche Weise vorfindet und daher, als das Gemeinsame und Konstante, auch das Wesentliche seyn wird. Sodann werden wir betrachten, was *ein* Bewußtseyn von dem andern unterscheidet, welches demnach das Hinzugekommene und Sekundäre seyn wird.

Das Bewußtseyn ist uns schlechterdings nur als Eigenschaft animalischer Wesen bekannt: folglich dürfen, ja können wir es nicht anders, denn als *animalisches Bewußtseyn* denken; so daß dieser Ausdruck schon tautologisch ist. – Was nun also in *jedem* thierischen Bewußtseyn, auch dem unvollkommensten und schwächsten, sich stets vorfindet, ja ihm zum Grunde liegt, ist das unmittelbare Innewerden eines *Verlangens* und der wechselnden Befriedigung und Nichtbefriedigung desselben, in sehr verschiedenen Graden. Dies wissen wir gewissermaaßen *a priori*. Denn so wundersam verschieden auch die zahllosen Arten der Thiere seyn mögen, so fremd uns auch eine neue, noch nie gesehene Gestalt derselben entgegentritt; so nehmen wir doch vorweg das Innerste ihres Wesens, mit Sicherheit, als wohlbekannt, ja uns völlig vertraut an. Wir wissen nämlich, daß das Thier *will*, sogar auch *was* es will, nämlich Daseyn, Wohlseyn, Leben und Fortpflanzung: und indem wir hierin Identität mit uns völlig sicher voraussetzen, nehmen wir keinen Anstand, alle Willensaffektionen, die wir an uns selbst kennen, auch ihm unverändert beizulegen, und sprechen, ohne Zaudern, von seiner Begierde, Abscheu, Furcht, Zorn, Haß, Liebe, Freude, Trauer, Sehnsucht usf. Sobald hingegen Phänomene der bloßen Erkenntniß zur Sprache kommen, gerathen wir in Ungewißheit. Daß das Thier begreife, denke, urtheile, wisse, wagen wir nicht zu sagen: nur Vorstellungen überhaupt legen wir ihm sicher bei; weil ohne solche sein *Wille* nicht in jene obigen Bewegungen gerathen könnte. Aber hinsichtlich der bestimmten Erkenntnißweise der Thiere und der genauen Gränzen derselben in einer gegebenen Species, haben wir nur unbestimmte Begriffe und machen Konjekturen; daher auch unsere Verständigung mit ihnen oft schwierig ist und nur in Folge von Erfahrung und Uebung künstlich zu Stande kommt. Hier also liegen Unterschiede des Bewußtseyns. Hingegen ein Verlangen, Begehren, Wollen, oder Verabscheuen, Fliehen, Nichtwollen, ist jedem Bewußtseyn eigen: der Mensch hat es mit dem Polypen gemein. Dieses ist demnach das Wesentliche und die Basis jedes Bewußtseyns. Die Verschiedenheit der Aeußerungen desselben, in den verschiedenen Geschlechtern thierischer Wesen, beruht auf der verschiedenen Ausdehnung ihrer Erkenntnißsphären, als worin die Motive jener Aeußerungen liegen. Alle Handlungen und Gebehrden der Thiere, welche Bewegungen des Willens ausdrücken, verstehen wir unmittelbar aus unserm eigenen Wesen; daher wir, so weit, auf mannigfaltige Weise mit ihnen sympathisiren. Hingegen die Kluft zwischen uns und ihnen entsteht einzig und allein durch die Verschiedenheit des Intellekts. Eine vielleicht nicht viel geringere, als zwischen einem sehr klugen Thiere und einem sehr beschränkten Menschen ist, liegt zwischen einem Dummkopf und einem Genie; daher auch hier die andererseits aus der Gleichheit der Neigungen und Affekte entspringende und Beide wieder assimilirende Aehnlichkeit zwischen ihnen bisweilen überraschend hervortritt und Erstaunen erregt. – Diese Betrachtung macht deutlich, daß der *Wille* in allen thierischen Wesen das Primäre und Substantiale ist, der *Intellekt* hingegen ein Sekundäres, Hinzugekommenes, ja, ein bloßes Werkzeug zum Dienste des Ersteren, welches, nach den Erfordernissen dieses Dienstes, mehr oder weniger vollkommen und komplicirt ist. Wie, den Zwecken des Willens einer Thiergattung gemäß, sie mit Huf, Klaue, Hand, Flügeln, Geweih oder Gebiß versehen auftritt, so auch mit einem mehr oder weniger entwickelten Gehirn, dessen Funktion die zu ihrem Bestand erforderliche Intelligenz ist. Je komplicirter nämlich, in der aufsteigenden Reihe der Thiere, die Organisation wird, desto vielfacher werden auch ihre Bedürfnisse, und desto mannigfaltiger und specieller bestimmt die Objekte, welche zur Befriedigung derselben taugen, desto verschlungener und entfernter mithin die Wege, zu diesen zu gelangen, welche jetzt alle erkannt und gefunden werden müssen: in demselben Maaße müssen daher auch die Vorstellungen des Thieres vielseitiger, genauer, bestimmter und zusammenhängender, wie auch seine Aufmerksamkeit gespannter, anhaltender und erregbarer werden, folglich sein Intellekt entwickelter und vollkommener seyn. Demgemäß sehen wir das Organ der Intelligenz, also das Cerebralsystem, sammt den Sinneswerkzeugen, mit der Steigerung der Bedürfnisse und der Komplikation des Organismus gleichen Schritt halten, und die Zunahme des *vorstellenden* Theiles des Bewußtseyns (im Gegensatz des *wollenden*) sich körperlich darstellen im immer größer werdenden Verhältniß des Gehirns überhaupt zum übrigen Nervensystem, und sodann des großen Gehirns zum kleinen; da (nach *Flourens*) Ersteres die Werkstätte der Vorstellungen, Letzteres der Lenker und Ordner der Bewegungen ist. Der letzte Schritt, den die Natur in dieser Hinsicht gethan hat, ist nun aber unverhältnißmäßig groß. Denn im Menschen erreicht nicht nur die bis hieher allein vorhandene *anschauende* Vorstellungskraft den höchsten Grad der Vollkommenheit; sondern die *abstrakte* Vorstellung, das Denken, d.i. die *Vernunft*, und mit ihr die Besonnenheit, kommt hinzu. Durch diese bedeutende Steigerung des Intellekts, also des sekundären Theiles des Bewußtseyns, erhält derselbe über den primären jetzt in sofern ein Uebergewicht, als er fortan der vorwaltend thätige wird. Während nämlich beim Thiere das unmittelbare Innewerden seines befriedigten oder unbefriedigten Begehrens bei Weitem das Hauptsächliche seines Bewußtseyns ausmacht, und zwar um so mehr, je tiefer das Thier steht, so daß die untersten Thiere nur durch die Zugabe einer dumpfen Vorstellung sich von den Pflanzen unterscheiden; so tritt beim Menschen das Gegentheil ein. So heftig, selbst heftiger als die irgend eines Thieres, seine Begehrungen, als welche zu Leidenschaften anwachsen, auch sind; so bleibt dennoch sein Bewußtseyn fortwährend und vorwaltend mit Vorstellungen und Gedanken beschäftigt und erfüllt. Ohne Zweifel hat hauptsächlich dieses den Anlaß gegeben zu jenem Grundirrthum aller Philosophen, vermöge dessen sie als das Wesentliche und Primäre der sogenannten Seele, d. h. des innern oder geistigen Lebens des Menschen, das Denken setzen, es allemal voranstellend, das Wollen aber, als ein bloßes Ergebniß desselben, erst sekundär hinzukommen und nachfolgen lassen. Wenn aber das Wollen bloß aus dem Erkennen hervorgienge; wie könnten denn die Thiere, sogar die unteren, bei so äußerst geringer Erkenntniß, einen oft so unbezwinglich heftigen Willen zeigen? Weil demnach jener Grundirrthum der Philosophen gleichsam das Accidenz zur Substanz macht, führt er sie auf Abwege, aus denen nachher kein Herauslenken mehr ist. – Jenes beim Menschen nun also eintretende relative Ueberwiegen des *erkennenden* Bewußtseyns über das *begehrende*, mithin des sekundären Theiles über den primären, kann in einzelnen, abnorm begünstigten Individuen so weit gehen, daß, in den Zeitpunkten der höchsten Steigerung, der sekundäre oder erkennende Theil des Bewußtseyns sich vom wollenden ganz ablöst und für sich selbst in freie, d. h. vom Willen nicht angeregte, also ihm nicht mehr dienende Thätigkeit geräth, wodurch er rein objektiv und zum klaren Spiegel der Welt wird, woraus dann die Konceptionen des *Genies* hervorgehen, welche der Gegenstand unsers dritten Buches sind.

3) Wenn wir die Stufenreihe der Thiere abwärts durchlaufen, sehen wir den Intellekt immer schwächer und unvollkommener werden: aber keineswegs bemerken wir eine entsprechende Degradation des Willens. Vielmehr behält dieser überall sein identisches Wesen und zeigt sich als große Anhänglichkeit am Leben, Sorge für Individuum und Gattung, Egoismus und Rücksichtslosigkeit gegen alle Andern, nebst den hieraus entspringenden Affekten. Selbst im kleinsten Insekt ist der Wille vollkommen und ganz vorhanden: es will was es will, so entschieden und vollkommen wie der Mensch. Der Unterschied liegt bloß in dem *was* er will, d. h. in den Motiven, welche aber Sache des Intellekts sind. Dieser freilich, als Sekundäres und an körperliche Organe Gebundenes, hat unzählige Grade der Vollkommenheit und ist überhaupt wesentlich beschränkt und unvollkommen. Hingegen der *Wille*, als Ursprüngliches und Ding an sich, kann nie unvollkommen seyn; sondern jeder Willensakt ist ganz was er seyn kann. Vermöge der Einfachheit, die dem Willen als dem Ding an sich, dem Metaphysischen in der Erscheinung, zukommt, läßt sein *Wesen* keine Grade zu, sondern ist stets ganz es selbst: bloß seine *Erregung* hat Grade, von der schwächsten

Neigung bis zur Leidenschaft, und eben auch seine Erregbarkeit, also seine Heftigkeit, vom phlegmatischen bis zum cholerischen Temperament. Der *Intellekt* hingegen hat nicht bloß Grade der *Erregung*, von der Schläfrigkeit bis zur Laune und Begeisterung, sondern auch Grade seines *Wesens* selbst, der Vollkommenheit desselben, welche demnach stufenweise steigt, vom niedrigsten, nur dumpf wahrnehmenden Thiere bis zum Menschen, und da wieder vom Dummkopf bis zum Genie. Der *Wille* allein ist überall ganz er selbst. Denn seine Funktion ist von der größten Einfachheit: sie besteht im Wollen und Nichtwollen, welches mit der größten Leichtigkeit, ohne Anstrengung von Statten geht und keiner Uebung bedarf; während hingegen das Erkennen mannigfaltige Funktionen hat und nie ganz ohne Anstrengung vor sich geht, als welcher es zum Fixiren der Aufmerksamkeit und zum Deutlichmachen des Objekts, weiter aufwärts noch gar zum Denken und Ueberlegen, bedarf; daher es auch großer Vervollkommnung durch Uebung und Bildung fähig ist. Hält der Intellekt dem Willen ein einfaches Anschauliches vor; so spricht dieser sofort sein Genehm oder Nichtgenehm darüber aus: und eben so, wenn der Intellekt mühsam gegrübelt und abgewogen hat, um aus zahlreichen Datis, mittelst schwieriger Kombinationen, endlich das Resultat herauszubringen, welches dem Interesse des Willens am meisten gemäß scheint; da hat dieser unterdessen müßig geruht und tritt, nach erlangtem Resultat, herein, wie der Sultan in den Diwan, um wieder nur sein eintöniges Genehm oder Nichtgenehm auszusprechen, welches zwar dem Grade nach verschieden ausfallen kann, dem Wesen nach stets das selbe bleibt.

Diese grundverschiedene Natur des Willens und des Intellekts, die jenem wesentliche Einfachheit und Ursprünglichkeit, im Gegensatz der komplicirten und sekundären Beschaffenheit dieses, wird uns noch deutlicher, wenn wir ihr sonderbares Wechselspiel in unserm Innern beobachten und nun im Einzelnen zusehen, wie die Bilder und Gedanken, welche im Intellekt aufsteigen, den Willen in Bewegung setzen, und wie ganz gesondert und verschieden die Rollen Beider sind. Dies können wir nun zwar schon wahrnehmen bei wirklichen Begebenheiten, die den Willen lebhaft erregen, während sie zunächst und an sich selbst bloß Gegenstände des Intellekts sind. Allein theils ist es hiebei nicht so augenfällig, daß auch diese Wirklichkeit als solche zunächst nur im Intellekt vorhanden ist; theils geht der Wechsel dabei meistens nicht so rasch vor sich, wie es nöthig ist, wenn die Sache leicht übersehbar und dadurch recht faßlich werden soll. Beides ist hingegen der Fall, wenn es bloße Gedanken und Phantasien sind, die wir auf den Willen einwirken lassen. Wenn wir z. B., mit uns selbst allein, unsere persönlichen Angelegenheiten überdenken und nun etwan das Drohende einer wirklich vorhandenen Gefahr und die Möglichkeit eines unglücklichen Ausganges uns lebhaft vergegenwärtigen; so preßt alsbald Angst das Herz zusammen und das Blut stockt in den Adern. Geht dann aber der Intellekt zur Möglichkeit des entgegengesetzten Ausganges über und läßt die Phantasie das lang gehoffte, dadurch erreichte Glück ausmalen: so gerathen alsbald alle Pulse in freudige Bewegung und das Herz fühlt sich federleicht; bis der Intellekt aus seinem Traum erwacht. Darauf nun führe etwan irgend ein Anlaß die Erinnerung an eine längst ein Mal erlittene Beleidigung oder Beeinträchtigung herbei: sogleich durchstürmt Zorn und Groll die eben noch ruhige Brust. Dann aber steige, zufällig angeregt, das Bild einer längst verlorenen Geliebten auf, an welches sich der ganze Roman, mit seinen Zauberscenen, knüpft; da wird alsbald jener Zorn der tiefen Sehnsucht und Wehmuth Platz machen. Endlich falle uns noch irgend ein ehemaliger beschämender Vorfall ein: wir schrumpfen zusammen, möchten versinken, die Schaamröthe steigt auf, und wir suchen oft durch irgend eine laute Aeußerung uns gewaltsam davon abzulenken und zu zerstreuen, gleichsam die bösen Geister verscheuchend. – Man sieht, der Intellekt spielt auf und der Wille muß dazu tanzen: ja, jener läßt ihn die Rolle eines Kindes spielen, welches von seiner Wärterin, durch Vorschwätzen und Erzählen abwechselnd erfreulicher und trauriger Dinge, beliebig in die verschiedensten Stimmungen versetzt wird. Dies beruht darauf, daß der Wille an sich erkenntnißlos, der ihm zugesellte Verstand aber willenlos ist. Daher verhält sich jener wie ein Körper, welcher bewegt wird, dieser wie die ihn in Bewegung setzenden Ursachen: denn er ist das Medium der Motive. Bei dem Allen jedoch wird das Primat des Willens wieder deutlich, wenn dieser dem Intellekt, dessen Spiel er, wie gezeigt, sobald er ihn walten läßt, wird, ein Mal seine Oberherrschaft in letzter Instanz fühlbar macht, indem er ihm gewisse Vorstellungen verbietet, gewisse Gedankenreihen gar nicht aufkommen läßt, weil er weiß, d. h. von eben demselben Intellekt erfährt, daß sie ihn in irgend eine der oben dargestellten Bewegungen versetzen würden: er zügelt jetzt den Intellekt und zwingt ihn sich auf andere Dinge zu richten. So schwer dies oft seyn mag, muß es doch gelingen, sobald es dem Willen Ernst damit ist: denn das Widerstreben dabei geht nicht vom Intellekt aus, als welcher stets gleichgültig bleibt; sondern vom Willen selbst, der zu einer Vorstellung, die er in einer Hinsicht verabscheuet, in anderer Hinsicht eine Neigung hat. Sie ist ihm nämlich an sich interessant, eben weil sie ihn bewegt; aber zugleich sagt ihm die abstrakte Erkenntniß, daß sie ihn zwecklos in quaalvolle, oder unwürdige Erschütterung versetzen wird:

dieser letztern Erkenntniß gemäß entscheidet er sich jetzt und zwingt den Intellekt zum Gehorsam. Man nennt dies »Herr über sich seyn«: offenbar ist hier der Herr der Wille, der Diener der Intellekt; da jener in letzter Instanz stets das Regiment behält, mithin den eigentlichen Kern, das Wesen an sich des Menschen ausmacht. In dieser Hinsicht würde der Titel *'Ηγεμονικον* dem *Willen* gebüren: jedoch scheint derselbe wiederum dem *Intellekt* zuzukommen, sofern dieser der Leiter und Führer ist, wie der Lohnbediente, der vor dem Fremden hergeht. In Wahrheit aber ist das treffendeste Gleichniß für das Verhältniß Beider der starke Blinde, der den sehenden Gelähmten auf den Schultern trägt.

Das hier dargelegte Verhältniß des Willens zum Intellekt ist ferner auch darin zu erkennen, daß der Intellekt den Beschlüssen des Willens ursprünglich ganz fremd ist. Er liefert ihm die Motive: aber wie sie gewirkt haben, erfährt er erst hinterher, völlig *a posteriori*; wie wer ein chemisches Experiment macht, die Reagenzien heranbringt und dann den Erfolg abwartet. Ja, der Intellekt bleibt von den eigentlichen Entscheidungen und geheimen Beschlüssen des eigenen Willens so sehr ausgeschlossen, daß er sie bisweilen, wie die eines fremden, nur durch Belauschen und Überraschen erfahren kann, und ihn auf der That seiner Aeußerungen ertappen muß, um nur hinter seine wahren Absichten zu kommen. Z. B. ich habe einen Plan entworfen, dem aber bei mir selbst ein Skrupel entgegensteht, und dessen Ausführbarkeit andererseits, ihrer Möglichkeit nach, völlig ungewiß ist, indem sie von äußern, noch unentschiedenen Umständen abhängt; daher es vor der Hand jedenfalls unnöthig wäre, darüber einen Entschluß zu fassen; weshalb ich die Sache für jetzt auf sich beruhen lasse. Da weiß ich nun oft nicht, wie fest ich schon mit jenem Plan im Geheimen verbrüdert bin und wie sehr ich, trotz dem Skrupel, seine Ausführung wünsche: d. h. mein Intellekt weiß es nicht. Aber jetzt komme nur eine der Ausführbarkeit günstige Nachricht: sogleich steigt in meinem Innern eine jubelnde, unaufhaltsame Freudigkeit auf, die sich über mein ganzes Wesen verbreitet und es in dauernden Besitz nimmt, zu meinem eigenen Erstaunen. Denn jetzt erst erfährt mein Intellekt, wie fest bereits mein Wille jenen Plan ergriffen hatte und wie gänzlich dieser ihm gemäß war, während der Intellekt ihn noch für ganz problematisch und jenem Skrupel schwerlich gewachsen gehalten hatte. – Oder, in einem andern Fall, ich bin mit großem Eifer eine gegenseitige Verbindlichkeit eingegangen, die ich meinen Wünschen sehr angemessen glaubte. Wie nun, beim Fortgang der Sache, die Nachtheile und Beschwerden fühlbar werden, werfe ich auf mich den Verdacht, daß ich was ich so eifrig betrieben wohl gar bereue: jedoch reinige ich mich davon, indem ich mir die Versicherung gebe, daß ich, auch ungebunden, auf dem selben Wege fortfahren würde. Jetzt aber löst sich unerwartet die Verbindlichkeit von der andern Seite auf, und mit Erstaunen nehme ich wahr, daß dies zu meiner großen Freude und Erleichterung geschieht. – Oft wissen wir nicht was wir wünschen, oder was wir fürchten. Wir können Jahre lang einen Wunsch hegen, ohne ihn uns einzugestehen, oder auch nur zum klaren Bewußtseyn kommen zu lassen; weil der Intellekt nichts davon erfahren soll; indem die gute Meinung, welche wir von uns selbst haben, dabei zu leiden hätte: wird er aber erfüllt, so erfahren wir an unserer Freude, nicht ohne Beschämung, daß wir Dies gewünscht haben: z. B. den Tod eines nahen Anverwandten, den wir beerben. Und was wir eigentlich fürchten, wissen wir bisweilen nicht; weil uns der Muth fehlt, es uns zum klaren Bewußtseyn zu bringen. – Sogar sind wir oft über das eigentliche Motiv, aus dem wir etwas thun oder unterlassen, ganz im Irrthum, – bis etwan endlich ein Zufall uns das Geheimniß aufdeckt und wir erkennen, daß was wir für das Motiv gehalten, es nicht war, sondern ein anderes, welches wir uns nicht hatten eingestehen wollen, weil es der guten Meinung, die wir von uns selbst hegen, keineswegs entspricht. Z. B. wir unterlassen etwas, aus rein moralischen Gründen, wie wir glauben; erfahren jedoch hinterher, daß bloß die Furcht uns abhielt, indem wir es thun, sobald alle Gefahr beseitigt ist. In einzelnen Fällen kann es hiemit so weit gehen, daß ein Mensch das eigentliche Motiv seiner Handlung nicht ein Mal muthmaaßt, ja, durch ein solches bewogen zu werden sich nicht für fähig hält; dennoch ist es das eigentliche Motiv seiner Handlung. – Beiläufig haben wir an allem Diesen eine Bestätigung und Erläuterung der Regel des Larochefoucauld: *l'amour-propre est plus habile que le plus habile homme du monde;* ja, sogar einen Kommentar zum Sokratischen γνωϑι σαυτον und dessen Schwierigkeit. – Wenn nun hingegen, wie alle Philosophen wähnten, der Intellekt unser eigentliches Wesen ausmachte und die Willensbeschlüsse ein bloßes Ergebniß der Erkenntniß wären; so müßte für unsern moralischen Werth gerade nur *das Motiv*, aus welchem wir zu handeln *wähnen*, entscheidend seyn; auf analoge Art, wie die Absicht, nicht der Erfolg, hierin entscheidend ist. Eigentlich aber wäre alsdann der Unterschied zwischen gewähntem und wirklichem Motiv unmöglich. – Alle hier dargestellten Fälle also, dazu jeder Aufmerksame Analoga an sich selbst beobachten kann, lassen uns sehen, wie der Intellekt dem Willen so fremd ist, daß er von diesem bisweilen sogar mystifizirt wird: denn er liefert ihm zwar die Motive, aber in die geheime Werkstätte seiner Beschlüsse dringt er nicht. Er ist zwar ein Vertrauter des Willens, jedoch ein Vertrauter, der nicht Alles erfährt.

Eine Bestätigung hievon giebt auch noch die Thatsache, welche fast Jeder an sich zu beobachten ein Mal Gelegenheit haben wird, daß bisweilen der Intellekt dem Willen nicht recht traut. Nämlich wenn wir irgend einen großen und kühnen Entschluß gefaßt haben, – der als solcher doch eigentlich nur ein vom Willen dem Intellekt gegebenes Versprechen ist; – so bleibt oft in unserm Innern ein leiser, nicht eingestandener Zweifel, ob es auch ganz ernstlich damit gemeint sei, ob wir auch bei der Ausführung nicht wanken oder zurückweichen, sondern Festigkeit und Beharrlichkeit genug haben werden, es zu vollbringen. Es bedarf daher der That, um uns selbst von der Aufrichtigkeit des Entschlusses zu überzeugen. –

Alle diese Thatsachen bezeugen die gänzliche Verschiedenheit des Willens vom Intellekt, das Primat des Ersteren und die untergeordnete Stellung des Letzteren. [...]

Kapitel 25.

Transscendente Betrachtungen über den Willen als Ding an sich.

[...] Nunmehr aber wende ich mich zu einer *subjektiven*, hieher gehörigen Betrachtung, welcher ich jedoch noch weniger Deutlichkeit, als der eben dargelegten objektiven, zu geben vermag; indem ich sie nur durch Bild und Gleichniß werde ausdrücken können. – Warum ist unser Bewußtseyn heller und deutlicher, je weiter es nach Außen gelangt, wie denn seine größte Klarheit in der sinnlichen Anschauung liegt, welche schon zur Hälfte den Dingen außer uns angehört, – wird hingegen dunkler nach Innen zu, und führt, in sein Innerstes verfolgt, in eine Finsterniß, in der alle Erkenntniß aufhört? – Weil, sage ich, Bewußtseyn *Individualität* voraussetzt, diese aber schon der bloßen Erscheinung angehört, indem sie als Vielheit des Gleichartigen, durch die Formen der Erscheinung, Zeit und Raum, bedingt ist. Unser Inneres hingegen hat seine Wurzel in Dem, was nicht mehr Erscheinung, sondern Ding an sich ist, wohin daher die Formen der Erscheinung nicht reichen, wodurch dann die Hauptbedingungen der Individualität mangeln und mit dieser das deutliche Bewußtsein wegfällt. In diesem Wurzelpunkt des Daseyns nämlich hört die Verschiedenheit der Wesen so auf, wie die der Radien einer Kugel im Mittelpunkt: und wie an dieser die Oberfläche dadurch entsteht, daß die Radien enden und abbrechen; so ist das Bewußtseyn nur da möglich, wo das Wesen an sich in die

Erscheinung ausläuft; durch deren Formen die geschiedene Individualität möglich wird, auf der das Bewußtseyn beruht, welches eben deshalb auf Erscheinungen beschränkt ist. Daher liegt alles Deutliche und recht Begreifliche unsers Bewußtseyns stets nur nach Außen auf dieser Oberfläche der Kugel. Sobald wir hingegen uns von dieser ganz zurückziehen, verläßt uns das Bewußtseyn, – im Schlaf, im Tode, gewissermaaßen auch im magnetischen oder magischen Wirken: denn diese alle führen durch das Centrum. Eben aber weil das deutliche Bewußtseyn, als durch die Oberfläche der Kugel bedingt, nicht nach dem Centro hingerichtet ist, erkennt es die andern Individuen wohl als gleichartig, nicht aber als identisch, was sie an sich doch sind. [...] Freilich gerathen wir hier in eine mystische Bildersprache: aber sie ist die einzige, in der sich über dieses völlig transscendente Thema noch irgend etwas sagen läßt. So mag denn auch noch dieses Gleichniß mit hingehen, daß man sich das Menschengeschlecht bildlich als ein *animal compositum* vorstellen kann, eine Lebensform, von welcher viele Polypen, besonders die schwimmenden, wie *Veretillum, Funiculina* und andere Beispiele darbieten. Wie bei diesen der Kopftheil jedes einzelne Thier isolirt, der untere Theil hingegen, mit dem gemeinschaftlichen Magen, sie alle zur Einheit eines Lebensprocesses verbindet; so isolirt das Gehirn mit seinem Bewußtseyn die menschlichen Individuen: hingegen der unbewußte Theil, das vegetative Leben, mit seinem Gangliensystem, darin im Schlaf das Gehirnbewußtseyn, gleich einem Lotus, der sich nächtlich in die Fluth versenkt, untergeht, ist ein gemeinsames Leben Aller, mittelst dessen sie sogar ausnahmsweise kommuniziren können, welches z. B. statt hat, wann Träume sich unmittelbar mittheilen, die Gedanken des Magnetiseurs in die Somnambule übergehen, endlich auch in der vom absichtlichen Wollen ausgehenden magnetischen, oder überhaupt magischen Einwirkung. Eine solche nämlich, wenn sie Statt findet, ist von jeder andern, durch den *influxus physicus* geschehenden, *toto genere* verschieden, indem sie eine eigentliche *actio in distans* ist, welche der zwar vom Einzelnen ausgehende Wille dennoch in seiner metaphysischen Eigenschaft, als das allgegenwärtige Substrat der ganzen Natur, vollbringt. Auch könnte man sagen, daß, wie vor seiner ursprünglichen *Schöpferkraft*, welche in den vorhandenen Gestalten der Natur bereits ihr Werk gethan hat und darin erloschen ist, dennoch bisweilen und ausnahmsweise ein schwacher Ueberrest in der *generatio aequivoca* hervortritt; eben so, von seiner ursprünglichen *Allmacht*, welche in der Darstellung und Erhaltung der Organismen ihr Werk vollbringt und darin aufgeht, doch noch gleichsam ein Ueberschuß, in solchem magischen Wirken, ausnahmsweise thätig werden kann. Im

»Willen in der Natur« habe ich von dieser magischen Eigenschaft des Willens ausführlich geredet, und verlasse hier gern Betrachtungen, welche sich auf ungewisse Thatsachen, die man dennoch nicht ganz ignoriren oder ableugnen darf, zu berufen haben.

*Kapitel 32.**

Ueber den Wahnsinn.

Die eigentliche Gesundheit des Geistes besteht in der vollkommenen Rückerinnerung. Freilich ist diese nicht so zu verstehen, daß unser Gedächtniß Alles aufbewahrte. Denn unser zurückgelegter Lebensweg schrumpft in der Zeit zusammen, wie der des zurücksehenden Wanderers im Raum: bisweilen wird es uns schwer, die einzelnen Jahre zu unterscheiden; die Tage sind meistens unkenntlich geworden. Eigentlich aber sollen nur die ganz gleichen und unzählige Mal wiederkehrenden Vorgänge, deren Bilder gleichsam einander decken, in der Erinnerung so zusammenlaufen, daß sie individuell unkenntlich werden: hingegen muß jeder irgend eigenthümliche, oder bedeutsame Vorgang in der Erinnerung wieder aufzufinden seyn; wenn der Intellekt normal, kräftig und ganz gesund ist. – Als den *zerrissenen* Faden dieser, wenn auch in stets abnehmender Fülle und Deutlichkeit, doch gleichmäßig fortlaufenden Erinnerung habe ich im Texte den *Wahnsinn* dargestellt. Zur Bestätigung hievon diene folgende Betrachtung.

Das Gedächtniß eines Gesunden gewährt über einen Vorgang, dessen Zeuge er gewesen, eine Gewißheit, welche als eben so fest und sicher angesehen wird, wie seine gegenwärtige Wahrnehmung einer Sache; daher derselbe, wenn von ihm beschworen, vor Gericht dadurch festgestellt wird. Hingegen wird der bloße Verdacht des Wahnsinns die Aussage eines Zeugen sofort entkräften. Hier also liegt das Kriterium zwischen Geistesgesundheit und Verrücktheit. Sobald ich zweifle, ob ein Vorgang, dessen ich mich erinnere, auch wirklich Statt gefunden, werfe ich auf mich selbst den Verdacht des Wahnsinns; es sei denn, ich wäre ungewiß, ob es nicht ein bloßer Traum gewesen. Zweifelt ein Anderer an der Wirklichkeit eines von mir als Augenzeugen erzählten Vorgangs, ohne meiner Redlichkeit zu mißtrauen; so hält er mich für verrückt. Wer durch häufig wiederholtes Erzählen eines ursprünglich von ihm erlogenen Vorganges endlich dahin kommt, ihn selbst zu glau-

* Dieses Kapitel bezieht sich auf die zweite Hälfte des § 36 des ersten Bandes.

ben, ist, in diesem Einen Punkt, eigentlich schon verrückt. Man kann einem Verrückten witzige Einfälle, einzelne gescheute Gedanken, selbst richtige Urtheile zutrauen: aber seinem Zeugniß über vergangene Begebenheiten wird man keine Gültigkeit beilegen. In der Lalitavistara, bekanntlich der Lebensgeschichte des Buddha Schakya-Muni, wird erzählt, daß, im Augenblicke seiner Geburt, auf der ganzen Welt alle Kranke gesund, alle Blinde sehend, alle Taube hörend wurden und alle Wahnsinnigen »ihr Gedächtniß wiedererhielten«. Letzteres wird sogar an zwei Stellen erwähnt*.

Meine eigene, vieljährige Erfahrung hat mich auf die Vermuthung geführt, daß Wahnsinn verhältnißmäßig am häufigsten bei Schauspielern eintritt. Welchen Mißbrauch treiben aber auch diese Leute mit ihrem Gedächtniß! Täglich haben sie eine neue Rolle einzulernen, oder eine alte aufzufrischen: diese Rollen sind aber sämmtlich ohne Zusammenhang, ja, im Widerspruch und Kontrast mit einander, und jeden Abend ist der Schauspieler bemüht, sich selbst ganz zu vergessen, um ein völlig Anderer zu seyn. Dergleichen bahnt geradezu den Weg zum Wahnsinn.

Die im Texte gegebene Darstellung der Entstehung des Wahnsinns wird faßlicher werden, wenn man sich erinnert, wie ungern wir an Dinge denken, welche unser Interesse, unsern Stolz, oder unsere Wünsche stark verletzen, wie schwer wir uns entschließen, Dergleichen dem eigenen Intellekt zu genauer und ernster Untersuchung vorzulegen, wie leicht wir dagegen unbewußt davon wieder abspringen, oder abschleichen, wie hingegen angenehme Angelegenheiten ganz von selbst uns in den Sinn kommen und, wenn verscheucht, uns stets wieder beschleichen, daher wir ihnen stundenlang nachhängen. In jenem Widerstreben des Willens, das ihm Widrige in die Beleuchtung des Intellekts kommen zu lassen, liegt die Stelle, an welcher der Wahnsinn auf den Geist einbrechen kann. Jeder widrige neue Vorfall nämlich muß vom Intellekt assimilirt werden, d. h. im System der sich auf unsern Willen und sein Interesse beziehenden Wahrheiten eine Stelle erhalten, was immer Befriedigenderes er auch zu verdrängen haben mag. Sobald dies geschehen ist, schmerzt er schon viel weniger: aber diese Operation selbst ist oft sehr schmerzlich, geht auch meistens nur langsam und mit Widerstreben von Statten. Inzwischen kann nur sofern sie jedesmal richtig vollzogen worden, die Gesundheit des Geistes bestehen. Erreicht hingegen, in einem einzelnen Fall, das Widerstreben und Sträu-

* *Rgya Tcher Rol Pa, Hist. de Bouddha Chakya Mouni, trad. du Tibétain p. Foucaux, 1848, p. 91 et 99.*

ben des Willens wider die Aufnahme einer Erkenntniß den Grad, daß jene Operation nicht rein durchgeführt wird; werden demnach dem Intellekt gewisse Vorfälle oder Umstände völlig unterschlagen, weil der Wille ihren Anblick nicht ertragen kann; wird alsdann, des nothwendigen Zusammenhangs wegen, die dadurch entstandene Lücke beliebig ausgefüllt; – so ist der Wahnsinn da. Denn der Intellekt hat seine Natur aufgegeben, dem Willen zu gefallen: der Mensch bildet sich jetzt ein was nicht ist. Jedoch wird der so entstandene Wahnsinn jetzt der Lethe unerträglicher Leiden: er war das letzte Hülfsmittel der geängstigten Natur, d. i. des Willens.

Beiläufig sei hier ein beachtungswerther Beleg meiner Ansicht erwähnt. *Karlo Gozzi*, im *Mostro turchino*, Akt I, Scene 2, führt uns eine Person vor, welche einen Vergessenheit herbeiführenden Zaubertrank getrunken hat: diese stellt sich ganz wie eine Wahnsinnige dar.

Der obigen Darstellung zufolge kann man also den Ursprung des Wahnsinns ansehen als ein gewaltsames »Sich aus dem Sinn schlagen« irgend einer Sache, welches jedoch nur möglich ist mittelst des »Sich in den Kopf setzen« irgend einer andern. Seltener ist der umgekehrte Hergang, daß nämlich das »Sich in den Kopf setzen« das Erste und das »Sich aus dem Sinn schlagen« das Zweite ist. Er findet jedoch Statt in den Fällen, wo Einer den Anlaß, über welchen er verrückt geworden, beständig gegenwärtig behält und nicht davon los kommen kann: so z. B. bei manchem verliebten Wahnsinn, Erotomanie, wo dem Anlaß fortwährend nachgehangen wird; auch bei dem aus Schreck über einen plötzlichen, entsetzlichen Vorfall entstandenen Wahnsinn. Solche Kranke halten den gefaßten Gedanken gleichsam krampfhaft fest, so daß kein anderer, am wenigsten ein ihm entgegenstehender, aufkommen kann. Bei beiden Hergängen bleibt aber das Wesentliche des Wahnsinns das Selbe, nämlich die Unmöglichkeit einer gleichförmig zusammenhängenden Rückerinnerung, wie solche die Basis unserer gesunden, vernünftigen Besonnenheit ist. – Vielleicht könnte der hier dargestellte Gegensatz der Entstehungsweise, wenn mit Urtheil angewandt, einen scharfen und tiefen Eintheilungsgrund des eigentlichen Irrwahns abgeben. [...]

Kapitel 42.
Leben der Gattung.

[...] In den Ergänzungen zum zweiten Buch wurde der Wille der Wurzel, der Intellekt der Krone des Baumes verglichen: so ist es innerlich, oder psychologisch. Aeußerlich aber, oder physiologisch, sind die Genitalien die Wurzel, der Kopf die Krone. Das Ernährende sind zwar nicht die Genitalien, sondern die Zotten der Gedärme: dennoch sind nicht diese, sondern jene die Wurzel: weil durch sie das Individuum mit der Gattung zusammenhängt, in welcher es wurzelt. Denn es ist physisch ein Erzeugniß der Gattung, metaphysisch ein mehr oder minder unvollkommenes Bild der *Idee*, welche, in der Form der Zeit, sich als Gattung darstellt. In Uebereinstimmung mit dem hier ausgesprochenen Verhältniß ist die größte Vitalität, wie auch die Dekrepität, des Gehirns und der Genitalien gleichzeitig und steht in Verbindung. Der Geschlechtstrieb ist anzusehen als der innere Zug des Baumes (der Gattung), auf welchem das Leben des Individuums sproßt, wie ein Blatt, das vom Baume genährt wird und ihn zu nähren beiträgt: daher ist jener Trieb so stark und aus der Tiefe unserer Natur. Ein Individuum kastriren, heißt es vom Baum der Gattung, auf welchem es sproßt, abschneiden und so gesondert verdorren lassen: daher die Degradation seiner Geistes- und Leibeskräfte. [...]

Aus diesen Betrachtungen erklärt es sich, warum die Begierde des Geschlechts einen von jeder andern sehr verschiedenen Charakter trägt: sie ist nicht nur die stärkeste, sondern sogar specifisch von mächtigerer Art als alle andern. Sie wird überall stillschweigend vorausgesetzt, als nothwendig und unausbleiblich, und ist nicht, wie andere Wünsche, Sache des Geschmacks und der Laune. Denn sie ist der Wunsch, welcher selbst das Wesen des Menschen ausmacht. Im Konflikt mit ihr ist kein Motiv so stark, daß es des Sieges gewiß wäre. Sie ist so sehr die Hauptsache, daß für die Entbehrung ihrer Befriedigung keine andern Genüsse entschädigen: auch übernimmt Thier und Mensch ihretwegen jede Gefahr, jeden Kampf. Ein gar naiver Ausdruck dieser natürlichen Sinnesart ist die bekannte Ueberschrift der mit dem Phallus verzierten Thüre der *fornix* zu Pompeji: *Heic habitat felicitas:* diese war für den Hineingehenden naiv, für den Herauskommenden ironisch, und an sich selbst humoristisch. [...]

Dem Allen entspricht die wichtige Rolle, welche das Geschlechtsverhältniß in der Menschenwelt spielt, als wo es eigentlich der unsichtbare Mittelpunkt alles Thuns und Treibens ist und trotz allen ihm übergeworfenen Schleiern überall hervorguckt. Es ist die Ursache des Krieges und der Zweck des Friedens, die Grundlage des Ernstes und das Ziel des Scherzes, die unerschöpfliche Quelle des Witzes, der Schlüssel zu allen Anspielungen und der Sinn aller geheimen Winke, aller unausgesprochenen Anträge und aller verstohlenden Blicke, das tägliche Dichten und Trachten der Jungen und oft auch der Alten, der stündliche Gedanke des Unkeuschen und die gegen seinen Willen stets wiederkehrende Träumerei des Keuschen, der allezeit bereite Stoff zum Scherz, eben nur weil ihm der tiefste Ernst zum Grunde liegt. Das aber ist das Pikante und der Spaaß der Welt, daß die Hauptangelegenheit aller Menschen heimlich betrieben und ostensibel möglichst ignorirt wird. In der That aber sieht man dieselbe jeden Augenblick sich als den eigentlichen und erblichen Herrn der Welt, aus eigener Machtvollkommenheit, auf den angestammten Thron setzen und von dort herab mit höhnenden Blicken der Anstalten lachen, die man getroffen hat, sie zu bändigen, einzukerkern, wenigstens einzuschränken und wo möglich ganz verdeckt zu halten, oder doch so zu bemeistern, daß sie nur als eine ganz untergeordnete Nebenangelegenheit des Lebens zum Vorschein komme. – Dies Alles aber stimmt damit überein, daß der Geschlechtstrieb der Kern des Willens zum Leben, mithin die Koncentration alles Wollens ist; daher eben ich im Texte die Genitalien den Brennpunkt des Willens genannt habe. Ja, man kann sagen, der Mensch sei konkreter Geschlechtstrieb; da seine Entstehung ein Kopulationsakt und der Wunsch seiner Wünsche ein Kopulationsakt ist, und dieser Trieb allein seine ganze Erscheinung perpetuirt und zusammenhält. Der Wille zum Leben äußert sich zwar zunächst als Streben zur Erhaltung des Individuums; jedoch ist dies nur die Stufe zum Streben nach Erhaltung der Gattung, welches letztere in dem Grade heftiger seyn muß, als das Leben der Gattung, an Dauer, Ausdehnung und Werth, das des Individuums übertrifft. Daher ist der Geschlechtstrieb die vollkommenste Aeußerung des Willens zum Leben, sein am deutlichsten ausgedrückter Typus: und hiemit ist sowohl das Entstehen der Individuen aus ihm, als sein Primat über alle andern Wünsche des natürlichen Menschen in vollkommener Übereinstimmung.

Hieher gehört noch eine physiologische Bemerkung, welche auf meine im zweiten Buche dargelegte Grundlehre Licht zurückwirft. Wie nämlich der Geschlechtstrieb die heftigste der Begierden, der Wunsch der Wünsche, die Koncentration alles unsers Wollens ist, und demnach die dem individuellen, mithin auf ein bestimmtes Individuum gerichteten Wunsche eines Jeden genau entsprechende Befriedigung desselben der Gipfel und die Krone seines Glückes, nämlich das letzte Ziel seiner natürlichen Bestrebungen ist, mit deren Erreichung ihm Alles erreicht und mit deren Verfehlung ihm Alles verfehlt scheint; – so finden wir, als physiologisches Korrelat hievon, im objektivirten Willen, also im menschlichen Organismus, das Sperma als die Sekretion der Sekretionen, die Quintessenz aller Säfte, das letzte Resultat aller organischen Funktionen, und haben hieran einen abermaligen Beleg dazu, daß der Leib nur die Objektität des Willens, d. h. der Wille selbst unter der Form der Vorstellung ist. [...]

Kapitel 44.
Metaphysik der Geschlechtsliebe.

[...] Was im individuellen Bewußtseyn sich kund giebt als Geschlechtstrieb überhaupt und ohne die Richtung auf ein bestimmtes Individuum des andern Geschlechts, das ist an sich selbst und außer der Erscheinung der Wille zum Leben schlechthin. Was aber im Bewußtseyn erscheint als auf ein bestimmtes Individuum gerichteter Geschlechtstrieb, das ist an sich selbst der Wille, als ein genau bestimmtes Individuum zu leben. In diesem Falle nun weiß der Geschlechtstrieb, obwohl an sich ein subjektives Bedürfniß, sehr geschickt die Maske einer objektiven Bewunderung anzunehmen und so das Bewußtseyn zu täuschen: denn die Natur bedarf dieses Stratagems zu ihren Zwecken. Daß es aber, so objektiv und von erhabenem Anstrich jene Bewunderung auch erscheinen mag, bei jedem Verliebtseyn doch allein abgesehen ist auf die Erzeugung eines Individuums von bestimmter Beschaffenheit, wird zunächst dadurch bestätigt, daß nicht etwan die Gegenliebe, sondern der Besitz, d. h. der physische Genuß, das Wesentliche ist. Die Gewißheit jener kann daher über den Mangel dieses keineswegs trösten: vielmehr hat in solcher Lage schon Mancher sich erschossen. Hingegen nehmen stark Verliebte, wenn sie keine Gegenliebe erlangen können, mit dem Besitz, d. i. dem physischen Genuß, vorlieb. Dies belegen alle gezwungenen Heirathen, imgleichen die so oft, ihrer Abneigung zum Trotz, mit großen Geschenken, oder sonstigen Opfern, erkaufte Gunst eines Weibes, ja auch die Fälle der Nothzucht. Daß dieses bestimmte Kind erzeugt werde, ist der wahre, wenn gleich den Theilnehmern unbewußte Zweck des ganzen Liebesromans: die Art und Weise, wie er erreicht wird, ist Nebensache. – Wie laut auch hier die hohen und empfindsamen, zumal aber die verliebten Seelen aufschreien mögen, über den derben Realismus meiner Ansicht; so sind sie doch im Irrthum. Denn, ist nicht die genaue Bestimmung der Individualitäten der nächsten Generation ein viel höherer und würdigerer Zweck, als jene ihrer überschwänglichen Gefühle und übersinnlichen Seifenblasen? Ja, kann es, unter irdischen Zwecken, einen wichtigeren und größeren geben? Er allein entspricht der Tiefe, mit welcher die leidenschaftliche Liebe gefühlt wird, dem Ernst, mit welchem sie auftritt, und der Wichtigkeit, die sie sogar den Kleinigkeiten ihres Bereiches und ihres Anlasses beilegt. Nur sofern man *diesen* Zweck als den wahren unterlegt, erscheinen die Weitläuftigkeiten, die endlosen Bemühungen und Plagen zur Erlangung des geliebten Gegenstandes, der Sache angemessen. Denn die künftige Generation, in ihrer ganzen individuellen Bestimmtheit, ist es, die sich mittelst jenes Treibens und Mühens ins Daseyn drängt. Ja, sie selbst regt sich schon in der so umsichtigen, bestimmten und eigensinnigen Auswahl zur Befriedigung des Geschlechtstriebes, die man Liebe nennt. Die wachsende Zuneigung zweier Liebenden ist eigentlich schon der Lebenswille des neuen Individuums, welches sie zeugen können und möchten; ja, schon im Zusammentreffen ihrer sehnsuchtsvollen Blicke entzündet sich sein neues Leben, und giebt sich kund als eine künftig harmonische, wohl zusammengesetzte Individualität. Sie fühlen die Sehnsucht nach einer wirklichen Vereinigung und Verschmelzung zu einem einzigen Wesen, um alsdann nur noch als dieses fortzuleben; und diese erhält ihre Erfüllung in dem von ihnen Erzeugten, als in welchem die sich vererbenden Eigenschaften Beider, zu Einem Wesen verschmolzen und vereinigt, fortleben. Umgekehrt, ist die gegenseitige, entschiedene und beharrliche Abneigung zwischen einem Mann und einem Mädchen die Anzeige, daß was sie zeugen könnten nur ein übel organisirtes, in sich disharmonisches, unglückliches Wesen seyn würde. Deshalb liegt ein tiefer Sinn darin, daß Calderon die entsetzliche Semiramis zwar die Tochter der Luft benennt, sie jedoch als die Tochter der Nothzucht, auf welche der Gattenmord folgte, einführt. [...]

Jetzt zur gründlicheren Untersuchung der Sache. – Der Egoismus ist eine so tief wurzelnde Eigenschaft aller Individualität überhaupt, daß, um die Thätigkeit eines individuellen Wesens zu erregen, egoistische Zwecke die einzigen sind, auf welche man mit Sicherheit rechnen kann. Zwar hat die Gattung auf das Individuum ein früheres, näheres und größeres Recht, als die hinfällige Individualität selbst: jedoch kann, wann das Individuum für den Bestand und die Beschaffenheit der Gattung thätig seyn und sogar Opfer bringen soll, seinem Intellekt, als welcher bloß auf individuelle Zwecke berechnet ist, die Wichtigkeit der Angelegenheit nicht so faßlich gemacht werden, daß sie derselben gemäß wirkte. Daher kann, in solchem Fall, die Natur ihren Zweck nur dadurch erreichen, daß sie dem Individuo einen gewissen *Wahn* einpflanzt, vermöge dessen ihm als ein Gut für sich selbst erscheint, was in Wahrheit bloß eines für die Gattung ist, so daß dasselbe dieser dient, während es sich selber zu dienen wähnt; bei welchem Hergang eine bloße, gleich darauf verschwindende Chimäre ihm vorschwebt und als Motiv die Stelle einer Wirklichkeit vertritt. Dieser *Wahn* ist der *Instinkt*. Derselbe ist, in den allermeisten Fällen, anzusehen als der Sinn der *Gattung*, welcher das *ihr* Frommende dem Willen darstellt. Weil aber der Wille hier individuell geworden; so muß er dergestalt getäuscht werden, daß er Das, was der Sinn der *Gattung* ihm vorhält, durch den Sinn des *Individui* wahrnimmt, also individuellen Zwecken nachzugehen wähnt, während er in Wahrheit bloß generelle (dies Wort hier im eigentlichen Sinn genommen) verfolgt. Die äußere Erscheinung des Instinkts beobachten wir am besten an den Thieren, als wo seine Rolle am bedeutendesten ist; aber den innern Hergang dabei können wir, wie alles Innere, allein an uns selbst kennen lernen. Nun meint man zwar, der Mensch habe fast gar keinen Instinkt, allenfalls bloß den, daß das Neugeborene die Mutterbrust sucht und ergreift. Aber in der That haben wir einen sehr bestimmten, deutlichen, ja komplicirten Instinkt, nämlich den der so feinen, ernstlichen und eigensinnigen Auswahl des andern Individuums zur Geschlechtsbefriedigung. Mit dieser Befriedigung an sich selbst, d. h. sofern sie ein auf dringendem Bedürfniß des Individuums beruhender sinnlicher Genuß ist, hat die Schönheit oder Häßlichkeit des andern Individuums gar nichts zu schaffen. Die dennoch so eifrig verfolgte Rücksicht auf diese, nebst der daraus entspringenden sorgsamen Auswahl, bezieht sich also offenbar nicht auf den Wählenden selbst, obschon er es wähnt, sondern auf den wahren Zweck, auf das zu Erzeugende, als in welchem der Typus der Gattung möglichst rein und richtig erhalten werden soll. [...] Ein wollüstiger Wahn ist es, der dem Manne vorgaukelt, er werde in den Armen eines Weibes von der ihm zusagenden Schönheit einen größern Genuß finden, als in denen eines jeden andern; oder der gar, ausschließlich auf ein *einziges* Individuum gerichtet, ihn fest überzeugt, daß dessen Besitz ihm ein überschwängliches Glück gewähren werde. Demnach wähnt er, für seinen eigenen Genuß Mühe und Opfer zu verwenden, während es bloß für die Erhaltung des regelrechten Typus der Gattung geschieht, oder gar eine ganz bestimmte Individualität, die nur von diesen Eltern kommen kann, zum Daseyn gelangen soll. So völlig ist hier der Charakter des Instinkts, also ein Handeln wie nach einem Zweckbegriff und doch ganz ohne denselben, vorhanden, daß der von jenem Wahn Getriebene den Zweck, welcher allein ihn leitet, die Zeugung, oft sogar verabscheut und verhindern möchte: nämlich bei fast allen unehelichen Liebschaften. Dem dargelegten Charakter der Sache gemäß wird, nach dem endlich erlangten Genuß, jeder Verliebte eine wundersame Enttäuschung erfahren, und darüber erstaunen, daß das so sehnsuchtsvoll Begehrte nichts mehr leistet, als jede andere Geschlechtsbefriedigung; so daß er sich nicht sehr dadurch gefördert sieht. Jener Wunsch nämlich verhielt sich zu allen seinen übrigen Wünschen, wie sich die Gattung verhält zum Individuo, also wie ein Unendliches zu einem Endlichen. Die Befriedigung hingegen kommt eigentlich nur der Gattung zu Gute und fällt deshalb nicht in das Bewußtseyn des Individuums, welches hier, vom Willen der Gattung beseelt, mit jeglicher Aufopferung, einem Zwecke diente, der gar nicht sein eigener war. Daher also findet jeder Verliebte, nach endlicher Vollbringung des großen Werkes, sich angeführt: denn der Wahn ist verschwunden, mittelst dessen hier das Individuum der Betrogene der Gattung war. [...]

Bewußtsein von dem Allen ist freilich nicht vorhanden; vielmehr wähnt Jeder nur im Interesse seiner eigenen Wollust (die im Grunde gar nicht dabei betheiligt seyn kann) jene schwierige Wahl zu treffen: aber er trifft sie genau so, wie es, unter Voraussetzung seiner eigenen Korporisation, dem Interesse der Gattung gemäß ist, deren Typus möglichst rein zu erhalten die geheime Aufgabe ist. Das Individuum handelt hier, ohne es zu wissen, im Auftrage eines Höheren, der Gattung: daher die Wichtigkeit, welche es Dingen beilegt, die ihm, als solchem, gleichgültig seyn könnten, ja müßten. – Es liegt etwas ganz Eigenes in dem tiefen, unbewußten Ernst, mit welchem zwei junge Leute verschiedenen Geschlechts, die sich zum ersten Male sehen, einander betrachten; dem forschenden und durchdringenden Blick, den sie auf einander werfen; der sorgfältigen Musterung, die alle Züge und Theile ihrer beiderseitigen Personen zu erleiden haben. Dieses Forschen und Prüfen nämlich ist die *Meditation des Genius der Gattung* über das durch sie Beide mögliche Individuum und die Kombination seiner Eigenschaften. Nach dem Resultat derselben fällt der Grad ihres Wohlgefallens an einander und ihres Begehrens nach einander aus. Dieses kann, nachdem es schon einen bedeutenden Grad erreicht hatte, plötzlich wieder erlöschen, durch die Entdeckung von Etwas, das vorhin unbemerkt geblieben war. – Dergestalt also meditirt in Allen, die zeugungsfähig sind, der Genius der Gattung das kommende Geschlecht. Die Beschaffenheit desselben ist das große Werk, womit *Kupido*, unablässig thätig, spekulirend und sinnend, beschäftigt ist. Gegen die Wichtigkeit seiner großen Angelegenheit, als welche die Gattung und alle kommenden Geschlechter betrifft, sind die Angelegenheiten der Individuen, in ihrer ganzen ephemeren Gesammtheit, sehr geringfügig: daher ist er stets bereit, diese rücksichtslos zu opfern. Denn er verhält sich zu ihnen wie ein Unsterblicher zu Sterblichen, und seine Interessen zu den ihren wie unendliche zu endlichen. Im Bewußtseyn also, Angelegenheiten höherer Art, als alle solche, welche nur individuelles Wohl und Wehe betreffen, zu verwalten, betreibt er dieselben, mit erhabener Ungestörtheit, mitten im Getümmel des Krieges, oder im Gewühl des Geschäftslebens, oder zwischen dem Wüthen einer Pest, und geht ihnen nach bis in die Abgeschiedenheit des Klosters. [...]

ARTHUR SCHOPENHAUER

Parerga und Paralipomena.

Erster Band.

Transscendente Spekulation über die anscheinende Absichtlichkeit im Schicksale des Einzelnen.

[...] Eine zweite Analogie, welche, von einer ganz anderen Seite, zu einem indirekten Verständniß des in Betrachtung genommenen transscendenten Fatalismus beitragen kann, giebt der *Traum*, mit welchem ja überhaupt das Leben eine längst anerkannte und gar oft ausgesprochene Aehnlichkeit hat; so sehr, daß sogar Kants transscendentaler Idealismus aufgefaßt werden kann als die deutlichste Darlegung dieser traumartigen Beschaffenheit unsers bewußten Daseyns; wie ich Dies in meiner Kritik seiner Philosophie auch ausgesprochen habe. – Und zwar ist es diese Analogie mit dem Traume, welche uns, wenn auch wieder nur in neblichter Ferne, absehn läßt, wie die geheime Macht, welche die uns berührenden, äußeren Vorgänge, zum Behufe ihrer Zwecke mit uns, beherrscht und lenkt, doch ihre Wurzel in der Tiefe unseres eigenen, unergründlichen Wesens haben könnte. Auch im Traume nämlich treffen die Umstände, welche die Motive unserer Handlungen daselbst werden, als äußerliche und von uns selbst unabhängige, ja oft verabscheute, rein zufällig zusammen: dabei aber ist dennoch zwischen ihnen eine geheime und zweckmäßige Verbindung; indem eine verborgene Macht, welcher alle Zufälle im Traume gehorchen, auch diese Umstände, und zwar einzig und allein in Beziehung auf uns, lenkt und fügt. Das Allerseltsamste hiebei aber ist, daß diese Macht zuletzt keine andere seyn kann, als unser eigener Wille, jedoch von einem Standpunkte aus, der nicht in unser träumendes Bewußtseyn fällt; daher es kommt, daß die Vorgänge des Traums so oft ganz gegen unsere Wünsche in demselben ausschlagen, uns in Erstaunen, in Verdruß, ja, in Schrecken und Todesangst versetzen, ohne daß das Schicksal, welches wir doch heimlich selbst lenken, zu unserer Rettung herbeikäme; imgleichen, daß wir begierig nach etwas fragen, und eine Antwort erhalten, über die wir erstaunen; oder auch wieder, – daß wir selbst gefragt werden, wie etwan in einem Examen, und unfähig sind die Antwort zu finden, worauf ein Anderer, zu unsrer Beschämung, sie vortrefflich giebt; während doch im einen, wie im andern Fall, die Antwort immer nur aus unsern eigenen Mitteln kommen kann. Diese geheimnißvolle, von uns selbst ausgehende Leitung der Begebenheiten im Traume noch deutlicher zu machen und ihr Verfahren dem Verständniß näher zu bringen, giebt es noch eine Erläuterung, welche allein dieses leisten kann, die nun aber unumgänglich obscöner Natur ist; daher ich von Lesern, die werth sind, daß ich zu ihnen rede, voraussetze, daß sie daran weder Anstoß nehmen, noch die Sache von der lächerlichen Seite auffassen werden. Es giebt bekanntlich Träume, deren die Natur sich zu einem materiellen Zwecke bedient, nämlich zur Ausleerung der überfüllten Saamenbläschen. Träume dieser Art zeigen natürlich schlüpfrige Scenen: dasselbe thun aber mitunter auch andere Träume, die jenen Zweck gar nicht haben, noch erreichen. Hier tritt nun der Unterschied ein, daß, in den Träumen der ersten Art, die Schönen und die Gelegenheit sich uns bald günstig erweisen; wodurch die Natur ihren Zweck erreicht: in den Träumen der andern Art hingegen treten der Sache, die wir auf das heftigste begehren, stets neue Hindernisse in den Weg, welche zu überwinden wir vergeblich streben, so daß wir am Ende doch nicht zum Ziele gelangen. Wer diese Hindernisse schafft und unsern lebhaften Wunsch Schlag auf Schlag vereitelt, das ist doch nur unser eigener Wille; jedoch von einer Region aus, die weit über das vorstellende Bewußtseyn im Traume hinausliegt und daher in diesem als unerbittliches Schicksal auftritt. – Sollte es nun mit dem Schicksal in der Wirklichkeit und mit der Planmäßigkeit, die vielleicht Jeder, in seinem eigenen Lebenslaufe, demselben abmerkt, nicht ein Bewandniß haben können, das dem am Traume dargelegten analog wäre? Bisweilen geschieht es, daß wir einen Plan entworfen und lebhaft ergriffen haben, von dem sich später ausweist, daß er unserm wahren Wohl keineswegs gemäß war; den wir inzwischen eifrig verfolgen, jedoch nun hiebei eine Verschwörung des Schicksals gegen denselben erfahren, als welches alle seine Maschinerie in Bewegung setzt, ihn zu vereiteln; wodurch es uns dann endlich, wider unsern Willen, auf den uns wahrhaft angemessenen Weg zurückstößt. Bei einem solchen absichtlich scheinenden Widerstande brauchen manche Leute die Redensart: »ich merke, es *soll* nicht seyn«; andere nennen es ominös, noch andere einen Fingerzeig Gottes: sämmtlich aber theilen sie die Ansicht, daß, wenn das Schicksal sich einem Plane mit so offenbarer Hartnäckigkeit entgegenstellt, wir ihn aufgeben sollten; weil er, als zu unserer uns unbewußten Bestimmung nicht passend, doch nicht verwirklicht werden wird und wir uns, durch halsstarriges Verfolgen desselben, nur noch härtere Rippenstöße des Schicksals zuziehn, bis wir endlich wieder auf dem rechten Wege sind; oder auch weil, wenn es uns gelänge, die Sache zu forciren, solche uns nur zum Schaden und Unheil gereichen würde. Hier findet das oben Angeführte *ducunt volentem fata, nolentem trahunt* seine ganze Bestätigung. In manchen Fällen kommt nun hinterher wirklich zu Tage, daß die Vereitelung eines solchen Planes unserm wahren Wohle durchaus förderlich gewesen ist: Dies könnte daher auch da der Fall seyn, wo es uns nicht kund wird; zumal wenn wir als unser wahres Wohl das metaphysisch-moralische betrachten. – Sehn wir nun aber von hier zurück auf das Hauptergebniß meiner gesammten Philosophie, daß nämlich Das, was das Phänomen der Welt darstellt und erhält, der *Wille* ist, der auch in jedem Einzelnen lebt und strebt, und erinnern wir uns zugleich der so allgemein anerkannten Ähnlichkeit des Lebens mit dem Traume; so können wir, alles Bisherige zusammenfassend, es uns, ganz im Allgemeinen, als möglich denken, daß, auf analoge Weise, wie Jeder der heimliche Theaterdirektor seiner Träume ist, so auch jenes Schicksal, welches unsern wirklichen Lebenslauf beherrscht, irgendwie zuletzt von jenem *Willen* ausgehe, der unser eigener ist, welcher jedoch hier, wo er als Schicksal aufträte, von einer Region aus wirkte, die weit über unser vorstellendes, individuelles Bewußtseyn hinausliegt, während hingegen dieses die Motive liefert, die unsern empirisch erkennbaren, individuellen Willen leiten, der daher oft auf das heftigste zu kämpfen hat mit jenem unserm, als Schicksal sich darstellenden Willen, unserm leitenden Genius, unserm »Geist der außerhalb uns wohnt und seinen Stuhl in die obern Sterne setzt«, als welcher das individuelle Bewußtseyn weit übersieht und daher, unerbittlich gegen dasselbe, als äußern Zwang Das veranstaltet und feststellt, was herauszufinden er demselben nicht überlassen durfte und doch nicht verfehlt wissen will. [...]

Zweiter Band.

Kapitel III.
Den Intellekt überhaupt und in jeder Beziehung betreffende Gedanken.

§40.

Fast möchte man glauben, daß die Hälfte alles unsers Denkens ohne Bewußtseyn vor sich gehe. Meistens kommt die Konklusion, ohne daß die Prämissen deutlich gedacht worden. Dies ist schon daraus abzunehmen, daß bisweilen eine Begebenheit, deren Folgen wir keineswegs absehn, noch weniger ihren etwanigen Einfluß auf unsere eignen Angelegenheiten deutlich ermessen können, dennoch auf unsere ganze Stimmung einen unverkennbaren Einfluß ausübt, indem sie solche ins Heitere, oder auch ins Traurige, verändert: Das kann nur die Folge einer unbewußten Rumination seyn. Noch ersichtlicher ist diese in Folgendem. Ich habe mich mit den faktischen Datis einer theoretischen, oder praktischen Angelegenheit bekannt gemacht: oft nun wird, ohne daß ich wieder daran gedacht hätte, nach einigen Tagen, das Resultat, wie nämlich die Sache sich verhalte, oder was dabei zu thun sei, mir ganz von selbst in den Sinn kommen, und deutlich vor mir stehn; wobei die Operation, durch die es zu Stande gekommen, mir so verdeckt bleibt, wie die einer Rechenmaschine: es ist eben eine unbewußte Rumination gewesen. Ja, unsre besten, sinnreichsten und tiefsten Gedanken treten plötzlich ins Bewußtseyn, wie eine Inspiration. Offenbar aber sind sie Resultate langer, unbewußter Meditation. Ich verweise hier auf Das, was ich in meinem Hauptwerk, Bd. 2, Kap. 14, S. 134, schon hierüber beigebracht habe. – Beinahe möchte man es wagen, die physiologische Hypothese aufzustellen, daß das bewußte Denken auf der Oberfläche des Gehirns, das unbewußte im Innern seiner Marksubstanz vor sich gehe.

Kapitel XXVI.
Psychologische Bemerkungen.

§ 340.

Alles Ursprüngliche, und daher alles Aechte im Menschen wirkt, als solches, wie die Naturkräfte, *unbewußt*. Was durch das Bewußtseyn hindurchgegangen ist, wurde eben damit zu einer Vorstellung: folglich ist die Aeußerung desselben gewissermaaßen Mittheilung einer Vorstellung. Demnach nun sind alle ächten und probehaltigen Eigenschaften des Charakters und des Geistes ursprünglich unbewußte, und nur als solche machen sie tiefen Eindruck. Alles Bewußte der Art ist schon nachgebessert und ist absichtlich, geht daher schon über in Affektation, d. i. Trug. Was der Mensch unbewußt leistet, kostet ihm keine Mühe, läßt aber auch durch keine Mühe sich ersetzen: dieser Art ist das Entstehn ursprünglicher Konceptionen, wie sie allen ächten Leistungen zum Grunde liegen und den Kern derselben ausmachen.

CARL GUSTAV CARUS

Psyche
Zur Entwicklungsgeschichte der Seele

Einleitung

Der Schlüssel zur Erkenntnis vom Wesen des bewußten Seelenlebens liegt in der Region des Unbewußtseins. Alle Schwierigkeit, ja alle scheinbare Unmöglichkeit eines wahren Verständnisses vom Geheimnis der Seele wird von hier aus deutlich. Wäre es eine absolute Unmöglichkeit, im Bewußten das Unbewußte zu finden, so müßte der Mensch verzweifeln, zum Erkennen seiner Seele, d. h. zur eigentlichen Selbsterkenntnis, zu gelangen. Ist diese Unmöglichkeit nur eine scheinbare, so ist es die erste Aufgabe der Wissenschaft von der Seele, darzulegen, auf welche Weise der Geist des Menschen in diese Tiefen hinabzusteigen vermöge.

Ehe jedoch dergleichen versucht wird, ist zu erwägen, inwiefern denn wirklich das unbewußte Seelenleben die Basis des bewußten genannt werden dürfe?

Daß fortwährend der bei weitem größte Teil des Reiches unseres Seelenlebens im Unbewußtsein ruht, kann der erste Blick ins innere Leben uns lehren. Wir besitzen zu jeder Zeit, während wir nur einiger wenigen Vorstellungen uns wirklich bewußt sind, Tausende von Vorstellungen, welche doch durchaus dem Bewußtsein entzogen sind, welche in diesem Augenblicke nicht gewußt werden und doch da sind, und folglich zeigen, daß der größte Teil des Seelenlebens in die Nacht des Unbewußtseins fällt. Späterhin, wenn der merkwürdige Kreislauf des Vorstellungslebens zur Besprechung kommen wird, den ich in meinem System der Physiologie[1] zuerst in die Lehren der Psychologie eingeführt habe, werden wir erkennen, daß man in dieser Beziehung das Leben der Seele vergleichen dürfe mit einem unablässig fortkreisenden großen Strome, welcher nur an einer einzigen kleinen Stelle vom Sonnenlicht – d. i. eben vom Bewußtsein – erleuchtet ist. Schon dadurch also, daß der größte Teil der Gedanken unseres Bewußtseins immer wieder im Unbewußtsein untergeht und nur zeitweise und einzeln wieder ins Be-

[1] Zweite Aufl. 2. Teil. S. 716.

wußtsein treten kann, ist das unbewußte Seelenleben als Basis des bewußten charakterisiert. Aber das Verhältnis geht noch weit tiefer. Alles Seelenleben, die gesamte Welt unseres innersten geistigen Daseins, die wir sehr wohl in unserem Bewußtsein von allem Äußerlichen unterscheiden, sie ruht auf dem Bewußtlosen und bildet sich nur aus diesem hervor. Wir brauchen nur einen Blick zu werfen auf die Heranbildung unseres ganzen selbstbewußten geistigen Lebens, so müssen wir gewahr werden, daß es durch und durch auf Vorstellungen, auf Gedanken basiert ist, die längst nicht mehr für uns da, die längst im Unbewußten untergegangen sind. Als kleine Kinder haben wir denken gelernt an Vorstellungen und Folgen von Vorstellungen, die für damals unerläßlich waren, uns geistig zu entwickeln, die jetzt uns aber ganz verschwunden, ganz verloren sind und verloren sein sollen, da wir *sie* nicht mehr brauchen, sondern ein Neues nun aus ihnen sich entwickelt hat. Ein ehemals *Gewußtes* ist also nun ein *Unbewußtes* und nichtsdestoweniger ist dieses Unbewußte die Basis unseres jetzigen Bewußtseins. – Dies alles drängt daher den Geheimnissen des Seelenlebens uns nicht zu nähern, bevor wir nicht *von der Art, wie überhaupt eine Menschenseele allmählich sich darlebt*, einen entschiedenen Überblick gewonnen haben. Drei große Lebensperioden sind es aber, welche in dieser Beziehung vor allem festgehalten werden müssen. Der Mensch als Individuum erscheint nämlich zuerst:

als bloße mikroskopische Urzelle, als kleinstes aus konzentrischen Hüllen bestehendes Ei; sodann

als innen im Ei Keimendes, d. i. Embryo, und zuletzt erst

als eigentlicher Mensch.

Das *erste* ist das ganz gebundene (latente) Dasein eines dem gesunden mütterlichen Organismus in seinen verborgensten Tiefen von der Geburt an mitgegebenen Keims – so noch untrennbar vom mütterlichen Leben, so ohne alle wahrnehmbare Lebensveränderungen mehrere Dezennien hindurch immer nur sich selbst gleich, und so natürlich auch ohne die mindeste Spur höherer seelischer Lebensäußerungen. Hierauf, geweckt von eigentümlichen Lebenseinwirkungen einer im Gegensatze der mütterlichen stehenden männlichen Seele, hebt die *zweite* Lebensperiode des werdenden Kindes im Schoße der Mutter an. Nach den merkwürdigsten inneren Gesetzen seines eigensten unbewußten Wesens gliedert sich das ursprünglich Einfache in Gegensätze, gestaltet und vergrößert sich der unendliche Reichtum menschlicher Bildung, aber – noch ist diese Bildung sehr, ja ausnehmend verschieden von der des reifen Menschen.

Ein im Ei keimender, ein von Hüllen umgebener Embryo, alle seine der spätern Wechselwirkung mit der Welt bestimmten Organe noch nach dem Innern der Hüllen gekehrt: so stellt er sich dar in dieser Lebensperiode, und nichts ist auch hier, was in diesem Eigeschöpf irgendein Aufdämmern eines Bewußtseins verriete. In unserer gereiften Seele ist daher auch nichts, was irgend an und für sich eine Erinnerung jenes Lebens, eine Reminiszenz aus unserer zweiten Lebensperiode genannt werden könnte. Alles Dasein, alles Wirken des göttlichen Funkens, jenes inneren Urbilds, welches zur Selbstschau noch nicht erwacht ist und welches sich jetzt allein noch als ein geheimnisvoll Schaffendes bewährt: es beweiset sich in diesem seinen Unbewußtsein nicht minder als ein mit größter Weisheit und nach wunderbaren Gesetzen fort und fort *bildendes gestaltendes* Leben; ein Leben, welches, je deutlicher es erkannt wird, um so mehr vorbereiten kann auf das Verständnis der Wunder der höheren Offenbarungen der Psyche, und dessen Darstellung ich deshalb ein zweites Werk »Physis« gewidmet habe, welches durch und durch bestimmt ist, dem gegenwärtigen als ein wesentliches Komplement zu dienen.

Die *dritte* und *eigentlich menschliche Lebensperiode* ist es nun, welche mit der Geburt sich eröffnet, und wie jetzt eine weite Außenwelt mit dem Organismus in mannigfaltige Wechselwirkung tritt, so dämmert allmählich in den dunkeln, bis dahin bewußtlosen Regionen der Seele eine schwache Unterscheidung des eigenen Seins vom fremden Sein auf, und nach und nach, und mit periodisch immer wiederkehrendem Versinken ins unbewußte Leben, entwickelt sich bei herannahender Lebensreife die eigentümliche Welt der selbstbewußten, fühlenden, wollenden und erkennenden Seele aus jenem frühern bewußtlosen Zustande.

Dies in ganz flüchtigem Umrisse die Wesenheit unserer Entwicklung als Mensch, als *Seele.* Nur wenn wir uns streng an die Erkenntnis hievon festhalten, nur wenn wir uns hüten, hier irgend willkürlich etwas hinzuzudenken, nur wenn wir treu und ausdauernd in uns schauen und dazu gelangen: – ich möchte sagen – *unser Dasein geistig zu rekonstruieren* von dem bewußten Sein ins Unbewußte zurück, dürfen wir hoffen das zu finden, was ich im Eingange den Schlüssel zur Erkenntnis des bewußten Seelenlebens genannt habe, nämlich das *Verständnis des Unbewußten durch das Bewußtsein.* Dieser Weg der Betrachtung ist schwer, aber nicht unmöglich. Wir verfahren hier im Geistigen wie wir im Leiblichen verfahren, wenn wir die organische Entwicklung, die wir selbst durchleben und doch nicht kennen, aus Beobachtung eines Fremden, studieren und kennenlernen, und diesen Weg werden wir daher bei gegenwärtiger Untersuchung durchaus verfolgen. [...]

I. Vom unbewußten Leben der Seele

c. Von dem wesentlich Unbewußten des Vorganges, durch welchen innerhalb der Gattung die Individuen vervielfältigt werden

[...] Einen ursprünglichen Gegensatz bemerken wir zuerst, welcher durch all diese Unendlichkeit der innerhalb der Menschheit begriffenen einzelnen Ideen hindurchgeht, es ist ein Gegensatz, in welchem sich der höchste Dualismus der Welt: Idee und Äther – Purusha und Prakriti der Hinduphilosophie – Form und Stoff – wiederholt, nämlich *der Gegensatz des Männlichen und Weiblichen*. Fortwährend weicht deshalb in ihrer stetigen Wiedergeburt die Menschheit in *zwei wesentlich gleichzählige Hälften* des Männlichen und Weiblichen auseinander, und fortwährend geht auch wieder diese Wiedergeburt selbst aus der stets sich erneuenden Vereinigung dieser getrennten Hälften auf diejenige unbewußte Weise hervor, welche eben weiter oben auseinandergesetzt worden ist. Nur in dieser unerläßlichen Notwendigkeit, ein höheres Ganzes zunächst symmetrisch in zwei große Gegensätze innerhalb seiner Einheit zu scheiden, liegt eben der allein zureichende Grund jener von *Hufeland* nur in seiner teleologischen Beziehung erkannten und zuerst nachgewiesenen merkwürdigen Gleichzahl der Geschlechter, eine Gleichzahl, welche daher auch keineswegs allen übrigen Geschlechtern der Lebendigen eigen ist, als in welchen das Übergewicht der Zahl bald auf die eine, bald auf die andere Seite fallend gefunden wird.

Innerhalb dieses ersten, durch die gesamte Menschheit gehenden Gegensatzes treten fernerhin vielfältige andere Gegensätze hervor, und auch diese teils unmittelbar in der Ursprünglichkeit der Idee der Individuen selbst begründet, teils durch die Verschiedenartigkeit und Beweglichkeit des Lebens überall erhöht und erweckt. Es bilden sich so eine Menge von Kreisen in Kreisen; immer aber stellt sich als ein bestimmtes Gesetz hervor, daß, je stärker das bewußte Leben des Geistes sich entwickelt, um so entschiedener der Gegensatz zwischen den Individuen, und um so deutlicher die Mannigfaltigkeit menschlicher Naturen sich hervorhebt. Für jenen ursprünglichsten der Gegensätze in der Menschheit, welcher ganz und gar durch das Unbewußte begründet ist: für den Gegensatz des Männlichen und Weiblichen, folgt aus diesem Gesetze, daß deshalb, weil im Männlichen der höhere bewußte Geist insbesondere sich zu entwickeln bestimmt ist, auch die Verschiedenheit der Individuen im männlichen Geschlecht stärker begründet und mehr offenbart sein muß als im weiblichen; und ebenso gilt dieses Gesetz für die Kreise der verschiedenen Lebensalter, ja für die wesentlich verschiedenen, durch Einfluß der Erdnatur gesonderten Stämme der Menschheit. Im indifferentesten Alter der Kindheit sind die Individuen noch weniger verschieden, während im Lebensalter, wo der bewußte Geist am kräftigsten hervortritt, die Individualitäten am weitesten auseinanderweichen, so wie sie freilich eben darum auch erst in dieser Zeit der stärksten Anziehung gegeneinander fähig sind. Was die Stämme der Menschheit betrifft, welche nach den vier stetig um die Erde kreisenden Zuständen des Planeten, nach Tag und Nacht, Morgen- und Abenddämmerung, in die vier großen Abteilungen der Tagvölker, Nachtvölker und östlichen und westlichen Dämmerungsvölker zerfallen[1], so sind es natürlich die Tagvölker, in welchen auch der Tag der Seele – das Bewußtsein – am vollkommensten sich erschließt, und darum weichen auch unter ihnen die Eigentümlichkeiten der Individuen am stärksten auseinander, während sie in den Nachtvölkern (Negern) schon in den ursprünglichsten Anlagen der Seele entschieden einförmiger gegeben sind. [...]

d. Von dem, was in einer ihrer selbst bewußt gewordenen Seele immer noch dem Reiche des Unbewußtseins angehört

Wer den vorhergehenden Betrachtungen mit Aufmerksamkeit gefolgt ist, wer sich nun deutlich gemacht hat, wie wir selbst – etwa wie ein Kristall unbewußterweise nach der Idee seiner geometrischen Gestaltung anschießt – durch ein gänzlich unbewußtes Walten der Idee, d. h. des ursprünglich Göttlichen in uns, *werden*, entstehen und fort und fort da sind, der wird nun auch von der Macht, welche, abgesehen von dem bewußten Geiste, immerfort das Unbewußte in uns haben und behalten muß, sich bald näher überzeugen können. Diese Überzeugung nun im einzelnen zu entwickeln und zu kräftigen, wird insbesondere die Aufgabe des gegenwärtigen Abschnittes sein. Vor allen Dingen scheint es aber für diesen Zweck wichtig, ausführlicher darauf hinzuweisen, daß nicht bloß *in einer* Art, sondern *in mehreren Formen das Unbewußte unseres Seelenlebens sich betätigt*.

Zum Teil konnte nämlich allerdings schon das Vorhergehende auf dergleichen Verschiedenheiten im Unbewußten aufmerksam machen; gegenwärtig aber, wo wir nun von der Höhe des bewußten Geistes dorthin zurückblicken wollen, und noch einmal alle Formen unbewuß-

[1] Siehe mein System der Physiologie. 2. Aufl. 1. Bd. S. 146.

ter Betätigung des eingeborenen Göttlichen innerhalb unseres Wesens übersichtlich zusammenzufassen gedenken, kann es uns nicht entgehen, daß dergleichen Unterscheidungen hier zur Vervollständigung einer wissenschaftlichen Erkenntnis notwendig gemacht werden müssen.

Zuerst nämlich werden wir genötigt anzuerkennen, daß es eine Region des Seelenlebens gebe, in welche wirklich durchaus *kein* Strahl des Bewußtseins dringt, und diese können wir daher das *absolut Unbewußte* nennen. Dieses absolut Unbewußte verbreitet sich aber entweder noch über alles Walten der Idee in uns *allein*, und dann nennen wir es *das Allgemeine*. So fanden wir es im embryonischen Dasein – es war das noch *ausschließend in der Bildung* Waltende der Idee, der Idee, die wir eben deshalb eigentlich hier noch nicht mit dem Namen – Seele – bezeichnen. Oder aber das absolut Unbewußte ist *nicht mehr allein und ausschließend* der Charakter *alles* Seelenlebens, sondern es hat sich zwar irgendwie ein Bewußtsein entwickelt, die Idee ist wirklich Seele geworden, aber auch hiebei verbleiben alle Vorgänge des bildenden, zerstörenden und wieder gestaltenden Lebens ganz ohne Teilnahme des Bewußtseins, und ein solches Unbewußtes ist daher nicht mehr ein Allgemeines, sondern nur ein *Partielles*. Dem absoluten oder schlechthin Unbewußten ferner, wie es bald als Allgemeines, bald als Partielles erkannt wird, steht gegenüber das *relativ Unbewußte*, d. h. jener Bereich eines wirklich schon zum Bewußtsein gekommenen Seelenlebens, welcher jedoch für irgendeine Zeit jetzt wieder unbewußt geworden ist, immer jedoch auch wieder ins Bewußtsein zurückkehrt, ein Bereich, welcher immerfort selbst in der ganz gereiften Seele den größten Teil der Welt des Geistes umfassen wird, weil wir in jedem Augenblick doch immer nur einen verhältnismäßig kleinen Teil von der ganzen Welt unserer Vorstellungen wirklich erfassen und gegenwärtig halten können.

In den folgenden Betrachtungen wird es nun unsere Hauptaufgabe ausmachen, das Verhältnis jenes absoluten, jedoch nur partiellen Unbewußten, wie es neben dem, was zum Bewußtsein gelangen kann und wirklich gelangt, besteht, ausführlicher zu schildern. Was das absolute und zwar allgemein Unbewußte der Seele während der embryonischen Bildungsperiode betrifft, d. h. jenes wunderbare Leben, wo die Idee als göttlicher Grundgedanke einer ganzen menschlichen Existenz, so geheimnisvoll und verschlossen in sich ruhend, doch *prometheisch* das ganze merkwürdige Gebilde des Organismus entfaltet, in dem späterhin der bewußte Geist sich regen und entwickeln soll, so ruht auf ihm recht eigentlich der *Schleier der Isis*, der dem Bewußtsein sich nie wahrhaft heben kann; nichtsdestoweniger jedoch führt uns Analogie und

Vergleichung auch in *dieser* Beziehung *dahin*, wissen zu können, *daß eine* und *dieselbe* Intelligenz dort wie hier waltet, und zwar waltet als ein wahrhaft *»unbewußtes Denken«*.

Verständlicher wird allerdings schon dem bewußten Geiste das, was wir oben das *partiell Unbewußte* genannt haben; denn wenn einmal, in einer Weise, von welcher später zu reden ist, der Strahl des Bewußtseins sich entzündet hat, so macht dieses auch sogleich das hier bezeichnete Unbewußte in uns weit mehr gegenständlich. So etwa macht erst das angezündete Licht uns die Nacht in ihrer Dunkelheit recht deutlich und erkennbar. In den Bereich dieses partiell absolut Unbewußten fällt dann immer noch alles, was auch im allgemeinen und absolut Unbewußten ihm angehörte – alle Bildungsvorgänge, alles, was Wachstum, Ernährung, Blutleben, Atmung, Absonderung heißt, gehört ihm an, während an dem System, welches wir das *rein seelische* genannt haben, am Nervensystem und den Sinnen, ausschließend der Bereich des bewußten Seelenlebens vollständig sich entwickelt. Dabei ist übrigens nie zu verkennen, daß auch diese Form des Unbewußten immer ein Strahl sei derselben Seele, welche in anderer Region wirklich als Bewußtsein sich offenbart, und eben weil es wirklich derselben Seele angehört, so müssen auch alle seine Umstimmungen auf irgendeine Weise durch *alle* Regionen des Seelenlebens überhaupt hindurch, und also irgendwie doch selbst im Bewußtsein sich geltend machen. Das, was wir *die Gefühlswelt des Geistes* nennen, wird hauptsächlich durch diese Reflexe uns erklärlich. So finden wir also z. B. nur deshalb, daß ein vorherrschendes Leben der Verdauung die Beweglichkeit und Leichtigkeit des Vorstellungslebens stört, wie eine veränderte Stimmung des Blutlebens nicht ohne Einfluß bleibt auf die Stimmung des Geistes usw., weil das stärkere Anklingen aus jenen dunkeln Regionen hinauf in die hellen Regionen des Bewußtseins sich dort nur zu bestimmt in mannigfachen Gefühlen geltend macht. Wie wir daher schon früher bemerkt haben, suchte man gerade deshalb oftmals, bei ungeläuterten Begriffen im ganzen, in solchen Wirkungen des Unbewußten und Bewußten irrtümlicherweise nur Belege von den verschiedenen Arten des Verkehrs zwischen Leiblichem und Geistigem, während man jetzt nach den vorausgegangenen Aufklärungen gar leicht gewahr werden kann, daß eigentlich immerdar bei solchen Verhältnissen einzig und allein vom Verkehr zwischen gewissen Regionen des unbewußten und gewissen anderen des bewußten Seelenlebens, welche beide immer nur verschiedene Strahlen *desselben Göttlichen und Einen* sind, die Rede sein darf. Die nahe Beziehung dieses scheinbar Geringen, d. h. des partiell Unbewußten, zu dem Höheren, d. h. zum reinen Bewußtsein, zum gereiften

Geiste, darf man sich übrigens vielleicht unter dem Bilde deutlich zu machen suchen, daß man etwa vergleicht die Äußerung des vollen bewußten Seelenlebens der leuchtenden Spitze einer jener gotischen Dome, die das Auge durch den Reichtum ihrer Verzierungen und das Himmelanstrebende ihrer Gesamtform anziehen, die aber weder in ihrer Schönheit leuchten und sich erhalten, noch in ihrer Höhe getragen werden könnten, wenn nicht der unsichtbar tief in der Erde ruhende Grund (hier das Gleichnis des vollkommen Unbewußten) sie überall stützte und die innere künstliche Fügung des Mauer- und Eisenwerkes sie durchaus befestigte. Wirklich ganz auf dieselbe Weise, wie jene glänzende Außenseite vom unscheinbaren Grunde eines Gebäudes, hängen alle die hohen und höchsten Qualitäten des bewußten Seelenlebens von tausenderlei Beziehungen auf das Unbewußte der Seele ab, und wie jene Spitze des Doms unrettbar stürzt, wenn nur *eine* Eisenklammer reißt oder ein Eckstein des Grundes weicht, so verschwinden auch sofort die glänzendsten Erscheinungen des Geistes, wenn dem unbewußten Wirken der Seele, wie es etwa den Blutstrom des Herzens lenkt, oder den Wechsel der Atmung regiert, nur das kleinste Hindernis entgegengestellt wird. Dies alles wird gewöhnlich keineswegs hinreichend bedacht, oder, wenn es bedacht wird, einer beklagenswerten Abhängigkeit des Geistes vom Körper zugeschrieben, während es doch *dem* Auge, welches diese Erscheinungen in ihrer Totalität aufzufassen vermag, durchaus als ein schönes und notwendiges Zeichen der gemeinsamen Begründung beider Sphären des Seelenlebens, der bewußten und unbewußten, *in einer und derselben göttlichen Wesenheit* oder Idee, erscheinen muß.

Gewiß, es sind diese Gegenstände für die Möglichkeit einer wahrhaft wissenschaftlichen Psychologie von der ungeheuersten Bedeutung, und eben deshalb wird ein großer Teil der gegenwärtigen Schrift es sich ganz besonders zur Aufgabe machen, gerade hierüber ein helleres Licht zu verbreiten.

Wir sprechen es daher hier nochmals bestimmt aus, daß, wem es irgend gelingt in der auf der Höhe des Unbewußten entwickelten bewußten Welt des Geistes, jene wunderbaren und geheimnisvollen Vorgänge der unbewußten Welt der Seele nur einigermaßen zu erfassen – Vorgänge, auf welchen die bewußte Geisteswelt gleich einem leuchtenden Regenbogen auf einer dunkeln Regenwand nur leichtbeweglich schwebend sich erhält –, dem sei schon im wesentlichen seiner Erkenntnis geholfen, und dem werden unvermerkt, je mehr er in diese Gegenstände eindringt, um so bedeutendere Resultate sich ergeben.

[...]

II. Vom bewußten Leben der Seele

g. Von den verschiedenen Strahlungen des Seelenlebens

[...] Alles, was in der Nacht des Unbewußtseins unsere Seele in uns bildet, schafft, tut, leidet, drängt und brütet, alles, was dort sich regt, nicht bloß unmittelbar am eigenen Organismus sich kundgebend, sondern ebenso was angeregt ist von Einwirkungen anderer Seelen und der gesamten Außenwelt, welches alles bald heftiger, bald milder auch unser inneres unbewußtes Leben durchdringt: alles dies klingt auf eine gewisse Weise aus dieser Nacht des Unbewußtseins auch hinauf in das Licht des bewußten Seelenlebens, und diesen Klang, diese wunderbare Mitteilung des Unbewußten an das Bewußte, nennen wir – *Gefühl.* Gefühl, diese ganz eigene Färbung der bewußten Seele, welche nun gleich den wahrhaft bewußten Vorstellungen sich in dem selbstbewußten Geiste einlebt und fortlebt, welche aber alles, was wir von der unbewußten Seele ausgesagt haben, alle diese Unmittelbarkeit, diese Notwendigkeit, dieses in sich Vollendetsein, und der Übung und des Eingewöhnens nicht Bedürfende, dieses Unermüdliche, dieses ganz Unwillkürliche und alles dieses Unergründliche mit dem durchaus Unbewußten teilt, es ist unbedingt der erste Strahl, die erste große eigentümliche Seelenrichtung, welche hier der Erwägung sich darstellt. [...]

Die Geschichte der Liebe

[...] Nun ist aber ferner zu bedenken, daß die Menschheit sich von allen uns sonst bekannten Kreisen des Lebendigen unterscheidet durch die unendlich verschiedene Ausprägung der Individualität, daß daher auch der ursprüngliche Gegensatz der Menschheit in den Geschlechtern in unermeßlich verschiedene Formen sich ausdrücken muß, und daß also (wie ganz scharf erwiesen werden könnte) wirklich *jedes Individuum eines Geschlechts* eigentlich auch nur *ein einziges ihm ganz vollkommen in der Gleichartigkeit entgegengesetztes Individuum des andern Geschlechts* auffinden kann. (Daher schon die alte halb humoristische Mythe des Plato von den auseinandergetrennten Urmenschen, deren Hälften nun überall sehnsüchtig sich suchten.) In diesen Verhältnissen liegt es also, daß lange bevor etwas von eigentlichem Liebesgefühl zum Bewußtsein kommt, Beziehungen des Individuums zu anderen bestehen, daß ein Drang, eine Sehnsucht, ein Suchen vorhanden ist, welches mit Notwendigkeit tief in der unbewußten Region der Seele wurzelt, welches zuerst in seiner ganzen Unbestimmtheit nur traumartig sich ahnen läßt, und welches doch dahin deutet, das Indidividuum zu erreichen, *das* sich anzueignen, in *dem* unterzugehen, welches nicht nur in der Gattung und im allgemeinen seinen organischen Gegensatz bildete, sondern welches *ihm allein* ganz speziell die Erfüllung seines Daseins gewähren könnte. Schon hier tritt nun ein wichtiges Moment zur bestimmten Geschichte der Liebe hervor, denn es zeigt sich alsbald, daß je individueller und feiner die Organisation einer Individualität ist, um so weniger sie die Befriedigung ihres tief eingeborenen Verlangens und Sehnens bloß in der Gattung, bloß in der Erfassung und Aneignung des überhaupt geschlechtlich Entgegengesetzten finden kann, sondern um so mehr die auch nur gerade *ihm* entgegengesetzte Individualität suchen und mit aller Macht anstreben muß. Ja es wird sich in dem Streben nach dieser Befriedigung sogar oftmals *das* wieder ergeben, was oben schon von dem Streben nach der Seligkeit gesagt worden ist, nämlich daß auch in diesem Suchen *die vielfältigsten Irrtümer* vorkommen, daß mehrfache *Scheinbilder* des eigentlichen, *allein* gemäßen Gegensatzes dem Suchenden begegnen, welche zeitweise für das höchste Ziel gehalten werden, und welche immer wieder verblassen, wenn es gelingt und beschieden ist, daß der wahrhaft das ganze Dasein ausfüllende Gegenstand endlich wirklich erreicht wird[1]. Dies Suchen, dieses Anstreben, diese Sehnsucht bietet übrigens in den beiden Geschlechtern manche Verschiedenheit dar. Man könnte vielleicht sagen, der Mann, dessen stärkere Intelligenz und Willenskraft das Gefühl etwas mehr verschleiert und verdeckt, experimentiere mehr in seinem Suchen und sei eben dadurch, und weil er mehr den Sinnen und der Erkenntnis vertraut, öfteren Irrtümern unterworfen, während das Weib (wie schon oben erwähnt) in seinem vorwaltenden Unbewußtsein mit der Wünschelrute des Gefühls – mehr einem Rhabdomanten ähnlich – im Leben umwandelt, und darum wohl häufiger als der Mann es erfährt, daß ihr Inneres *erst da*, und oft *vor* ihrem deutlichen Erkennen, vollkommen ergriffen und von Liebe entzündet wird, wo das eigentliche Urbild ihr entgegentritt.

[1] Wir nennen in der Tierwelt *Gattung (Species)* den Inbegriff *aller* wesentlich gleichartigen, sich untereinander fortpflanzenden Individuen; und unterscheiden davon Geschlecht *(Genus)*, Ordnung und Klasse. Was die Menschheit betrifft, so ist darin Klasse, Ordnung und Geschlecht *in eines* zusammen gezogen; daraus folgt nun ganz angemessen auch ein engerer *Begriff der Gattung*, nämlich nicht als Inbegriff *aller* Menschen, sondern als Begriff *des Paares*, d. h. der beiden sich allein wahrhaft entsprechenden und dadurch im höheren Sinne zur Fortbildung des Geschlechts bestimmten Individuen (daher Gatte – Gattin).

Aus diesem allen folgt nun, daß, um das Wesen der Liebe zu begreifen, wir allemal *mit der unbewußten Notwendigkeit* beginnen müssen, und eben darin, in diesem Unbewußten, liegt nun die große Gewalt, die ganze Unmittelbarkeit, die hohe Vernunft, das eigentliche Recht, und hinwiederum die Schwäche, der Mangel an Verstand und Gesetz, und überhaupt der stete Widerspruch, wie er zwischen Unbewußtem und Bewußtem immer bestehen wird. Eben daher bleibt auch das Aufgehen der Liebe selbst immer ein Wunder, d. h. ein nicht weiter Erklärliches. Es ist hier wie mit dem Bewußtsein: wir können die Bedingungen nachweisen, die es möglich machen; das Bewußtsein selbst tritt immer als ein Wunder hervor. So auch mit der Liebe: die Bedingungen derselben sind nachzuweisen; ihr Auftreten selbst ist an sich mystisch und unerklärlich. Von hier aus begreift sich nun auch die sonderbare Wahrnehmung, welche bisher von Dichtern mehr ausgesprochen als von Psychologen erfaßt worden war, daß nämlich bei diesem Gefühl statthat, was bei keinem andern in diesem Maß vorkommt, nämlich eine gewisse *Verwunderung*, ja ein *Erschrecken* des bewußten Geistes über das Auftauchen dieses Gefühls aus dem Unbewußten. *Dante* in seiner *vita nuova* vereinigt hier wie immer den Dichter und Philosophen, wenn er bei Schilderung des ersten Aufflammens der Liebe sagt: »Der Geist des Lebens, der in der verborgensten Kammer des Herzens wohnt, begann so heftig zu erzittern, daß er in den kleinsten Pulsen sich schrecklich offenbarte, und zitternd sprach er die Worte: *Ecce deus fortior me veniens dominabitur mihi.*« Allerdings nämlich muß dem bewußten Geiste jede sehr heftige Überflutung durch eine besondere Regung des unbewußten Lebens, oder der unbewußten Seele, ein gewisses Erschrecken und Erstaunen geben, weil *ihm*, d.h. der zu größerer Selbständigkeit gekommenen Seele, hier etwas mitgeteilt, ja obtrudiert wird, was seinem innersten Wesen doch eigentlich fremd ist; aber in keinem Falle kann dies so mächtig wirken als bei der Liebe, als welche nicht nur den bewußten Geist überhaupt mit Unbewußtem überwältigt, sondern auch die gesamte Individualität gegen die einer fremden Seele hinreißt, und solchergestalt zwiefach die Existenz des bewußten selbständigen Geistes bedroht. Nichtsdestoweniger ist diesem Erschreckenden und Drohenden auch wieder seine vollkommene Beschwichtigung vorbereitet, wenn endlich in dem bewußten Geiste nun die Erkenntnis aufgeht, daß die wahrhafte Erfüllung des gesamten Seelenlebens, und somit *eine eigentümliche Seligkeit*, doch eigentlich erst in dem Finden und Erfassen, ja Durchdringen einer andern Seele gegeben sein kann, einer Seele, in welcher eben das wahrhafte Komplement des eigenen Daseins zur Erscheinung gekommen ist. Freilich, daß diese

Befriedigung wirklich zustande komme, setzt voraus, daß kein bloßes Scheinbild des wahrhaften in Gleichartigkeit Entgegengesetzten es sei, welches das Gefühl erregt, und daß im Individuum selbst noch *die volle Lebendigkeit des Daseins* vorhanden sei, welche eine solche Sehnsucht nach dem Finden dieses Gegensatzes bedingt. Nur wo es gegeben ist, daß anstatt eines Scheinbildes ein wirkliches Urbild der Liebe erfaßt wird, kann dann der Seele *das* aufgehen, was man richtiger eine *stets wachsende Seligkeit* im Erkennen des Geliebten nennen darf, als jener skeptische Philosoph berechtigt war, von einem *stets wachsenden Kummer* zu sprechen, in welchem der Mensch leben müsse über das Rätsel der Welt und des menschlichen Daseins. Wie mannigfaltig daher die Bewegungen der menschlichen Seele sind, welche sich begeben, wenn ein Widerstreit des Bewußten gegen das Unbewußte dadurch veranlaßt wird, daß der bewußte Geist erkennen muß, es sei *mehr ein Scheinbild* als das Urbild des eigentlich gemäßen Gegenstandes, wodurch, als durch eine Täuschung, das Liebesgefühl erregt worden sei, und es sei etwa die Täuschung entstanden dadurch, daß der allgemeine Gegensatz des Geschlechts für den wahrhaft individuellen genommen worden, davon kann vielfältig die innere Geschichte aller der Menschen Zeugnis geben, welche überhaupt viele Phasen von Entwicklungszuständen ihres gesamten Wesens erlebt haben. Überhaupt ist hier gleich mit darauf aufmerksam zu machen, daß durch die mächtigen Erregungen, welche das Liebesgefühl in der ganzen Wesenheit des Menschen hervorruft, und durch den mannigfaltigen Widerstreit, der sich hiebei begibt, so wie durch das Schwanken der Seele zwischen Glück und Befriedigung und Unglück des Nicht-Befriedigtseins, auf die merkwürdigste Weise zu der Entwicklung der Seele beigetragen werden muß und wirklich beigetragen wird, und daß schon deshalb das Studium dieser Zustände stets eine der wichtigsten Aufgaben bleiben wird für die Geschichte der Seele.

Was die andere Bedingung betrifft, unter welcher die Seligkeit der Befriedigung erreicht wird, so mußten wir sie setzen *in die noch bestehende volle Lebendigkeit des Daseins*; denn wenn überhaupt die ganze Welt der Gefühle bei verminderter Lebendigkeit des Organismus abzublassen beginnt, so ist namentlich das den Gegensatz der Geschlechter vereinende Liebesgefühl, *als solches*, ohne diese Lebendigkeit durchaus undenkbar, und es ist sehr merkwürdig zu beachten, wie auf dem scheinbar Niedrigen hier ein sehr Hohes notwendig mit begründet ist. So wenig als der geschlechtlich verkümmerte Mann, ist daher die geschlechtslose, also nur scheinbare Frau dieses Gefühls fähig, und es hat mir immer eigene Betrachtungen gegeben, wenn ich die Originalbriefe von Abälard und Heloise gelesen habe, darauf zu achten, wie bei ihm, dem gewaltsam zerstörten Manne, bei ihm, der früher durch seine von Mund zu Mund gehenden Gesänge und die ganze eigentümliche Liebesbegeisterung in seiner Geschichte entschieden gerade *dieses* Liebesgefühl heftig betätigt hatte, nur noch ein gewisser leerer Formalismus in den später geschriebenen Briefen sich ausspricht; während in *ihren* unter dem Nonnenschleier geschriebenen Briefen die wahre Empfindung der Liebe, in dem ganzen Verständnis der Notwendigkeit ihres vollkommenen Untergehens in dem geliebten Wesen, sich kundgibt. – Eben daher ist auch dieses Gefühl mehr als irgendein anderes an eine bestimmte Lebensperiode gebunden, und so wenig das Kind *dessen* fähig sein kann, so wenig ein weit vorgeschrittenes höheres Alter; ja eben deshalb, weil im allgemeinen das Weib früher geschlechtlich abstirbt als der Mann, so wird in letzterem oft in der spätesten Lebensperiode das Liebesgefühl noch in voller Macht hervortreten, während es in der hochbejahrten Frau als fortbestehendes zu den sehr seltenen Ausnahmen gehört.

Übrigens bleiben in der Geschichte der Liebe noch zwei Momente sehr charakteristisch und merkwürdig: das eine ist die eigentümliche *exklusive* Natur dieses Gefühls, das andere der Kreislauf und dessen Betätigung, wie es *vom Unbewußten* ausgehend, auch nur in der *Wiederkehr zum Unbewußten* seine Vollendung findet. In erster Beziehung finden wir nicht nur, daß die Liebe exklusiv ist in ihrem Gegenstande, und zwar so, daß sie selbst durchaus abweisen möchte die gleiche Liebe anderer zu demselben Gegenstande, daß sie selbst nur in wahrhafter Lebendigkeit gegen *einen* Gegenstand sich richten kann, und nicht minder dieselbe Einheit von ihm fordert, sondern sie ist auch exklusiv in der eigenen Seele, und drängt hinweg und hinaus alle andern Gefühle, Bestrebungen und Erkenntnisse; sie will nur sich selbst, nur das eine, welches alle und jede Regung der Seele erfüllen soll, und nur in dieser Alleinherrschaft[1] wird sie sich in ihrer vollen Macht beweisen und auch nur so jene eigentümliche Seligkeit offenbaren, welche als eine wunderbare Erscheinung eine gewisse Lebensperiode dadurch verklären kann, daß sie der individuellen Existenz die volle Befriedigung durch ein anderes Dasein gewährt. Dies Exklusive der Liebe zeichnet sie entschieden vor allen andern Gefühlen aus und gibt ihr

[1] Es ist merkwürdig zu verfolgen, wie das Exklusive des Liebesgefühls nach so vielen Richtungen sich offenbart! ja ist es nicht sehr bedeutungsvoll, daß unter den drei großen Verkündigungen an die Menschheit – der der Schönheit (durch die Griechen), der der Liebe (durch Christus) und der der Wahrheit (in der aufdämmernden Neuzeit) – nur die Liebe allein *durch einen* offenbart worden ist, während das Schöne und die Wahrheit *viele* Verkündiger fanden!

übrigens etwas, wodurch ein Übergang zur Monomanie immer im höchsten Grade erleichtert wird. Was zweitens die Rückkehr zum Unbewußten betrifft, so ist es ausgesprochen in der *inneren Nötigung*, welche durch dieses Gefühl gegeben ist, die Vereinigung der Geschlechter anzustreben, und *trotz allem*, was in der bewußten Seele in Erkenntnis des Liebesverhältnisses an Glück geboten ist, doch schlechterdings, als zur höchsten Befriedigung eines eingeborenen Verlangens, das Geheimnis der organischen Verbindung zu fordern, deren höchstes Glück eben wieder als Hingeben, ja Lösen des Bewußtseins im Unbewußtsein empfunden wird. Dieser Kreislauf wird aber um so bedeutungsvoller, wenn wir bedenken, daß eigentlich nur an *ihn* die Fortbildung der Menschheit geknüpft, und nur *von ihm* es immer bedingt sein sollte, daß aus einer eigentümlichen Bildung des Frauen-Organismus hervor immer neue, wieder selbständige, individuelle menschliche Organismen sich entwickeln. Wäre es freilich denkbar, daß *alle* Fortbildung der Menschheit nur *an diesem* Kreislaufe, d. h. durch ein zu wahrhaft hohem und schönem Bewußtsein gekommenes, im Unbewußtsein des Liebesmysteriums sich vollendendes und immer wieder im Bewußtsein auftauchendes Gefühl sich entwickelte, so würde allerdings eine andere Blüte der Menschheit die Erde bevölkern, als jetzt der Fall ist, jetzt, wo bei weitem der allergrößte Teil der Menschheit in seiner Fortbildung an Verhältnisse geknüpft ist, welche von der höheren Bedeutung des Liebesgefühls nur zu weit entfernt sind! [...]

Mächtig endlich sind die Veränderungen, welche im *unbewußten Leben*, d. h. dort, wo die *Wurzel* alles Liebesgefühls liegt, durch dasselbe angeregt werden. Zuerst ist die Welt der halb unbewußten Vorstellungen, welche wir Ahnungen, Träume, Wirkungen in die Ferne nennen, nirgends so belebt als in der von Liebe bewegten Seele. Die Verallgemeinerung im Unbewußten, von welcher ich oben gesprochen hatte, vermöge welcher alles in der Nacht des Unbewußtseins Eingetauchte mehr in dem einen großen Kreise allgemeinen Naturlebens festgehalten und verbunden ist, während alles zum Bewußtsein Gekommene mehr selbständig und abgesondert sich verhält, ist für eben diese Vorahnungen, Empfindungen in die Ferne und aus der Ferne, für die mannigfaltigen Anziehungen, Abstoßungen und Nervenüberströmungen, wie sie in der Gefühlswelt des Liebenden vorkommen, die alleinige und hinreichende Erklärung. Eben von hier aus versteht man allein, daß, wie mit der Gesamtheit der Welt, so und noch viel mehr mit dem geliebten Gegenstande, der Liebende in unbewußtem Vereinleben besteht, so daß eben deshalb auch die wunderbarsten Überströmungen in die Ferne hier niemals unerwartet sein können. Aber auch die ganz unbewußt im leiblichen Leben der Liebenden sich begebenden Umstimmungen sind stark und bedeutend: denn nicht genug, daß die hier rastlos wechselnden Regungen von Freude und Trauer in alle den verschiedenen *diese* Gefühle charakterisierenden Strömungsänderungen des Blutsystems und aller Säfte sich darleben, so ergeben sich noch teils in den mannigfaltigen Strömungen der Innervation, teils in den Organen, welche ganz eigentlich das Geschlechtsleben repräsentieren, die wichtigsten Umstimmungen durch eben dieses Gefühl. Magnetisch wirkt selbst in der feinsten und reinsten Organisation die Nähe, ja oft der Gedanke und noch weit mehr schon die leiseste Berührung unter Liebenden in diesen Richtungen, und so schamhaft auch der bewußte Geist vor dem Mysterium lebendigster Erregung der Geschlechtssphären sich verhüllt, so muß er doch im stillen anerkennen, daß eben nur erst *dann*, wenn er selbst in solchen unbewußten Aufregungen wieder momentan gänzlich untergeht und sich verliert (wie die Sprache denn solche Zustände selbst ein »Außer-sich-sein« nennt), der Kreislauf dieses Gefühls vom Unbewußten durch das Bewußte wieder zum Unbewußten vollständig beschlossen, und die eigentliche Befriedigung und Vollendung des Liebesgefühls erreicht sei. [...]

h. Von dem Verhältnis der Seele zu andern Seelen, zur Natur und zu Gott

[...] Will man es sich jedoch jetzt im einzelnen deutlich machen, auf welche Weise dies Verhältnis von Seele zu Seele insbesondere begründet werde, so muß man sogleich wieder auf den überall bedeutungsvollen Unterschied zurückblicken, daß alles Seelenleben sich teils im unbewußten, teils im bewußten Wirken offenbare, und wenn wir dieses recht bedenken, so werden hieraus vier Arten der Beziehung der Seelen aufeinander sogleich hervorgehen: 1. Wechselwirkung des einen Bewußten auf das Bewußte der andern Seele; 2. Wechselwirkung des einen Unbewußten auf das Unbewußte der andern; 3. Wechselwirkung des einen Bewußten auf das Unbewußte der andern; 4. Wechselwirkung des einen Unbewußten auf das Bewußte der andern.

Die Mannigfaltigkeit von Regungen, Vorgängen, Begegnungen, Erhebungen, Anziehungen, Abstoßungen und Depressionen, die sich in diesen verschiedenen Verhältnissen begeben, ist wahrhaft ungeheuer, denn alle Historie und alles Menschenleben spielt eigentlich nur in diesen verschiedenen Strahlungen. Es kann daher hier nicht die Aufgabe sein, zu sehr ins einzelne zu gehen, sondern nur den Beobachter menschlicher Verhältnisse darauf aufmerksam zu machen, aus wieviel verschiedenen Fäden das Verhältnis zwischen Seele und Seele sich spinnt, welches man oft nur so geradehin als einfaches zu nehmen gemeint ist. [...]

β. Von der Seelenkrankheit

Die Seelenkrankheiten in unserem Sinne werden wieder in die des unbewußten und die des bewußten Seelenlebens zerfallen. Auch hier haben wir damit anzufangen uns deutlich zu machen, was unter *Krankheit des unbewußten* Seelenlebens zu verstehen sei.

Die mannigfaltigen Lebensoffenbarungen des Unbewußten, wie sie fort und fort in der rastlosen Umbildung, Zeugung, Wiederzerstörung und Wiedererzeugung der Substanz des Organismus sich zu erkennen geben, dieses so höchst vielfältige stetige Tun, welches wir bald als Atmung, bald als Ernährung und Wachstum, Blutumlauf, Absonderung, Fortpflanzung usw. bezeichnen, sie können und müssen, da sie beständig mit unzähligen Einwirkungen der Welt im Konflikt stehen, oftmals auf das mannigfaltigste gestört werden. Eine solche Störung, eine solche Hemmung ist aber noch kein Kranksein. Dem Lungenleben kann die nötige reine Luft entzogen sein, und das Atmen wird unvollkommen und beengt, aber noch ist der Mensch nicht krank, dem Verdauungsleben können die Nahrungsstoffe entzogen werden, der Mensch hungert, dürstet, und doch ist er noch nicht krank, und so durch alle diese einzelnen Lebenserscheinungen, die wir unbewußte oder bloß leibliche Funktionen nennen, hindurch! Krankheit ist also ein gewiß Neues, ein Etwas, das entsteht und sich nach eigenen Gesetzen organisch darlebt, als ein Erzeugnis solcher Konflikte des Eigenlebens mit dem fremden Leben der Welt, und zwar sich darlebt an den einzelnen Lebenserscheinungen, den leiblichen oder geistigen Funktionen selbst. Dieses Neue, dieses Etwas, diese Idee der Krankheit, welche erzeugt worden ist als ein gewissermaßen Parasitisches zwischen der Idee des Lebens einerseits und den Ideen der Welt andererseits, wächst, lebt sich dar, vervielfältigt sich, stirbt selbst oder tötet den Organismus nach bestimmten sehr merkwürdigen Gesetzen und Verhältnissen, von denen hier weiter die Rede nicht sein kann, und welche nur insoweit hier zu besprechen waren, als sie uns über die Krankheitserscheinungen auch im Kreise des bewußten Seelenlebens Auskunft zu geben imstande sind. Der Organismus also, in dessen Lebenskreise eine solche Krankheitsidee sich eben darlebt, ihn nennen wir *krank*, seine eigene Lebensidee ist durch dieses fremdartige Leben gestört, *gekränkt*; aber nichtsdestoweniger besteht die innere Monas seines eigentümlichen

Daseins darum ebenso gewiß und sicher, als, wie wir oben beispielsweise sagten, die Idee oder der Begriff des Dreiecks ungestört derselbe bleibt, soviel ich auch wirklich körperlich dargestellte Dreiecke auflösen oder verbiegen mag. Alles Kranksein trifft sonach immer nur die Erscheinung der ursprünglichen göttlichen Idee eines gewissen Lebens, *nicht die Idee selbst.* Indes auch an der Krankheit selbst können wir im schärferen Denken unterscheiden ihre Grundidee, ihre Monas, und die an den umgeänderten Erscheinungen des Organismus hervortretenden Zeichen oder Symptome derselben. Diese Monas der Krankheit ist natürlich eine solche, welche, da sie nur an der Erscheinung anderer Ideen sich darlebt, nie selbst zu einem Bewußtsein kommen kann, sie wird stets eine unbewußte bleiben, eben darum aber *kann sie auch nur im Unbewußten unseres Lebens erzeugt und geboren werden.* Unser bewußter Geist kann ein Unbewußtes nicht erzeugen, er erzeugt und gebiert nur Gedanken, die selbst auch wieder nur für ein Bewußtes existieren, *das Bewußtlose also wird nur vom Unbewußten erzeugt*, und so kann auch die in sich unbewußte *Idee der Krankheit nur aus dem Unbewußten* unseres Wesens hervorgehen. – Diese Betrachtungen sind für alles Verständnis der Krankheit überhaupt, und besonders auch für deren Verhältnis zum bewußten Geiste, sehr merkwürdig und folgereich, denn zunächst geht daraus hervor, daß, da das Kranksein seine eigentliche Wurzel nur im unbewußten Seelenleben haben, die Idee der Krankheit *nur hier* erzeugt werden kann, *eine eigentümliche allein im bewußten Geiste wurzelnde Krankheit unmöglich sei*, obwohl es jedoch nie fehlen wird, daß die Strahlungen jedes kranken Zustandes sofort über die ganze Seele, eben weil diese durch und durch im Grundwesen ein einiges ist, sich verbreiten müssen. Eben deshalb also, weil die Wurzel der Krankheit allemal im Unbewußten zu suchen ist, verbinden wir schon instinktmäßig mit dem Ausdrucke *»Krankheit«* schlechthin nur den Begriff der im Walten und an der Erscheinung der unbewußten Seele sich darlebenden Krankheitsidee. Schlägt dagegen ein besonderer Reflex solches erkrankten unbewußten Lebens über auf den zur Entwicklung gekommenen bewußten Geist, und zwar so, daß die Störung des Geistes ein Hauptsymptom des Krankseins wird, so unterscheiden wir auch sogleich dieses Kranksein mit einem besondern Namen: wir nennen sie *Seelenstörung, Geisteskrankheit* usw. Aus diesen Gründen ist also klar, daß man durchaus vom Begriff der eigentlichen Krankheit zu trennen habe, was als abnorme Zustände rein im bewußten Leben sich erzeugt, nämlich die Zustände des Irrtums, der Fühllosigkeit und des Lasters, und daß höchstens diese Zustände *im figürlichen Sinne* als *»moralische Krankheiten«* angesehen werden dürfen. [...]

γ. *Von der besondern Erwägung der Krankheitserscheinungen am Geiste*

[...] Das kann man jedoch im allgemeinen zugeben, daß, da die Ermittelung gerade desjenigen Krankseins im Unbewußten, welches seinen Reflex auf das Bewußtsein fallen läßt, so schwer ist, oftmals auch gerade dahin schwer die ärztlichen Hilfsmittel reichen, es kaum einem Zweifel unterliegen möge, daß im ganzen weit mehr Heilungen irrer und überhaupt noch heilbarer Zustände *durch die Natur allein*, d.h. nur durch das heilsame, immer still zur Norm hinweisende Streben des Unbewußten, als durch die Kunst bewirkt werden, und daß gerade deshalb allerdings in vielen Fällen die Anordnung eines auf das unbewußte Leben sich beziehenden, vollkommen angemessenen Regimens eines der wesentlichsten Geschäfte des Arztes bleiben werde. Hiebei ist nämlich dann gar kein Anspruch gemacht, an der schwierigen, hier oftmals kaum zu erfassenden Behandlung jenes Unbewußten sich zu beteiligen – man spricht es gleichsam aus, daß man hier nur das große eigene Heilbestreben der Natur walten lassen wolle –, aber man unterstützt gleichsam durch eine Diätetik hier ebenso das leibliche Leben wie auch die höhere bewußte geistige Existenz. [...]

KARL FORTLAGE

System der Psychologie als empirischer Wissenschaft aus der Beobachtung des innern Sinnes.

Zweiter Theil.
Einleitung.

§. 51.
Der psychologische Kraftbegriff.

Recapitulation der Themata des ersten Theils. Aufgabe des zweiten. Verhältniß von Trieb und Kraft. Vergleichung des psychologischen Kraftbegriffs mit dem physikalischen.

Unsere Untersuchungen über die Seele begannen mit der Frage nach dem Wesen des *Bewußtseins*. Dasselbe gab sich uns zu erkennen als vom Wesen der Triebe seiend, als ein *gehemmter* oder in seiner Wirksamkeit nach außen *suspendirter Trieb*. Die Thätigkeit des Triebes in seiner Hemmung ist der Wahrnehmungsact.

Der Wahrnehmungsact nimmt wahr den erinnerbaren Vorstellungsinhalt, der folglich an sich selbst ein *unbewußter* ist. Indem die Untersuchung auf die *allgemeinen* und *besondern Eigenschaften* desselben überging, erweiterte sie ihren Gesichtskreis um ein Bedeutendes. Denn es ergab sich nun, daß nicht nur Das, was unmittelbar in der innern Wahrnehmung vorliegt, Gegenstand der Beobachtung im innern Sinne sein kann, sondern daß auch der innere Sinn auf ähnliche Art wie der äußere einen unendlichen Reichthum unbewußter Vorstellungen in sich birgt, welche das Bewußtsein wecken und ihm zur Unterlage dienen, ohne jemals gänzlich von ihm durchleuchtet zu sein.

Der wichtigste Theil unter diesem an sich unbewußten Vorstellungsinhalt des innern Sinnes ist *der Trieb*. Er ist die Basis des *Bewußtseins*. Denn das Bewußtsein ist ein gehemmter Trieb. (Vgl. §. 11.) Er ist die Basis von *Raum und Zeit*. Denn Raum und Zeit sind, wie gezeigt worden ist, nichts weiter als Triebphänomene. (Vgl. §. 30–31.) Er ist die Basis von aller *Empfindung*. Denn die Empfindung entsteht dann, wenn ein Bewegungstrieb beim Stoßen auf ein äußeres Hinderniß sich in einen Einbildungstrieb umwandelt.

(Vgl. §. 31.) Er ist ebenso die Basis aller *Gefühle*. Denn ein Gefühl ist nichts weiter als ein Trieb, sofern er als ein Zustand des innern Sinnes überhaupt gefaßt wird, ohne daß man dabei auf die sich daran knüpfenden innern oder äußern Bewegungen Rücksicht nimmt. (Vgl. §. 32.) Es folgt hieraus, daß die Triebe von Allem ohne Ausnahme, was in der Seele angetroffen wird, die Unterlage und Substanz sind, und daß eine Wissenschaft, welche sich mit dem Mechanismus der Triebe beschäftigt, nicht mehr im Felde bloßer oberflächlicher Erscheinungen, sondern bereits mit den letzten Gründen des Seelenlebens selbst beschäftigt ist.

Die *Grundgesetze des Trieblebens*, wie dieselben sich durch Beobachtung am innern Sinne ergeben, sind im Frühern aufgestellt worden. Von ihnen hat eine Untersuchung über das Wesen der Seele auszugehen, ähnlich wie eine Orientirung in dem mannichfaltigen Erscheinungsinhalte des innern Sinnes vom Bewußtsein oder Wahrnehmungsacte ausging. Denn ähnlich wie wir das Bewußtsein von einer Peripherie an sich unbewußten Vorstellungsinhalts umgeben fanden, welcher von ihm seine Aufhellung erwartete, ähnlich finden wir den einfachen im innern Sinne zu beobachtenden Triebmechanismus in die Peripherie eines complicirten und verworrenen Chaos von physiologischen Trieben hineingesetzt, welches nicht mehr dem innern Sinne auf unmittelbare Weise erfaßbar ist, sondern auf mühsamere Art an der Hand des äußern Sinnes an lauter äußerlichen Spuren und Kennzeichen auf mittelbarem Wege seine Natur und Beschaffenheit zu erkennen gibt.

So wie der erste Theil der Untersuchung mit dem Lichte des *Bewußtseins* die dunkle Tiefe des innern Sinnes erleuchtete und dort die *Grundgesetze des Triebmechanismus* fand, so hat nun der zweite Theil der Untersuchung mit dem Lichte des *psychologischen Triebmechanismus* sich in die Labyrinthe des *physiologischen Trieblebens* abwärts zu wagen.

Der Mechanismus der Triebe zeigte uns in seiner Grundlage eine höchst einfache Construction. Seine Elemente, aus denen er zuletzt besteht, sind nicht mehr als zwei, der reine *Lusttrieb* und der reine *Unlusttrieb*. Der reine Lusttrieb fällt mit dem *Selbst* zusammen (vgl. §. 35), während der Trieb der Unlust auf zweifache Art in das Selbst eindringt, nämlich theils auf dem Wege des Selbstverlustes von innen, theils auf dem Wege der Störung und Beeinträchtigung von außen. Nimmt man auf diese Doppelstellung Rücksicht, so entstehen daraus vier Grundkategorien für das ursprüngliche Triebleben in uns, wie sie im Frühern sind nachgewiesen worden, nämlich 1) *innerer Expansions-*

trieb, d. h. Trieb nach Assimilation oder Aneignung von Nahrung; 2) *innerer Repulsionstrieb*, d. h. Trieb nach Secretion oder Ausstoßung des Ueberflüssigen und Schädlichen; 3) *äußerer Expansionstrieb*, d. h. Liebe oder Trieb nach Annäherung; 4) *äußerer Repulsionstrieb*, d. h. Haß oder Trieb nach Entfernung. [...]

GUSTAV THEODOR FECHNER

Elemente der Psychophysik

XXXIX. Allgemeine Bedeutung der Schwelle in der inneren Psychophysik.

Der Gegensatz einer Erhebung über die Schwelle und eines Versinkens unter die Schwelle mit dem Schwellenpuncte dazwischen ist dem Gebiete der Empfindungen nicht eigenthümlich. Das ganze geistige Leben des Menschen wechselt zwischen Schlaf und Wachen, d. i. einem unbewussten und bewussten Zustande, im Wachen können dann wieder einzelne Gebiete und in jedem Gebiete einzelne Phänomene die Schwelle übersteigen oder darunter sinken. Die psychophysische Repräsentation von all' dem muss nothwendig zusammenhängen und auf demselben Principe fussen. Sind wir der psychophysischen Repräsentation von Bewusstsein und Unbewusstsein irgendwo sicher, so nöthigt uns der Zusammenhang der Thatsachen und die Consequenz der Betrachtung von selbst zur Verallgemeinerung und Folgerung. Und ohne noch die psychophysischen Thätigkeiten zu kennen, die unseren Bewusstseinsphänomenen unterliegen, ja selbst ohne die Function derselben zu kennen, die für den Reiz β in unserer Massformel zu substituiren ist, genügt die Verallgemeinerung der Thatsache, dass dieselben psychophysischen Bewegungen oder Veränderungen, die über einem gewissen Grade der Stärke Bewusstsein mitführen, unter einem gewissen Grade unbewusst werden, für sich allein schon, sehr allgemeine Gesichtspuncte stellen und wichtige Folgerungen ziehen zu lassen. Rufen wir uns kurz das Fundament dieser so wichtigen Verallgemeinerung zurück und bezeichnen vorgreifend den Gang derselben.

Die Wirkungsweise der Reize hat zuerst gedient, auf dem Felde der äusseren Psychophysik die Thatsache zu constatiren, dass das, was die Empfindung von Aussen anregt, einen gewissen Grad der Stärke übersteigen muss, sie bewusst zu machen. Hieran knüpfte sich vermöge Uebersetzung des Reizes in psychophysische Thätigkeit zunächst die Folgerung, dass auch die durch den Reiz ausgelöste und repräsentirte psychophysische Thätigkeit einen gewissen Grad der Stärke übersteigen muss, um bewusst zu werden. Die Erörterungen der folgenden Kapitel über Schlaf und Wachen und über die Aufmerksamkeit werden hinzutreten, zu zeigen, dass das, was für sinnliche und Sonderphänomene gilt, sich auf das Allgemeinbewusstsein und allgemeine Bewusstseinsphänomene übertragen lässt. Hiemit wird das Bedürfniss entstehen, uns über das Verhältniss aufzuklären, in welchem die Schwelle des Allgemeinbewusstseins zu der Schwelle besonderer Bewusstseinsphänomene steht. Die Erörterung der erfahrungsmässigen Verhältnisse zwischen der Wirkung der Aufmerksamkeit und des Reizes im 42. Kapitel wird dienen, das, was sich aus allgemeinem Gesichtspuncte in dieser Hinsicht voraussetzen lässt, durch Zusammenstimmung aller erfahrungsmässigen Verhältnisse dazu zu bewähren, und das Stufenverhältniss, was sich in uns darbietet, wird sich endlich im 45. Kap. auch noch über uns hinaus verfolgen lassen.

Hiemit stellt sich eine fundamentale Bedeutung der Thatsache der Schwelle für die ganze Entwickelung der inneren Psychophysik heraus; diese wäre, ohne Rücksicht auf sie, was ein Organismus ohne Abschnitte, Einschnitte, hiemit ohne Organe und Glieder.

Ueber das Alles hat der Begriff der psychophysischen Schwelle die wichtigste Bedeutung schon dadurch, dass er für den Begriff des Unbewusstseins überhaupt ein festes Fundament giebt. Die Psychologie kann von unbewussten Empfindungen, Vorstellungen, ja von Wirkungen unbewusster Empfindungen, Vorstellungen nicht abstrahiren. Aber wie kann wirken, was nicht ist; oder wodurch unterscheidet sich eine unbewusste Empfindung, Vorstellung von einer solchen, die wir gar nicht haben? Der Unterschied muss gemacht werden, aber wie ist er klar zu machen? Und wo ist seither eine Klarheit darüber zu finden?

Ich betrachte es in der That als eins der schönsten Ergebnisse unserer Theorie, dass sie diese Klarheit giebt, indem sie die Empfindung, oder was es für ein Bewusstseinszustand sei, mit Etwas, woran sie hängt, nicht auf Grund von bestreitbaren Speculationen, sondern unbestreitbaren Erfahrungen in einer solchen functionellen Beziehung fasst, dass diess Etwas fortbestehen kann, indess sie schweigt. Empfindungen, Vorstellungen haben freilich im Zustande des Unbewusstseins aufgehört, als wirkliche zu existiren, sofern man sie abstract von ihrer Unterlage fasst, aber es geht etwas in uns fort, die psychophysische Thätigkeit, deren Function sie sind, und woran die Möglichkeit des Wiederhervortrittes der Empfindung hängt, nach Massgabe als die Oscillation des Lebens oder besondere innere oder äussere Anlässe die Bewegung wieder über die Schwelle heben; und diese Bewegung kann auch in das Spiel der bewussten psychophysischen Bewegungen, welche zu anderen Bewusstseinsphänomenen gehören, eingreifen und Abänderungen darin hervorrufen, deren Grund für uns im Unbewusstsein bleibt.

XL. Schlaf und Wachen

Während die psychophysischen Verhältnisse der Empfindung den leichtesten Angriffspunct für die äussere Psychophysik von der Erfahrungsseite her gewährten, scheint mir hingegen das Phänomen von Schlaf und Wachen den geeignetsten Angriffspunct von dieser Seite für die innere darzubieten, einmal, sofern es der Erfahrung noch soweit zugänglich ist, um der Uebertragung der Fundamente der äusseren Psychophysik in die innere, welche im 38. Kapitel auf allgemeine Gesichtspuncte begründet wurde, directe Erfahrungsstützen zuzufügen, zweitens, sofern es das *ganze* Bewusstsein des Menschen, Höheres und Niederes in Eins betrifft, indess die Empfindungen blos ein Specialphänomen, und zwar das von niederster Stufe innerhalb des Allgemeinbewusstseins sind, wodurch wir einerseits die wichtigste Verallgemeinerung, andererseits einen Ansatz zum Fortschritte gewinnen, indem sich hiemit die psychophysische Betrachtung des Verhältnisses zwischen dem Allgemeinbewusstsein und seinen Sonderphänomenen einleitet.

Verfolgen wir zunächst das Phänomen von seiner psychischen Seite.

Während des Schlafes schweigt das Bewusstsein; mit dem Momente des Erwachens ist es plötzlich da, doch nicht sofort in voller Stärke; nur allmälig ermuntert sich der Mensch*; doch steigt die Helligkeit des Bewusstseins rasch bis zu einem Gipfel an, auf dem sie sich, nach der Weise der Maxima, eine Zeit lang nahe unverändert erhält. Allmälig sinkt sie wieder und der Mensch schläft ein, wie er erwacht ist.

Vom Einschlafen an vertieft sich der Schlaf nach einem ähnlichen nur umgekehrten Gange, als erst das Bewusstsein im Aufsteigen über die Schwelle nahm, mehr und mehr, d. h. – und hierin liegt das *Thatsächliche* für den Ausdruck *Vertiefung* des Schlafes – es erfodert stärkere und immer stärkere Reize, den Schläfer zu wecken**, bis nach erreich-

* »Anfangs erscheint Alles noch dunkel und verworren, dann deutlicher; aber noch nicht nach seiner wirklichen Bedeutung; man erinnert sich nicht sogleich des Vergangenen und kann das, was gesprochen wird, noch nicht recht fassen.« (*Burdach's* Physiol. III, S. 455.)

** Ein Zuhörer von mir (Kohlschütter) sprach die Idee aus, mit dem Th. I, S. 179 beschriebenen Schallpendel Versuche über die Tiefe des Schlafes in den verschiedenen Epochen vom Einschlafen an und unter verschiedenen Umständen anzustellen, indem die Stärke des Schalles, welche

ter grösster Tiefe das Bewusstsein sich wieder bis zur Schwelle hebt, um von da an in weiter steigende Werthe überzugehn.

Es ist, um die Oscillation des Psychischen durch ein physisches Bild zu erläutern, eine ähnliche Oscillation, wie die der Sonne, welche vom Horizonte, der Schwelle des Tages, rasch emporsteigt, um Mittag eine Zeit lang nahe dieselbe Höhe behält, dann wieder niedersteigt, zum Horizonte sinkt, tiefer und tiefer unter denselben herabgeht, um nach erreichter grösster Tiefe wieder bis zum Horizonte und darüber emporzusteigen.

Zwar mag es sein, dass das Aufsteigen der psychischen Sonne relativ schneller geschieht als das der physischen und vielleicht ist auch (die Zeit als Abscisse gedacht) das Aufsteigen steiler als das Absteigen, denn es scheint, dass der Mensch bald nach dem Erwachen am muntersten ist, und von da die Munterkeit nur ganz allmälig, lange nicht merklich, sinkt; eben so scheint der Schlaf bald nach dem Einschlafen am tiefsten, und von diesem Maximum der Abfall zum Aufwachen sehr allmälig*; indess haben uns diese Particularitäten hier nicht zu kümmern, sondern blos das Aufsteigen und Absteigen der Bewusstseinshelligkeit im Ganzen, für welche das Bild immer etwas Treffendes behält. Uebrigens soll uns das Bild nichts beweisen, sondern nur zur Erläuterung dienen.

Wenn wir nun, wie natürlich und ohne Rücksicht auf irgend ein Bild, die Schwelle des Bewusstseins, wo das Erwachen und Einschlafen erfolgt, mit einem Nullwerthe der psychischen Intensität zu bezeichnen haben, so werden wir eben so natürlicherweise und ohne Rücksicht auf unsere im Gebiete der äusseren Psychophysik schon festgestellte Auffassung das Aufsteigen der Bewusstseinshelligkeit darüber mit positiven Werthen zu bezeichnen haben, die vom Erwachen an erst zunehmen, dann nach dem Einschlafen zu wieder abnehmen, und werden dann auch nicht umhin können, die zunehmende Vertiefung des Schlafes unter die Schwelle eben so mit wachsenden negativen Werthen zu bezeichnen, womit sich unsere frühere Auffassung negativer Bewusstseinswerthe als unbewusster Werthe von der Empfindung auf das Gesammtbewusstsein überträgt, und eine Verallgemeinerung und Verstär-

nöthig ist, den Schläfer zu wecken, zur Messung der Tiefe des Schlafes dienen kann. Ob diese Idee zur Ausführung kommen und der Versuch nicht an den grossen Schwierigkeiten der Herstellung vergleichbarer Umstände scheitern werde, lasse ich dahingestellt; jedenfalls sieht man hier ein Princip, der ganz negativen Zuständlichkeit der Tiefe des Schlafes doch mit Massen beizukommen.

* *Burdach* sagt geradezu (Physiol. III, S. 454) »der Schlaf ist in seinem Anfange am tiefsten, in seinem Fortgange sanft und ruhig, gegen sein Ende am leisesten.« Inzwischen ist es sicher leichter, einen Schläfer *unmittelbar* nach dem Einschlafen, als einige Zeit nachher zu wecken.

kung der früheren Auffassung zugleich erwächst. Folgende Erörterungen können beitragen, diese fundamentale Auffassung für unseren jetzigen Fall zu sichern.

Der Zustand des Schlafes hängt mit dem Zustande des Wachens causal zusammen. Die Seele bedarf selbst des Schlafes, um nachher wachen zu können, und muss hinreichend gewacht haben, um schlafen zu können; ja normalerweise entspricht der Tiefe des Schlafes der nachherige Grad der Munterkeit. Man kann sich den Schlaf eine Zeit lang versagen, oder er flieht uns von selbst, wenn der Geist ungewöhnlich angespannt oder aufgeregt ist; dann aber folgt normalerweise ein um so längerer und tieferer Schlaf. Es ist hiemit ganz wie bei einer Welle; die Tiefe des Sinkens und die Höhe des Aufsteigens einer Welle bezüglich zum Niveau entsprechen sich und bedingen sich; man kann nicht vom Sinken unter das Niveau als von Nichts abstrahiren; sondern hat zu angemessener Repräsentation die Verhältnisse des Sinkens unter das Niveau und des Steigens über das Niveau, jenes als Uebergang in negative, dieses als Uebergang in positive Werthe bezüglich zum Nullwerthe der Höhe im Niveau zu fassen. Und so kann man auch vom Schlafe nicht als von einem Nichts für die Seele abstrahiren, die Lebensoscillation der Seele nicht allein auf das Wachen beziehen; sondern das Wachsein der Seele ist die Oscillationshöhe über, der Schlaf die Oscillationstiefe unter der Schwelle des Bewusstseins, und bezeichnen wir die Bewusstseinshöhe mit positiven Werthen, so werden wir eben so nothwendig die Tiefe des Schlafes mit negativen Werthen zu bezeichnen haben.

Wollte man hiegegen die Oscillation der psychischen Intensitäten mit dem wachen Zustande abschliessen, und die Intensität im Schlafzustande überall nur mit Null bezeichnen, so würde das Leben der Seele durch lauter mit der Zeit von einander abgesonderte, durch Nullzustände des Bewusstseins getrennte, Oscillationen repräsentirt werden, statt dass bei Repräsentirung des Schlafzustandes durch negative Intensitäten die Oscillation des Lebens der Seele continuirlich zusammenhängend in sich und in continuirlichem Bezuge zu dem Körperleben, an das sie im Wachen geknüpft ist, fortgeht. Unstreitig kann man nur letztere, nicht erstere Vorstellungsweise angemessen finden. [...]

f) Einige Bemerkungen über Träume.

Ueber den Traum, die mannichfachen Wendungen und Gestalten, die er annehmen kann, seine ursächlichen Momente, seine Uebergänge in somnambule Zustände u. s. w. liegt viel zerstreutes Erfahrungsmaterial vor*. Doch muss ich auf eingehendere Mittheilung wegen der Ausdehnung des Gegenstandes verzichten, und es wird diess um so eher gestattet sein, als ich von vorn herein auf Vollständigkeit in diesem ganzen Felde verzichtet habe und verzichten musste. Hier will ich nur zu dem, was ich S. 462 über die Träume gesagt habe, noch einige ergänzende Bemerkungen im Anschlusse an das Vorige fügen.

Nach den, im Abschnitte *a)* dieses Kapitels mitgetheilten Thatsachen und unter *e)* angestellten Erörterungen haben wir Anlass, den Schauplatz der psychophysischen Thätigkeit, welche der Entstehung der Vorstellungsbilder und diesen Bildern selbst, so lange sie schwach bleiben, unterliegt, zwar nicht für einen geschiedenen, aber für einen verschiedenen von dem Felde der Thätigkeit zu halten, welche den sinnlichen Bildern unterliegt, so jedoch, dass sich Thätigkeiten in beiden Feldern mit einander associiren und Wirkungen in einander überpflanzen können. Ich vermuthe, dass auch der Schauplatz der Träume ein anderer, als der des wachen Vorstellungslebens ist, bei sehr lebhaften Träumen aber entsprechende Reflexe in die Sphäre der Sinnes- und Bewegungsthätigkeit erfolgen, als diess bei lebhaften Vorstellungen im Wachen der Fall ist.

An sich hat es nichts Unwahrscheinliches, dass die zeitliche Oscillation der psychophysischen Thätigkeit unseres Organismus mit einer räumlichen Oscillation oder Kreislaufbewegung in ähnlicher Weise causal zusammenhängt, als wir es auch bei periodischen Phänomenen in der äusseren Natur zu finden gewohnt sind; dass also der unter die Schwelle herabgedrückte Gipfel der Hauptwelle unserer psychophysischen Thätigkeit im Schlafe normalerweise eine andere Stelle einnimmt, als der Gipfel darüber im Wachen, und hiemit coincidirend der Spielraum der ihre Schwelle übersteigenden Oberwellen, an denen die Traumvorstellungen hängen, ein anderer ist, als im Wachen.

Wäre es nicht so, so schiene mir die Zusammenhangslosigkeit, in welcher das Traumleben vom wachen Vorstellungsleben erscheint, und der wesentlich verschiedene Charakter beider nicht erklärbar. Sollte der Schauplatz der psychophysischen Thätigkeit während des Schlafes und des Wachens derselbe sein, so könnte der Traum meines Erachtens blos eine, auf einem niederen Grade der Intensität sich haltende, Fortsetzung des wachen Vorstellungslebens sein, und müsste übrigens

* Zu den reichhaltigeren Complicationen gehört die von *Burdach* in s. Physiologie, III, S. 460 ff., und wahrscheinlich ist auch in folgendem ausführlichen Werke, das ich aber nicht aus eigener Ansicht kenne, viel darüber zu finden: *Lemoine, du sommeil au point de vue physiologique et psychologique*. 1855. Baillière. 410 pag.

dessen Stoff und dessen Form theilen. Aber es verhält sich ganz anders:

»Nie wiederholt sich (im Traume) das Leben des Tages mit seinen Anstrengungen und Genüssen, seinen Freuden und Schmerzen; vielmehr geht der Traum darauf aus, uns davon zu befreien. Selbst wenn unsere ganze Seele von einem Gegenstande erfüllt war, wenn tiefer Schmerz unser Innerstes zerrissen, oder eine Aufgabe unsere ganze Geisteskraft in Anspruch genommen hatte, giebt uns der Traum entweder etwas ganz Fremdartiges, oder er nimmt aus der Wirklichkeit nur einzelne Elemente zu seinen Combinationen, oder er geht nur in die Tonart unserer Stimmung ein und symbolisirt die Wirklichkeit. So sind schon die Schlummerbilder fast nie bekannte Gestalten, sondern Figuren, wie wir sie fast nie gesehen haben, wunderliche Bildungen und Formen, dergleichen nicht leicht in der Aussenwelt sich finden.« (Burdach's Physiol. III, S. 474.)

»Nicht leicht ist im Traume Erinnerung: Alles ist, als ob es jetzt geschähe. Und nie stellt sich im Traume etwas dar, was uns einst wirklich begegnet ist; nur Geträumtes wiederholt sich vielleicht. Phantasiebilder von Gegenden sieht man, bekannte Gegenden überhaupt selten, und dann nicht ohne Veränderung. Eben so kommen uns im Traume keine bekannten Melodien, wohl aber neue, sei es, dass wir nach dem Erwachen uns ihrer als geträumter Melodien erinnern, oder dass die in dem Momente des Erwachens und in halbwachem Zustande uns bewusst werdende Melodie sich als eine solche erkennen lässt, welche aus dem Schlafe herüber kommt. Als dem Nachtleben angehörig bezeichnet diese Melodien schon der Umstand, dass sie nach dem Erwachen nicht festzuhalten sind. Sie gleichen Träumen, und wieder einem Denken im Schlafe, was wir überhaupt nicht genau sondern können. Was der Traum aus der Wirklichkeit nimmt, pflegt er zu verfälschen. Häufig erscheinen die Personen in ihren früheren, nicht in ihren jetzigen Verhältnissen. Verschiedene Zeitpuncte werden unter einander gemischt. Man vermisst in dem Vorgange Zusammenhang zwischen Vorher und Nachher.« (Ueber den Geist und sein Verhältniss zur Natur, von einem unbekannten Verfasser. Berlin 1852. S. 209.)

Die Erfahrungen, die wir im Wachen selbst über den Erfolg der Abwendung der Aufmerksamkeit von irgend welchen Gebieten machen können, beweisen, dass die blosse Herabdrückung unter die Hauptschwelle im Sinne unseres Schema nur den Grad, nicht Art und Ordnung des bewussten Lebens ändert. Die unzähligen Handlungen, die wir im Unbewusstsein während des Wachens vollführen, dass wir uns z. B. waschen, anziehen, handthieren, indess wir dabei an ganz Anderes denken, sind ganz in demselben Sinne und Geiste, gleich vernünftig, als die, die wir mit vollem Bewusstsein vollführen und in vollem Zusammenhange damit. Nicht so mit dem, was wir im Traume thun und vorstellen. Auch lässt sich das eben so wenig daraus erklären, dass wir uns wegen des Schlusses der äusseren Sinne nicht mehr an der Aussenwelt orientiren können und daher auch innerlich zu irren anfangen, sonst müsste Stille der Nacht und Schluss der Augen denselben Erfolg äussern; indess hiedurch der Geist während des Wachens nur um so gesammelter wird. Weder die einfache Herabdrükkung des bewussten Seelenlebens unter die Hauptschwelle, noch die Abziehung von den Einflüssen der Aussenwelt genügt also, die Eigenthümlichkeit des Schlaflebens dem wachen Leben gegenüber zu erklären. Statt einer blossen Herabdrückung der psychophysischen Thätigkeit unter Verschluss der äusseren Sinne ist es vielmehr, als ob die psychophysische Thätigkeit aus dem Gehirne eines Vernünftigen in das eines Narren übersiedelte; weil aber beide Gehirne oder vielmehr Theile des Gehirnes unmittelbar zusammenhängen und die Bewegung selbst eine zusammenhängende und aus einander folgende ist, besteht auch der allgemeine psychische Zusammenhang dazwischen fort.

Unstreitig hängt die Ordnung der psychophysischen Thätigkeit und des daran geknüpften Vorstellungslebens nicht blos von der Anlage, sondern auch von der Ausarbeitung ab, die ihr Organ unter ihrem eigenen Einflusse erfahren hat, daher die Weise, wie die Vorstellungen, die Gefühle eines Erwachsenen, eines Gebildeten sich associiren und aus einander folgen, auch bei gleicher ursprünglicher Anlage ganz anders geordnet ist, als bei einem Kinde, einem Ungebildeten; die Beschaffenheit der Einzelvorstellungen aber, die wir jetzt haben, hängt mit der Beschaffenheit der Nachklänge zusammen, die unser früheres Leben und Denken hinterlassen hat. Nun hat sich der Sitz, den die psychophysische Thätigkeit des Vorstellens im Wachen einnimmt, unter dem vollen und wirksamen Einflusse eines zusammenhängenden vernünftigen Lebens mit Menschen und Welt demgemäss ausgearbeitet, indem die psychophysische Thätigkeit selbst unter diesem Einflusse gestanden und ihren Sitz demgemäss organisirt hat. Nicht so mit dem Sitze der psychophysischen Thätigkeit im Schlafe, in welchen sich nur die Nachklänge dieses Lebens unter der Schwelle hinüberziehen. Statt ihn mit dem Gehirne eines Narren zu vergleichen, werden wir ihn daher noch triftiger mit dem Gehirne eines Kindes oder Wilden vergleichen, nur mit der Rücksicht, dass er mit dem eines Erwachsenen, eines Gebildeten in solcher Verbindung steht, dass beim Uebergange aus Wachen in Schlaf und demgemässer Verrückung des Wellengipfels der psychophysischen Thätigkeit die Nachklänge von dessen Empfindungs- und Vorstellungsleben sich als Traumwellen in den neuen Sitz hinüberziehen. Indem sie nun hier keiner durch die Erziehung ausgearbeiteten Organisation mehr begegnen, fangen sie an zu irren; so wie ein Kind oder Wilder nicht versteht, was ihm ein Erwachsener oder Gebildeter vorerzählt, untriftige Folgerungen daraus zieht und ungeregelte Phantasiebilder daraus webt. Oder auch, es ist, wie wenn man aus einer Stadt mit festen Strassen, Häusern mit Hausnummern etc. etc. in eine naturwüchsige Wildniss ohne Wege tritt; da wird der Gang unbestimmt; es taucht bald hier, bald da ein Wild auf, aber der geordnete Gang hört auf. Schliesst man blos die Augen im Wachen, so ist diess anders; die vorher mehr in der Richtung nach Aussen beschäftigte psychophysische Thätigkeit sammelt sich, concentrirt sich in dem Sitze des vernünftigen inneren Lebens, in den die Wege der Sinne unmittelbar überführen, siedelt aber nicht in einen anderen über.

Im Uebrigen, wenn das Traumleben ein relativ zusammenhangsloseres, nicht so vernünftig geordnetes ist, als das wache Leben, hat es doch seinen Zusammenhang eigenthümlicher Art. So setzt sich nicht selten, wenn wir nach Zwischenerwachen wieder einschlafen, der Traum des ersten Schlafes in dem zweiten fort, ohne dass die zwischenfallenden Vorstellungen des Wachseins intercurriren, was auch dafür spricht, dass waches und Traumleben einen verschiedenen Schauplatz haben. Besonders ist das bei Nachtwandlern gewöhnlich, so dass sie, wie bei jedem Erwachen zu den täglichen Geschäften, bei jedem Schlafe zu der gewohnten Art des Traumlebens zurückkehren. (Burdach III, S. 474.) So kann man auf der Stadt und auf dem Lande leicht eine ganz verschiedene Lebensart führen, und im Uebergange von einem zum anderen Aufenthaltsorte immer wieder zu derselben in sich zusammenhängenden Lebensart zurückkehren. Unmöglich aber wäre es, an demselben Aufenthaltsorte mit der Lebensart gleicherweise zu wechseln. Was hier vom umsiedelnden Menschen gilt, gilt von der umsiedelnden psychophysischen Thätigkeit im Menschen.

Jedoch kann der Umstand, dass der Gang der Vorstellungen im Traume nicht an so feste Wege gebunden, hiemit freier und die Ordnungslosigkeit doch nicht absolut, sondern nur relativ zu verstehen ist, unter Umständen auch wohl ausnahmsweise grössere Leistungen im Traume möglich machen, als im Wachen, die Phantasie namentlich im

Traume zuweilen etwas hervorbringen, was sie im Wachen nicht vermocht hätte. (Beispiele s. in Burdach's Physiol. III, S. 469.) Hiezu trägt die Abziehung vom Aeusseren bei. Der Träumende ist ein Dichter, der seiner Phantasie die Zügel ganz und gar schiessen lässt, und ganz in eine innere Welt versunken und verloren ist, so dass ihm die Erscheinung Wahrheit wird. [...]

IMMANUEL HERMANN FICHTE

Psychologie
Teil 1

Erstes Kapitel.
Das apriorische Wesen des Geistes.

[...] *9.* Wir haben das reale Wesen des Geistes bis zu dem Punkte begleitet, wo es die Sphäre des blossen Realseins und Realwirkens – damit der *Unbewusstheit* – überschreitet und in jenen Zustand der Selbstverdoppelung geräth, der *»Bewusstsein«* heisst. Die eigenthümlichen Aufgaben der *»Psychologie«* haben zu beginnen.

Hier erhebt sich nothwendig die erste Frage: was *Bewusstsein* sei, ebenso was als eigentliche *Bewusstseinsquelle* im Geiste betrachtet werden müsse?

Schon den Sinn und die Tragweite dieser Fragen zu erkennen, ist von Wichtigkeit, indem sich ergeben dürfte, dass in der Nichtbeachtung jener vorläufigen Erwägungen der wahre Grund liege, warum die bisherige Psychologie eines festen Fundamentes entbehrte, ingleichen weshalb das Verhältniss zwischen Bewusstsein und Unbewusstheit (dies schliesst aber in weiterer Folge das Verhältniss von »Leib und Seele«, noch weiter das zwischen Geist und Natur in sich) noch bis zur Stunde zu den dunkelsten Partien der Seelenlehre gehört.

Der Grund solcher Versäumniss übrigens ist leicht zu erkennen; und in ihm findet sie zugleich ihre Erklärung und Entschuldigung. Was »Bewusstsein«, »Vorstellung« sei, schien sich von selbst zu verstehen; Jeder kennt ja diese Begriffe aus eigener Erfahrung und man darf hinzusetzen: wenn diese ursprüngliche Erfahrung nicht wäre, so bliebe es schlechthin unmöglich, etwa durch Beschreibung oder Realdefinition, den specifischen Zustand, den wir Bewusstsein nennen, einem dessen unkundigen Wesen zu erklären oder auch in ihm hervorzubringen. So unzweifelhaft richtig dies Alles sein mag: so ist damit doch die tiefer liegende Frage nicht ausgeschlossen, vielmehr angeregt: *was* eigentlich das Bewusstsein sei und leiste, und wie es *hervorgebracht* werde in einem Wesen, welches erfahrungsmässig zugleich auch bewusstlos bleibender Zustände und Veränderungen fähig ist?

10. Das Bewusstsein kann nur beschrieben werden als innere Erleuchtung *vorhandener* Zustände, sodass sie nunmehr *für* das Wesen selber existiren, welches sie besitzt. Es ist von Erheblichkeit einzusehen: dass »Bewusstsein« *nur* in diesem »Für« besteht, dass es aber auch *völlig* dieses »Für« ist. Hieraus folgt ein Doppeltes:

a) Zuerst, was uns von durchschlagender Wichtigkeit erscheint: das Bewusstsein *als* solches ist nicht productiv, *bringt nichts Neues hervor*, sondern es *begleitet* nur mit seinem Lichte *gewisse* reale Zustände und Veränderungen in der Seele, während zugleich gewisse andere, ebenso real in ihr vorhandene, im Dunkel bleiben. Zugleich hat sich jedoch ergeben, dass Alles, was überhaupt in der Seele entsteht, in ihr selber seinen Grund hat, dass sie nirgends und in keinem Falle sich *blos* passiv verhält, sondern auch in den Zuständen scheinbarer Receptivität selbstthätig gegen die von Aussen kommende Umstimmung reagirt. Indem somit *alle* Zustände und Veränderungen in ihr desselben Ursprungs sind, nämlich auf Selbstthätigkeit der Seele beruhen, folgt aus dieser innern Gleichartigkeit wenigstens mittelbar, dass sie insgesammt unter gewissen begünstigenden Umständen (worin diese bestehen, wird zu untersuchen sein) auch ins *Bewusstsein* treten können. Daraus erklärt sich schon vorläufig die durchgreifende Thatsache: dass das Verhältniss zwischen bewussten und bewusstlos bleibenden Zuständen in der Seele als kein festes, scharf begrenztes, sondern stets verschiebbares erscheint. Keine Vorstellung in der Seele, die sich nicht auch verdunkeln könnte (selbst die Vorstellung des eigenen Ich im Schlafe); kein Zustand und keine Veränderung daher, muss man umgekehrt schliessen, welche nicht irgend einmal auch ins Bewusstsein erhoben werden könnten.

b) Sodann, was nicht minder entscheidend: in diesem Grundcharakter des Bewusstseins, als dem (subjectiven) Lichte eigener (objectiver) Zustände der Seele, liegt der ursprüngliche Grund von der »*Einheit* des Subjectiven und Objectiven«, oder, was dasselbe bedeutet, von der »*Realität*«, welche unsern Vorstellungen zukommt. Die Seele bewusstseinerzeugend beleuchtet unmittelbar *nur* ihre eigenen Zustände; dies Bewusstsein ist aber eben darum ein völlig treues und adäquates: Subject und Object decken sich völlig, weil jenes nur der unmittelbare Reflex von diesem ist.

Auf diesen beiden Fundamentalsätzen (a und b) beruht, wie die »Psychologie« im Einzelnen zu zeigen hat, die ganze Entwickelungsgeschichte des Bewusstseins und ihre richtige Deutung. [...]

25. Auf dieser anthropologischen Grundlage gewinnt nun die Psychologie gleich anfangs einen Begriff vom *Umfange* des Bewusstseins, welches um eine neue Hälfte erweitert ist. Sie hat im Geiste ein *Doppelleben* und *Doppelbewusstsein* anzuerkennen, welche nicht sowol *neben* einander bestehen oder sich gegenseitig ablösen – wiewol auch dieser Fall unter gewissen näher festzusetzenden Bedingungen eintreten kann –, sondern die *in* einander sind und wie *Bedingendes* und *Bedingtes*, *Mittelpunkt* und *Peripherisches* sich zu einander verhalten.

Die *Aufgabe* gegenwärtiger Psychologie wird eben damit auch eine doppelte sein müssen. Zunächst diejenige, welche sie mit der bisherigen Seelenlehre gemein hat: die Entwickelung und den Verlauf des sinnlich-reflexiven (peripherischen) Bewusstseins zu beschreiben. Dann aber auch die andere, noch nicht einmal der Idee nach versuchte: jenes centrale Geistesleben zu erforschen und seine vorbewussten (apriorischen) Elemente zu entdecken, deren Wirkungen bis ins gewöhnliche Bewusstsein hinüberreichen und die sogar, unter begünstigenden Umständen, zu einer eigenthümlichen Bewusstseinsform (»Traum«) sich verdichten können.

In Betreff dieser beiden psychologischen Erkenntnissgebiete waltet nun ein nicht zu übersehender Unterschied ob. Jenes erste, dem schon die bisherige Psychologie sich widmete, mag schwierig und verwickelt sein; aber sein *Object* liegt doch thatsächlich gesichert vor uns: es ist das uns Allen gemeinsame Bewusstsein. Ebenso ist die *Quelle* seiner Erforschung gesichert und jeder berichtigenden Controle zugänglich: es ist die *Selbstbeobachtung*, welcher in jedem Augenblick gestattet ist, die gewöhnlichen Phänomene des Bewusstseins in sich zu erzeugen und dabei auf ihren Hergang zu reflectiren.

Völlig anders verhält es sich mit der zweiten Aufgabe. Hier fällt weder das Erforschungsobject in den Bereich unmittelbaren Bewusstseins; denn es bildet ausdrücklich die vorbewusste Region des Geistes. Es ist daher nur auf dem *Wege des Rückschlusses* von den Thatsachen des Bewusstseins aus, und als *nothwendiges Complement* zur Erklärung der bewussten Zustände zu erreichen. Noch auch bieten die nur vereinzelt auftretenden Phänomene des Traums, in denen der Geist andern Bewusstseinsgesetzen folgt und welche daher vom Gesichtspunkte des gewöhnlichen Bewusstseins nur als *»anomale«* bezeichnet werden können, am allerwenigsten die Möglichkeit dar, ihren Hergang durch die Controle der Selbstbeobachtung zu prüfen oder zu vervollständigen. In Betreff ihres Thatbestandes und ihrer Glaubwürdigkeit ist man daher lediglich auf den Inhalt fremder Aussagen beschränkt, zu deren Kritik keine andere wissenschaftliche Controle übrig bleibt, als die wir im Gesetze *»analogische Reihen«* aufgestellt haben.* [...]

* »Zur Seelenfrage«, S. 122fg.

Zweites Kapitel
Vom Wesen und Grunde des Bewusstseins.

[...] *68.* Aus dem aufgestellten Allgemeinbegriffe des Bewusstseins ergibt sich sogleich eine doppelte Folgerung.

1. Bewusstsein ist *Eigenschaft* an einem substantiellen Wesen, nichts selber Substantielles. Ebenso wenig bringt es *durch sich* etwas Reales hervor an diesem Wesen, sondern es tritt nur hinzu und *setzt in Klarheit* dessen schon vorhandenen dauernden Zustand oder dessen wechselndes Geschehen, welche daher auch *bewusstlos* bleiben könnten, welche dies waren und die es wieder sein werden.

Diesen entscheidenden Satz hätte man schon aus dem Umstande folgern können, dass es erweislich kein *»reines«* Bewusstsein (Ich) gibt, sondern immer nur ein mit bestimmtem Inhalte gefärbtes; eben weil es an sich selbst nur die Beleuchtung der inhaltlichen Zustände und Veränderungen des Geistes ist. So setzt jede (bleibende) Bewusstheit, jedes (wechselnde) Bewusstwerden nothwendig eine *dunkle Region* im Geiste voraus; andernfalls gäbe es Nichts zu beleuchten. Und schon hieraus lässt sich die Thatsache erklären, dass in jedem gegebenen Falle die *Dunkelregion* des Geistes unbestimmbar grösser sei, als die Region seiner *Erhellung*.

2. Ebenso stellt der *Inhalt*, welchen das Bewusstsein in Klarheit setzt, *unmittelbar* durchaus nichts dem Geiste Fremdes oder Aeusserliches dar, sondern nur *Zustände des bewusstwerdenden Geistes selbst.* Er wird in allen Bewusstseinsvorgängen und Klarheitsgraden zunächst *nur* seiner eigenen Zustände inne, keiner fremden. Begleitet uns auch im vollbewussten und wachen Zustande ein ununterbrochenes und lebhaftes Bewusstsein eines Andern um uns her: so ergibt sich bei schärferer Erwägung, dass dies kein unmittelbares Wissen sei, sondern das Resultat höchst complicirter Bewusstseinsprocesse, deren Hintergrund und innere Bedingungen, an denen gerade die verborgene Natur des Geistes sich verräth, völlig übersehen werden, wenn man sie als unmittelbare und ursprüngliche auffasst.

69. Das Bewusstsein, als solches (§. 67), bietet keine andern Unterschiede, als die verschiedenen Grade der *Klarheit* und *Deutlichkeit*, mit welchen es den im Geiste vorhandenen Inhalt beleuchtet. Es ist an sich selbst blos *quantitativer* Steigerung oder Abschwächung fähig.

Die nächste Frage ist: was der Grund dieser veränderlichen Quantität sei? Da das Bewusstsein nichts Selbständiges ist, sondern nur ein inneres Licht, welches über ein schon Vorhandenes und unabhängig von ihm Existirendes sich verbreitet: so folgt mit Nothwendigkeit, dass der Grund jener verschiedenen Grade von Helligkeit gleichfalls nicht im Bewusstseinshergange selber, sondern nur in dem ihm vorauszusetzenden *Zustande* oder *Inhalte* des Geistes liegen könne.

Wenn zunächst feststeht, dass der Grund des verschiedenen Helligkeitsgrades nicht im Bewusstsein, sondern in der Dunkelregion des Geistes liege, so kann dieser Grund doch selbst ein sehr verschiedener sein, und die Selbstbeobachtung bietet sogleich dafür mannichfache Beispiele dar, welche insgesammt darin übereinstimmen, dass in ihnen deutlich und offenbar nur das verschiedene *reale* Verhalten des Geistes es ist – was man unbestimmt genug seine »Leiblichkeit« nennt –, welches in den verschiedenen Helligkeitsgraden seines Bewusstseins sich ausspricht. Entweder ist der organische Gesammtzustand des Geistes Grund einer gänzlichen Verdunkelung oder Abschwächung des Bewusstseins (Ohnmacht, tiefer Schlaf); oder ein besonderer *Schwäche*zustand des Organismus (Kränklichkeit, Ermattung) ist begleitet von einer analogen Schwäche des Bewusstseins, welches nur in dämmernden, unbestimmten Umrissen den ganzen Vorstellungsinhalt beleuchtet. Oder der Zustand, welchem das Bewusstsein parallel geht, ist selbst noch ein unentwickelter, wie im ersten Kindheitsstadium unsers Lebens, so wird auch hier das Bewusstsein, je mehr es der eigenen Deutlichkeit entbehrt, desto treuer nur der Ausdruck unsers innern Verhaltens sein. In allen diesen Fällen trägt nirgends das Bewusstsein die Ursache oder Schuld der eigenen Schwäche oder der Verworrenheit seines Vorstellens, sondern es ist auch darin nur der Spiegel der ihm zu Grunde liegenden Zustände. (Die *anthropologische* Deutung dieser Thatsachen ist übrigens schon im Vorhergehenden gegeben worden; s. »Anthropol. Ergebnisse«, §. 76.)

70. Endlich dürfte nachstehende Thatsache einen richtig leitenden Wink für die weitere Untersuchung darbieten. Wir bemerken, dass je entschiedener der Geist seine »Aufmerksamkeit« auf einen einzelnen Vorstellungsinhalt oder auf einen bestimmten Vorstellungskreis richtet, desto mehr seine andern wirklichen oder möglichen Vorstellungen sich verdunkeln. Zwar wissen wir für jetzt noch nicht im mindesten, was »Aufmerksamkeit« eigentlich sei und ob aus ihr in letzter Instanz das Bewusstsein erklärt werden könne (vgl. §. 80); indess erhellt aus jener Thatsache schon soviel, dass der Geist sich selber die *Richtung* seines Bewusstseins zu geben, ebenso dasselbe zum *Verweilen* zu nöthigen vermag, und zwar beides offenbar nur für denjenigen Vorstellungsinhalt, zu welchem ein bestimmtes *»Interesse«* ihn hinzieht. »Interesse« aber können wir, wie jeden andern Trieb, nur zu den *Willensphänomenen* rechnen; und so ergibt sich vorläufig schon das merkwürdige Resultat: dass es eine bestimmte *Willensrichtung* sei, welche (unwillkürlich oder willkürlich) dem Bewusstsein zunächst seine Richtung gibt, welche sodann quantitativ dessen Helligkeitsgrade steigert und so endlich das in ihm erzeugt, was wir als *intensives Verweilen* des Bewusstseins, als »Aufmerksamkeit« bezeichnen müssen.*

Dass diese Willensrichtung der wahre und einzige Grund der »Aufmerksamkeit« und alles Dessen sei, was mit ihr verwandt ist, hätte man schon daraus entnehmen können, dass man Mangel derselben, Zerstreutheit des Bewusstseins, Flüchtigkeit der Vorstellungen, sich und Andern als Schuld anrechnet, somit in den Bereich der *Zurechnungsfähigkeit* hineinzieht. Wie vermöchte man dies, würde man nicht, an jener Wirkung, seines Willens als einer *bewusstseinerzeugenden Kraft* deutlich und thatsächlich inne; läge daher nicht dunkel die Prämisse im Hintergrunde, dass überhaupt das Bewusstsein nur eine *bestimmte Art von Willenserweisung* sei?

71. Wie sich dies aber auch verhalten möge; vorläufig erkennt man wenigstens, dass der hier eingeschlagene Gang unserer Untersuchung genau dem *Thatsächlichen* entspreche. Ebenso ergibt sich schon hier die Möglichkeit, gewisse begleitende Hauptphänomene am Bewusstsein sich verständlich zu deuten. Die verschiedene, zugleich stets wechselnde Intensität desselben an Klarheit und Deutlichkeit der Vorstellungen, ebenso wie es eine gewisse »Enge« des Beobachtungsfeldes nicht überschreiten könne, beides scheint nach Vorstehendem sich von selbst zu erklären und zugleich der innige Zusammenhang dieser Phänomene.

Ist Bewusstsein überhaupt nur der Ausdruck und die Wirkung eines ihm zu Grunde liegenden Triebes (Willens): so ergibt sich von selbst die »Enge«, mit der es jedesmal nur ein Begrenztes erleuchtet; es erklärt sich nicht minder die verschieden *abgestufte*, zugleich in ihren Objecten *wechselnde* »Aufmerksamkeit« (§. 70), d. h. der verschiedene Grad von Lebhaftigkeit und Klarheit, in welchem das Bewusstsein, je nach dem Wechsel der Objecte und ihres »Interesses« an ihnen, sich auf- und abbewegt. Denn der *Grund* von allen diesen Erscheinungen, der *Trieb*, trägt den specifischen Charakter, jedesmal nur auf genau Bestimmtes, mit Ausschluss alles Uebrigen, gerichtet zu sein; jener Grund muss daher auch seiner Folge, dem Bewusstsein, diesen durchaus begrenzten Charakter aufprägen, welchen wir »Enge des Bewusstseins« nennen. Dies Alles richtet sich lediglich nach dem individuellen Verhältnisse des Geistes in seiner Dunkelregion und nach dem eigenthümlich und wech-

* Vgl. die scharfsinnige Ausführung dieses Satzes bei *Fortlage*, a. a. O., S. 94 fg.

selnd in jedem erregten »Interesse«, welches seinen Ausdruck im verschiedenen Grade der Intensität des Bewusstseins findet. Daher neben jener »Enge« auch die verschiedenen Grade von Klarheit und Deutlichkeit der Vorstellungen.

Allgemeine Gesetze für das wechselnde Mass jener »Enge« des Bewusstseins und für die verschiedenen Grade seiner Intensität aufzusuchen, scheint hiernach ein unausführbares Unternehmen, auch wenn, nach der schon erwähnten Fiction Herbart'scher Psychologie, die Vorstellungen als selbständige »Kräfte« in der Seele zu hypostasiren und so als wechselseitig sich summirende oder subtrahirende Grössen einer Berechnung zu unterwerfen, es gelingen sollte, dafür mathematische Formeln zu finden; denn »unanwendbar« für die Erklärung des bestimmten einzelnen Falles werden sie immer bleiben, was die mathematische Psychologie auch ausdrücklich zugesteht, so gewiss dies Alles in wirklicher Erfahrung sich lediglich nach den schlechthin unberechenbaren Verhältnissen des Individuums richtet. Und was dabei nicht zu übersehen bleibt: man hat durch jene Formeln nur den Hergang der Sache etwas genauer beschrieben, ist aber dadurch der *Erklärung des Grundes um keinen Schritt näher gerückt*, und vermag dies auch nicht auf dem Wege mathematischer Berechnung, welche bekanntlich nur über die allgemeine Form eines Geschehens, nicht über seine innern *Ursachen* belehrt.

72. Ehe wir zur zweiten Frage uns hinwenden, was der allgemeine *Grund* des Bewusstseins sei und ob die vorläufig gewonnene Ansicht, es für eine eigenthümliche *Willenserweisung* zu halten, sich bestätige oder nicht: wird es wohlgethan sein, die aufgestellte Formel über das *Wesen* des Bewusstseins nach ihrer kritischen Bedeutung ins Auge zu fassen.

»Bewusstsein« ist nichts *Ansichseiendes*, sondern *Eigenschaft* oder *Wirkung* eines Ansichseienden. »Ich« ist nichts Substantielles, sondern *Prädicat* und *Merkmal* eines in Bewusstsein sich erfassenden realen Wesens, des »Geistes«. Das Bewusstsein endlich *erzeugt* nicht, sondern es *beleuchtet* vorhandene Zustände.

Durch vorstehende drei Sätze, das Ergebniss des Bisherigen, glauben wir nun die *Grundlage unserer Psychologie* hinreichend bezeichnet zu haben. Es gilt zu zeigen, wiefern dies Princip ein *neues* sei, indem es ebenso abweicht von dem in der Kantisch Fichte'schen Epoche bis auf Fries hin Geltenden, als es von der Herbart'schen Auffassung sich unterscheidet.

73. Bei Kant und seinen Nachfolgern verschmolz der Begriff des Bewusstseins, des »Ich«, so vollständig mit dem Wesen des Geistes, dass erstere Bezeichnung (»Ich«) völlig mit letzterem Begriffe identificirt wurde. Die gesammte Dunkelregion des Geistes wurde übersehen oder miskannt. Das Bewusstsein, das Ich, *war* aber nicht blos Alles im Geiste; es *bewirkte* auch Alles in ihm; die von Fries bis ins Einzelne ausgebildete Lehre von den Bewusstseins-»Vermögen« war nur die nothwendige Folge jener ganzen, einmal eingeleiteten Begriffsverwechselung. Und so sehr wurzelte dies Vorurtheil ein in der Wissenschaftssprache und in der Ausdrucksweise der Gebildeten, so sehr hielt man Geist und Ich für gleichbedeutende und völlig sich deckende Begriffe, dass die Worte: »Seele«, »Geist« aus der Sprache sich zurückzogen und jener andern vermeintlich adäquateren Bezeichnung Platz machten. Wir haben die tiefreichenden Wirkungen dieses Uebersehens, welche noch bis zur Stunde fortdauern, hinreichend beleuchtet in der »Anthropologie« und »Seelenfrage«. In ihm liegt der eigentliche letzte Grund selbst von *Lotze's* dualistischem Spiritualismus.

Aber auch nach entgegengesetzter Seite hin haben sie nicht weniger verderblich gewirkt. Wird der Satz, dass die Seele nichts Anderes denn Bewusstsein sei, für ein unbestreitbares Axiom gehalten, und wird man nun inne, wie widersprechend es sei, ein solches, stetem Wechsel, ja innerer Verdunkelung unterworfenes Phänomen zu denken, *ohne eine reale Substanz*, die es trägt und an welcher es vorgeht: so ist es leicht und sogar consequent, zur Folgerung überzugehen (es ist die Behauptung materialistischer Lehre), dass eine »Seele« als *besonderes* (reales) Wesen eben gar nicht existire, dass Bewusstsein, gleich den andern wechselnden Phänomenen am Menschen, nur der Effect des einzig unableugbar Reellen, des Organismus, des leiblichen Lebens sei. Und wenn auch die Ungereimtheit der letztern Folgerung aufzudecken ohne sonderliche Mühe gelingt: so ist doch zuzugeben, dass ihr Ausgangspunkt, dem spiritualistischen Begriffe eines substanzlosen Ich gegenüber, ein berechtigter sei. Nach beiden Seiten hin wird die Quelle dieser Irrthümer abgeschnitten durch die einfache Berichtigung: dass Bewusstsein, »Ich«, *Eigenschaft* (eigentlicher noch *Erzeugniss*) des Geistes, nicht der Geist selber sei.

74. Mit *Herbart* begann ein Umschwung und eine neue Bewegung in den festgewordenen Vorurtheilen bisheriger Psychologie, und dies kritische Ergebniss erwirbt ihm das Recht, als einer der ersten und verdienstvollsten Neubegründer der Psychologie bezeichnet zu werden.

Aber seine Reform möchte nur eine halbe, unvollständige geblieben sein. Herbart stellte den Begriff der realen Seele wieder her, ein zunächst unscheinbar auftretender, in seinen Folgen aber unendlich wichtiger Fortschritt. Doch an eine mangelhafte, in den abstractesten Kategorien bereits sich abschliessende Metaphysik gefesselt, konnte er auch die Seele nur in abstractester Weise als einfache, zugleich schlechthin einfach bleibende Position fassen. Die Veränderungen, welche im Bewusstsein sich ereignen, dürfen ihrer Einfachheit und ihrem Einfachbleiben schlechthin Nichts anhaben; und so fordert es allerdings die Consequenz jenes abstracten Seelenbegriffs. Die Vorstellungen wechseln an der einfachen Seele; sie selbst ist bei diesem Wechsel unbetheiligt, sonst bliebe sie nicht mehr *einfach*.

Damit löst das Bewusstsein sich gleichsam ab von der Seele; es ist ein Vorgang an ihr, nicht in ihr, noch weniger durch sie bewirkt: daher auch die höchst charakteristische Behauptung Herbart's, dass wir durch den gesammten Inhalt ihrer Vorstellungen von ihrem eigenen Ansich Nichts erfahren, keinen Blick in ihr Inneres thun können. Ja, schärfer erwogen, geht es ihr selbst nicht anders in Bezug auf sich selber; auch sie verharrt in innerer Dunkelheit über sich, *weil der Wechsel ihrer Vorstellungen auf keinen Wechsel in ihr selbst deuten darf*, der ja ihre unveränderliche Einfachheit gefährden würde. Dass hierin der gewaltsamste Widerspruch gegen die gewisseste Thatsache unsers Selbstbewusstseins liege, bedarf keines Beweises. Dennoch wurde er unvermeidlich, da man die durch eine falsche metaphysische Prämisse geforderte Einfachheit des Seelenwesens um jeden Preis retten musste.

Für das solchergestalt von der Seele abgelöste Bewusstsein bedurfte es daher bei Herbart eines neuen Princips der Erklärung. Es besteht in der schon früher erwähnten Hypothese von den »Vorstellungen«, als einfachen Elementen, welche theils durch »Verschmelzung«, theils durch »Complication« gegeneinander zu »Kräften« werden, um entweder, sofern sie nach ihrem Inhalte vereinbar sind, gegenseitig in Eine Vorstellung zu verschmelzen, oder, sofern entgegengesetzt, durch »Hemmung« sich wechselseitig zu verdunkeln oder aus der Verdunkelung »aufzustreben«, aus welchen zusammengesetzten Vorgängen das Bewusstsein als Gesammtzustand resultiren soll.

Wir haben willigst anerkannt, was nach der Consequenz der einmal zu Grunde gelegten Principien zu diesen Fictionen nöthigte, welche dem thatsächlichen Charakter des Bewusstseins völlig fremd sind (§. 61). Ob sie ausserdem genügen, um die *besonderen* Bewusstseinsphänomene, die Unterschiede von Erkennen, Gefühl und Willen, zu erklären, darüber wird später zu verhandeln sein.

75. Dagegen ist ein anderer sehr bedeutender Satz der Herbart'schen Psychologie hier zu erwähnen und nach dem von uns vertretenen Principe zu würdigen. Bekanntlich ist die Grundprämisse derselben die Behauptung, dass die Vorstellungen auch bei gehemmtem (verdunkeltem)

Zustande in der Seele fortdauern, um eben dadurch bei gebotener Gelegenheit, wenn die Hemmung schwindet, in das Bewusstsein zurückkehren zu können. So tritt Herbart in dem bekannten Streite zwischen Locke'scher und Leibnitz'scher Psychologie, ob es dunkle (bewusstlose) Vorstellungen gebe, was Locke leugnete, welchem »Vorstellungen haben« und »sich derselben bewusst sein« identisch war, Leibnitz aber bejahte, entschieden auf des Letztern Seite; doch er erklärt diesen Begriff bestimmter. »Dunkle« Vorstellungen sind durch Hemmung unter die Schwelle des Bewusstseins herabgesunkene, die sich jedoch wieder emporarbeiten können.

Das Richtige dieser ganzen Ansicht beruht für uns auf dem unbestreitbaren Satze, dass in einem realen Wesen ein bestimmtes Geschehen, ein Ereigniss in der Reihe seiner Veränderungen, in seiner Nachwirkung für dasselbe nicht aufgehoben werden kann. Es ist ein unvertilgbares Element im ganzen Contexte seines Wesens geworden und wirkt als ein (wenn auch noch so schwach) Mitbedingendes auf alle nachfolgenden Veränderungen ein. *So geht auch im Geist Nichts eigentlich verloren*; er büsst Nichts ein vom aufgespeicherten Vorrathe seines Innern, und da ihm zugleich die bewusstseinerzeugende Kraft beiwohnt, so kann sein ganzer Inhalt von dieser ergriffen und erhellt werden; d. h. jedes Element im Geiste ist zugleich ein *vorstellbares*. Dies lässt wieder einen doppelten Fall unterscheiden: jedes dieser Elemente kann entweder zum erstenmale ins Bewusstsein erhoben, oder wenn es aus demselben entschwunden, wieder von ihm erhellt (in »Erinnerung« gebracht) werden. Dies, und dies allein, bedeutet die »Vorstellbarkeit« derselben.

Uebereilt wäre es aber, diese nur vorstell- oder erinner*baren* Elemente schon *»Vorstellungen«* zu nennen, als wenn »vorgestellt zu werden« ihre specifische Eigenschaft oder ihr eigenes Werk wäre, nicht vielmehr das Werk des Geistes, *dessen* Elemente oder Zustände sie sind, während sie zunächst in die Dunkelregion desselben fallen.

Willkürlich und unbegründet ist daher die weiter darauf gebaute Folgerung: dass in der »Hemmung« der einzelnen Vorstellungen untereinander der wahre und der einzige Grund ihrer Verdunkelung liege. Dies würde auf die Annahme führen, dass jedes Element für sich im Geiste mit dem Vermögen der Selbsterleuchtung (der Bewusstseins- oder Vorstellungserzeugung) begabt sei, sodass das Bewusstsein eigentlich aus unzähligen selbständigen Bewusstseinspunkten zusammenflösse; eine Annahme, zu deren Gunsten nicht die geringste psychologische Thatsache spricht, gegen welche vielmehr die *Einheit* unsers Bewusstseins aufs Allerentschiedenste Protest einlegt.

Für entschieden falsch daher und widersprechend müssen wir den bekannten Satz Herbart'scher Psychologie erklären: »dass durch die Hemmung nur das Vorstellen vernichtet sei, die Vorstellung selbst aber *bleibe*.« Diese Behauptung kann nur dadurch einen haltbaren Sinn gewinnen, wenn man sie nach unsern Prämissen berichtigt. Eine nicht mehr vorgestellte Vorstellung ist *als* Vorstellung allerdings aufs Vollständigste »vernichtet«, als *realer* Zustand aber kann sie dortdauern in der Dunkelregion des Geistes und kann daher unter gegebener Veranlassung vom Bewusstsein wieder erhellt werden. Aber die Veranlassung dazu, wieder zur »Vorstellung« zu werden, liegt *nicht*, wie Herbart behauptet, in ihr selber, so gewiss sie gar nicht mehr Vorstellung ist, sondern im Geiste, der einen früher zum Bewusstsein erhobenen Zustand stets von neuem zu erleuchten vermag. Diese Berichtigung scheint uns keine unwesentliche oder beiläufige; sie hebt das ganze Fundament Herbart'scher Psychologie auf. Sie zeigt, wie diese Lehre das eigentlich Wirkende in den Bewusstseinsvorgängen an eine falsche Stelle verlegt, in die »Vorstellungen«, welche doch für sich gar Nichts sind, als die vorübergehende Beleuchtung realer Zustände im Geiste, die dieser *selbst* bewirkt. Daraus folgt aber ferner, dass nicht *diese* sich »hemmen«, dadurch im Klarheitsgrade sich verändern und verdunkeln können – denn diese sind gar nichts Selbständiges –, sondern dass der Geist es sei, der (nach weiter unten anzuführenden Gesetzen und Ursachen) seine realen Zustände mit dem wechselnden Lichte seines Bewusstseins beleuchtet.

Dennoch erklärt unsere Kritik ebenso vollständig, wie Herbart, indem er die Lehre von den Seelenvermögen verwarf und gleicherweise den Begriff des »reinen Ich« beseitigte, nach welchem Seele und Bewusstsein identisch erscheinen – in welchen beiden Punkten er völlig in seinem Rechte war –, zunächst zu jener Fiction sich bequemen musste, von »Vorstellungen« als realen Elementen zu sprechen, die in Wechselwirkung mit einander zu »Kräften« werden können. Dass ihnen etwas *Reales* (Objectives) zu Grunde liegt, eben in der Dunkelregion des Geistes, ist gerade das Richtige dieser Theorie, wodurch wir sie – von dieser Seite her – als den Vorläufer der unserigen bezeichnen können.

76. Aus allem bisher Erörterten hat sich das zunächst unscheinbare, in seinen Folgen aber wichtige Resultat ergeben, dass der *Grund* des Bewusstseins nirgends anderswo als im *Wesen* des Geistes gesucht werden könne. *Die Dunkelregion des Geistes ist auch die Quelle seines Bewusstseins.* Ebenso heisst, zufolge des Bisherigen, »Bewusstsein haben«: jene innere Helligkeit erzeugen, welche die eigenen Zustände, *als* eigene, beleuchtet.

Damit setzt »Bewusstsein« in dem Wesen, welches dessen theilhaftig, als weitere Bedingung eine stete innere *Erregbarkeit* voraus, welche die eigenen Zustände und Veränderungen aufmerkend begleitet. Die *nächste* Quelle des Bewusstseins daher ist die *Richtung der Aufmerksamkeit* auf ein inneres Ereigniss, und die unmittelbare Wirkung davon ist jenes erleuchtende *Innewerden* desselben, für welches uns eben nur die Bezeichnung »Bewusstsein« zu Gebote steht.

Die Frage nach dem (tiefer liegenden) Grunde des Bewusstseins hat sich hiernach schärfer begrenzt. Sie fällt zusammen mit der andern: welches der Grund der *Aufmerksamkeit* sei, die der Geist auf einen bestimmten Punkt im ganzen Umfange seiner Dunkelregion richtet, um gerade diesen, mit Ausschluss der übrigen, ins »Bewusstsein« zu fassen?

Um die weitern Bedingungen zu verstehen, welche diese Frage enthält, müssen wir uns erinnern, dass der Geist ein *instinctbehaftetes Triebwesen* sei (§. 14fg.), das eben im *Bewusstseinsprocesse* den Inhalt jener »apriorischen« Triebe und Instincte vor sich auslegt und damit zum *freibewussten Besitze* derselben sich erhebt. Die allgemeine Wahrheit dieses Satzes ist im Vorhergehenden begründet. Die durchgreifende Bestätigung hat das Folgende zu übernehmen, durch Nachweisung des Bewusstseinsprocesses im Einzelnen. –

»Aufmerksamkeit« aber setzt *Trieb* voraus und ist nur *Ausdruck* eines solchen (§. 70); und zwar in der bestimmtern Weise, dass im Zustande der Aufmerksamkeit die *Willensrichtung* auf einen Gegenstand, welche jedem Aufmerksamwerden ursprünglich zu Grunde liegt, vollständig in die Form des *Bewusstseins* sich verwandelt, d. h. *theoretisch* wird und damit aufhört, blos *dunkler* Trieb zu sein. Dies bestätigt sich dadurch, indem weiterhin der charakteristische Umstand sich ergeben wird, dass alle Trieb- und Begehrungszustände als solche niemals völlig in Bewusstsein sich verwandeln, und eben darum die Form des Triebes, des unwillkürlich Antreibenden behalten, während weiter daraus folgt – was auch durchgreifend die Erfahrung bewährt –, dass das Grundheilmittel gegen die unwillkürliche Macht der Triebe und Affecte eben darin bestehe, die betrachtende *»Aufmerksamkeit«* auf sie zu richten, d. h. ihren Inhalt in die Form *theoretischen* Bewusstseins zu erheben. *Bewusstsein* und *Trieb* löschen sich gegenseitig aus; d. h. soweit der Trieb in Bewusstsein umgesetzt wird, hört er auf als Trieb (»unwillkürlich«) zu wirken: ein psychologisches Gesetz von den reichsten Folgen!

Abgesehen indess von diesen Besonderheiten, folgt aus dem Vorhergehenden unmittelbar: dass, so gewiss kein Bewusstseinsact ohne *»Aufmerksamkeit«*, diese aber nur als Ausdruck eines Triebes zu denken, der *allgemeine* Grund des Bewusstseins die *Erregbarkeit von Trieben* im Geiste überhaupt, die Richtung eines *bestimmten* Triebes dagegen der Grund eines *bestimmten* Bewusstseins sei.

77. Einen abstract-allgemeinen, d. h. unbestimmten Trieb kann es jedoch nicht geben. *Jeder* Trieb ist ein durchaus entschiedener und damit genau umgrenzter; denn er beruht auf einem ebenso bestimmten (innerlich entschiedenen) *Ergänzungsbedürfniss* und ist gerichtet auf ein genau ihm Entsprechendes, dessen Erreichung dem Triebe genugthut, ihn befriedigt. Wir haben es deshalb ganz allgemein als ein *»Gut«* bezeichnet. (Vgl. §. 62 fg.)

Dies erklärt tiefer die Entstehung dessen, was wir vorher »Aufmerksamkeit« nannten (§. 70). Sie setzt die *Erregtheit eines Triebes* voraus, begleitet von der schon eingetretenen Beziehung auf das ihm entsprechende *Gut*, auf welches eben damit die Aufmerksamkeit »sich richten« kann. (Was weiter dafür im Wesen des *Triebes* vorauszusetzen ist, wird aus dem folgenden §. 78 erhellen.)

Somit zeigt sich das, woraus wir vorläufig schon die jedesmalige »Enge« des Bewusstseins herleiteten (§. 70–71), hier vielmehr als der *allgemeine Charakter* des Bewusstseins. *Jedes* Bewusstsein, so gewiss es in einem erregten Triebe seinen ersten Ursprung findet, kann nur, wie dieser, ein inhaltlich begrenztes sein, *neben* welchem der Geist noch ein unbestimmt Vieles, für jetzt bewusstlos Bleibendes besitzt, weil es gerade jetzt an der Erregung des Triebes für dasselbe gebricht.

EDUARD VON HARTMANN

Philosophie des Unbewussten

Erster Teil: Phänomenologie des Unbewussten Einleitendes

C. Vorgänger in Bezug auf den Begriff des Unbewussten

Wie lange hat es gedauert, bis in der Geschichte der Philosophie der Gegensatz von Geist und Natur, von Denken und Sein, von Subject und Object zum klaren Bewusstsein kam, jener Gegensatz, der jetzt unser ganzes Denken beherrscht. Denn der natürliche Mensch fühlte als Naturwesen Leib und Seele in sich als Eins, er anticipirte instinctiv diese Identität, und seine bewusste Verstandesarbeit musste erst weit gediehen sein, ehe er sich von diesem Instinct soweit lossagen konnte, um die ganze Tragweite jenes Gegensatzes zu erkennen. In der ganzen griechischen Philosophie finden wir nirgends diesen Gegensatz mit voller Klarheit hingestellt, noch weniger seine Bedeutung erkannt, am wenigsten aber in ihrer klassischen Zeit. Wenn dies schon von dem Gegensatz des Realen und Idealen gilt, was dürfen wir uns wundern, dass der Gegensatz des Unbewussten und Bewussten noch viel weniger dem natürlichen Verstande einfällt und daher noch viel später in der Geschichte der Philosophie zum Durchbruch kommt, ja dass heute noch die allermeisten Gebildeten einen für närrisch halten, wenn man von unbewusstem Denken spricht. Denn das Unbewusste ist dem natürlichen Bewusstsein so sehr *terra incognita*, dass es die Identität von *Vorstellen* und *sich einer Sache bewusst sein*, für ganz selbstverständlich und zweifellos hält. Dieser naive Standpunct ist schon im Cartesius (princ. phil. I, 9) und noch ausführlicher in *Locke* ausgedrückt: Versuche über den menschlichen Verstand Buch II. Cap. 1. §. 9: »Denn Vorstellungen haben und sich etwas bewusst sein, ist einerlei«, oder §. 19: »denn ein ausgedehnter Körper ohne Theile ist so denkbar, als das Denken ohne Bewusstsein. Sie können, wenn es ihre Hypothese erfordert, mit eben so viel Grund sagen: Der Mensch ist immer hungrig, aber er hat nicht immer ein Gefühl davon. Und doch besteht der Hunger eben in diesem Gefühl, sowie das Denken in dem Bewusstsein, dass man denkt.« Man sieht, dass Locke diese Sätze in aller Einfalt *postulirt*; es ist deshalb ganz *unrichtig*, wenn man von gewissen Seiten heute noch die Behauptung hört, Locke habe die Möglichkeit unbewusster Vorstellungen *bewiesen*. Er beweist nur *aus* dieser postulirten Voraussetzung, dass die *Seele* keine Vorstellung haben könne, ohne dass der *Mensch* sich dessen bewusst sei, weil sonst das Bewusstsein der Seele und das des Menschen zwei verschiedene Personen ausmachen würden, und dass folglich die Cartesianer in ihrer Behauptung Unrecht haben, dass die Seele als denkendes Wesen unaufhörlich denken müsse. – Locke ist mithin der erste und einzige, der diese stillschweigende Voraussetzung des natürlichen Verstandes zum wissenschaftlichen und ausführlichen Ausdruck bringt; mit diesem Schritte war aber auch naturgemäss die Erkenntniss ihrer Einseitigkeit und Unwahrheit und die Entdeckung der unbewussten Vorstellungen durch Locke's grossen Gegner Leibniz gegeben, während alle früheren Philosophen wohl im Stillen mehr auf die eine oder die andere Seite neigten, aber sich das Problem überhaupt nicht zum Bewusstsein brachten.

Leibniz wurde zu seiner Entdeckung durch das Bestreben geführt, die angebornen Ideen und die unaufhörliche Thätigkeit der Vorstellungskraft zu retten. Denn wenn Locke bewiesen hatte, dass die *Seele* nicht bewusst denken kann, wenn der *Mensch* sich dessen nicht bewusst ist, und sie doch immerfort denken *sollte*, so blieb nichts übrig als ein *unbewusstes* Denken. Er unterscheidet daher *perception*, Vorstellung, und *apperception*, bewusste Vorstellung oder schlechthin Bewusstsein (Monadologie §. 14) und sagt (gesperrt gedruckt): »Daraus, dass die Seele des Gedankens sich nicht bewusst sei, folge noch gar nicht, dass sie zu denken aufhöre.« (Neue Versuche üb. d. menschl. Verst. Buch II. Cap. 1. §. 10.) Was Leibniz zur positiven Begründung seines neuen Begriffs beibringt, ist freilich mehr als dürftig, aber ein ungeheures Verdienst ist es, dass er sogleich mit genialem Blicke die Tragweite seiner Entdeckung übersah, dass er (§. 15) die innere dunkle Werkstätte der Gefühle, der Leidenschaften und der Handlungen, dass er die Gewohnheit und vieles andere als Wirkungen dieses Princips erkennt, wenn er dies auch nur mit wenigen Worten andeutet, – dass er die unbewussten Vorstellungen für das Band erklärt, »welches jedes Wesen mit dem ganzen übrigen Universum verbindet«, – dass er durch sie die prästabilirte Harmonie der Monaden unter einander erklärt, indem jede Monade als Mikrokosmus unbewusst den Makrokosmos und ihre Stelle in demselben vorstellt. Ich bekenne freudig, dass die Lectüre des Leibniz es war, was mich zuerst zu den hier niedergelegten Untersuchungen angeregt hat.

Für die Auffassung der sogenannten angeborenen Ideen findet er ebenfalls die bis jetzt massgebende Anschauung (Buch I. Cap. 3 §. 20): »Sie sind nichts anderes als natürliche Fertigkeiten, gewisse active und passive Anlagen.« (Cap. 1. §. 25): »Ihre wirkliche Erkenntniss ist der Seele freilich nicht angeboren, aber diejenige, welche man eine potentielle Erkenntniss (*connoissance virtuelle*) nennen könnte. So ist auch die Figur, die aus dem Marmor entstehen soll, in seinen Adern bereits gezeichnet, und also in dem Marmor selbst, noch ehe man sie beim Arbeiten entdeckt.« Es ist dasselbe gemeint, was später Schelling (Werke Abth. I. Bd. 3. S. 528–9) präciser ausdrückte mit den Worten: »Insofern das Ich Alles aus sich producirt, insofern ist alles... Wissen *a priori*. Aber insofern wir uns dieses Producirens nicht bewusst sind, insofern ist in uns nichts *a priori*, sondern Alles *a posteriori*... Es giebt also Begriffe *a priori*, ohne dass es angeborene Begriffe gäbe. Nicht Begriffe, sondern unsere eigene Natur und ihr ganzer Mechanismus ist das uns Angeborene. ...Dadurch, dass wir den Ursprung der sogenannten Begriffe *a priori* jenseits des Bewusstseins versetzen, *wohin für uns auch der Ursprung der objectiven Welt fällt*, behaupten wir mit derselben Evidenz und dem gleichen Rechte, unsere Erkenntniss sei ursprünglich ganz und durchaus empirisch, und sie sei ganz und durchaus *a priori*.«

Nun kommt aber die schwache Seite von Leibniz unbewusster Vorstellung hinten nach, die schon in ihrem gewöhnlichen Namen *»petite perception«* liegt. Indem Leibniz in seiner Erfindung der Infinitesimalrechnung und in vielen Theilen der Naturbetrachtung, in der Mechanik (Ruhe und Bewegung), im Gesetz der Continuität u. s. w. den Begriff des (mathematisch sogen.) unendlich Kleinen mit dem glänzendsten Erfolge einführte, suchte er auch die *petites perceptions* auf diese Weise als Vorstellungen von so geringer Intensität zu fassen, dass sie sich dem Bewusstsein entziehen. Hiermit zerstörte er auf der einen Seite, was er auf der andern erbaut zu haben schien, den wahren Begriff des Unbewussten als ein dem Bewusstsein entgegengesetzes Gebiet, und die Bedeutung desselben für Gefühl und Handeln. Denn wenn, wie Leibniz selbst behauptet, das Naturell, der Instinct, die Leidenschaften, kurz die mächtigsten Einflüsse im Menschenleben aus dem Gebiet des Unbewussten stammen, wie sollen sie durch Vorstellungen bewirkt werden, die so *schwach* sind, dass sie sich dem Bewusstsein entziehen; wie sollten da nicht die *kräftigen* bewussten Vorstellungen im entscheidenden Moment *prävaliren*? Dies interessirt aber Leibniz weniger, und für sein Hauptaugenmerk, die angeborenen Ideen und die beständige Thätigkeit der Seele, reicht allerdings seine Annahme des unendlich kleinen Bewusstseins aus. Demgemäss richten sich auch die meisten seiner *Beispiele* von *petites perceptions* auf Vorstellungen von geringem Bewusstseinsgrad, z. B. die Sinneswahrnehmungen im Schlaf. Bei alledem bleibt Leibniz der Ruhm, zuerst die Existenz von Vorstellungen behauptet zu haben, deren wir uns nicht bewusst sind, und denselben eine hohe Wichtigkeit beigelegt zu haben.

Näher, als man gewöhnlich glaubt, an Leibniz steht *Hume*, dessen theoretische Philosophie sich zwar fast auf einen einzigen Punct, die Causalität, beschränkt, aber innerhalb dieses verengten Gesichtskreises einen klareren und freieren Blick sogar als Kant bewährt hat. Nicht die Thatsache einer bestehenden Causalität bestreitet Hume, sondern er bestreitet nur den Empiristen (Locke) gegenüber ihre Abstrahirbarkeit aus der Erfahrung, den Aprioristen (Cartesianern) gegenüber ihre apodiktische Gewissheit; dagegen räumt er den Empirikern die Anwendbarkeit der Causalität auf die Erfahrung und das praktische Verhalten ein, und den Aprioristen gewährt er gerade durch seinen indirecten Beweis eine Stütze für die Behauptung, dass unser Denken und Schliessen nach causalen Beziehungen *eine »uns selbst unbewusste« Bethätigung* eines unserm discursiven Denken fernstehenden *instinctiven* Vermögens sei, welches, wie der so sehr angestaunte Instinct der Thiere, als eine »ursprüngliche Verleihung der Natur« angesehen werden muss (Untersuchungen üb. d. menschl. Verstand übers. v. Kirchmann – phil. Bibl. Heft 25 – S. 99, vgl. auch S. 147). Die Wirklichkeit einer objectivrealen, von der Anschauung des Subjectes unabhängigen Welt wird aus der Sinneswahrnehmung vermittelst eines solchen natürlichen, blinden, aber mächtigen *Instincts* unmittelbar erschlossen (S. 140); da wir nur unsre Vorstellung direct kennen, so ist freilich für die Vernunft direct unerweisbar, dass dieselbe die *Wirkung* eines von ihr verschiedenen aber ihr ähnlichen äusseren Gegenstandes sei (S. 141). In seiner scharfen Kritik des Berkeley'schen Idealismus zeigt sich aber nun Hume von dem Bewusstsein, dass jeder subjective Idealismus consequenter Weise nur mit einem schlechthin unfruchtbaren und praktisch von seinen eignen Vertretern dementirten Skepticismus enden kann, so sehr durchdrungen, dass er vor dem Kant'schen Irrweg in die exclusivsubjectivistische Auffassung der Causalität geschützt ist, und dass er am Schluss seiner Untersuchungen die *hypothetische Restitution* des kritisch geläuterten Causalitäts-Instincts als den factisch einzig möglichen Standpunct hinstellt. (Einen ähnlichen Gang habe ich in meiner Schrift: »Das Ding an sich und seine Beschaffenheit« – C. Duncker's Verlag 1871 – genommen.)

Dass *Kant* den Begriff der unbewussten Vorstellung von Leibniz entlehnt habe, ist an der zu Anfang angeführten Stelle unschwer zu erkennen. Dass auch er dem Gegenstand grosse Wichtigkeit beigelegt hat, zeigt folgende Stelle des §. 5 der Anthropologie: »Dass das Feld unserer Sinnesanschauungen und Empfindungen, deren wir uns nicht bewusst sind, ob wir gleich unbezweifelt schliessen können, dass wir sie haben, d.i. dunkler Vorstellungen im Menschen (und so auch in Thieren) unermesslich sei, die klaren dagegen nur unendlich wenige Puncte derselben enthalten, die dem Bewusstsein offen liegen: dass gleichsam auf der grossen Charte unseres Gemüths nur wenig Stellen illuminirt sind, kann uns Bewunderung über unser eigenes Wesen einflössen.« Wenn Kant an dieser Stelle die *unbewussten* und die *dunkeln* Vorstellungen für die Zwecke seiner Anthropologie identificiren zu können glaubt, so zeigt die Kritik der reinen Vernunft, dass er principiell den Unterschied beider wohl erkannt und angedeutet, aber nicht in seiner Wichtigkeit begriffen hat. Der Gegensatz der dunkeln Vorstellung ist die *klare*, der Gegensatz der unbewussten Vorstellung ist die *bewusste*; nicht jede bewusste Vorstellung ist eine klare, nicht jede dunkle Vorstellung ist eine unbewusste. Nur diejenige bewusste Vorstellung ist klar, »in der das Bewusstsein zum *Bewusstsein des Unterschiedes* derselben von andern hinreicht;« wo das Bewusstsein hierzu nicht hinreicht, ist die bewusste Vorstellung eine dunkle. *Nicht alle* dunklen Vorstellungen sind mithin unbewusste; »denn ein gewisser Grad des Bewusstseins, der aber zur Erinnerung nicht zureicht, muss selbst in *manchen* dunklen Vorstellungen anzutreffen sein« (Kant's Werke v. Rosenkranz II, S. 793 Anm.). Wenn für die praktischen Zwecke der Anthropologie der Gegensatz der klaren und dunkeln Vorstellung Kant hinreichend scheint, so tritt derselbe für die erkenntnisstheoretische Classification der Vorstellung überhaupt durchaus hinter den der bewussten und unbewussten Vorstellung zurück. »Die Gattung ist Vorstellung überhaupt (*repraesentatio*). *Unter ihr* steht die Vorstellung mit Bewusstsein (*perceptio*)« (ebda. II, 258). Das Bewusstsein, dessen Vorhandensein die *perceptio* von der nicht percipirten *repraesentatio* unterscheidet, ist nicht sowohl selber eine Vorstellung, »sondern eine *Form* derselben überhaupt, sofern sie *Erkenntniss* genannt werden soll« (II, 279). Das Fehlen dieser *Form* also ist es, was die unbewusste Vorstellung von der bewussten unterscheidet. – Zu den unbewussten Vorstellungen scheinen nach Kant die reinen Verstandesbegriffe (Kategorien) gehören zu sollen, insofern sie jenseits der Erkenntniss liegen, welche erst dadurch möglich wird, dass eine *blinde* Function der Seele (II, 77) in spontaner Weise das gegebene Mannigfaltige des percipirten Vorstellungsmaterials synthetisch verknüpft (II, 76). Dringen wir mit dem Bewusstsein rückwärts in die Natur dieser Synthesis ein, so erkennen wir zwar in ihr, insofern sie allgemein vorgestellt wird, den reinen Verstandesbegriff (II, 77), aber die Art der Vermittelung der unbewussten Kategorie als »Keim oder Anlage« (II, 66) zur bewussten Erkenntniss (dem »Schematismus des reinen Verstandes«) bleibt für uns eine ihren Handgriffen nach schwerlich jemals blosszulegende »verborgene Kunst in den Tiefen der menschlichen Seele« (II, 125). – Leider hat sich Kant in Bezug auf die apriorischen Anschauungsformen nicht zur gleichen Höhe der Einsicht emporgeschwungen wie in Bezug auf die Denkformen. – Als ein Beispiel für die Schärfe seines Blickes sei noch angeführt, dass er zuerst das Wesen der Geschlechtsliebe im Unbewussten gesucht hat (Anthropologie §. 5).

Die Blicke, welche Kant über die Sphäre der bewussten menschlichen Erkenntniss hinaus gethan hat, reichen indessen noch weit tiefer, als wir bisher gezeigt haben; jedoch hat er selbst dieses Gebiet nur andeutungsweise berührt, weil er nach apodiktischer Gewissheit in der Philosophie strebt, und sich eingestehen muss, dass in jenem Gebiet unsere Erkenntniss nur auf Wahrscheinlichkeit beruhend, d.h. nach seiner Terminologie problematisch ist (II, 211). Die oben angeführte Classification der Vorstellung ist nämlich insofern unvollständig, als in ihr die zweite, der bewussten Vorstellung gegenüberstehende Species nicht genannt wird. Dies ist aber nach Kant's Terminologie die »intellectuelle Anschauung«, welche in jener Classification nicht vorkommt. Die bewusste Vorstellung (Perception) zerfällt nämlich weiter nach Kant in (subjective) Empfindung und (objective) Erkenntniss, und letztere wieder in Anschauung und Begriff. Empfindung und Anschauung ist nicht intellectuell, sondern sinnlich; Begriff ist nicht intuitiv, sondern discursiv; die sinnliche Anschauung ist abgeleitete Anschauung, nicht ursprüngliche wie die intellectuelle (II, 720), die durch Kategorien vermittelte discursive Erkenntniss wiederum ist zwar intellectuell, aber nicht Anschauung (II, 211). Die intellectuelle Anschauung* bleibt also offen für die nicht percipirte Vorstellung. Die percipirte oder bewusste Vorstellung ist von ihrem Gegenstande verschieden, die nicht percipirte Vorstellung ist mit ihm Eins, indem sie ihn sich giebt oder hervorbringt (II, 741–742). Nicht der abgeleitete und abhängige

* Auch Spinoza hat neben der Erkenntniss durch sinnliche Anschauung und abstracten Begriff eine dritte Erkenntnissgattung durch intellectuelle Anschauung oder intuitives Wissen (Ethik, Theil II, Satz 40, Anmerk. 2), welche den Geist, insofern er ewig ist, also nicht den endlichen und vergänglichen Individualgeist, zu ihrer formalen Ursache hat (Theil V, Satz 31), und welche allein wahrhaft adaequate Ideen über das Wesen Gottes und der Dinge liefert.

menschliche Verstand (bewusste Intellect) als solcher besitzt eine solche intellectuelle Anschauung, sondern nur das Urwesen (II, 720) oder der göttliche Verstand (II, 741), für den das Hervorbringen seiner »intelligibeln Gegenstände« zugleich die Schöpfung der Welt der Noumena ist (VIII, 234). Ob und in wie weit die dunkeln Vorstellungen ohne jedes Bewusstsein durch ein Hereinreichen der ursprünglichen intellectuellen Anschauung des Urwesens in den abgeleiteten menschlichen Verstand zu erklären sind, darüber hat Kant sich nicht ausgesprochen; erst Schelling hat diesen Weg mit Entschiedenheit eingeschlagen. Interessant ist es aber zu sehen, wie Heinrich Heine den Kant'schen Begriff der intellectuellen Anschauung aufgegriffen hat, um sich durch denselben die blitzartigen und nach menschlichem Maasse unverständlichen Aeusserungen des Genies zu verdeutlichen (vgl. Heine's Werke Bd. I, S. 142 u. 168–169).

So wenig Kant eine eigentliche Metaphysik hatte geben wollen, so hatte er doch die in einem System der reinen Vernunft allein mögliche Metaphysik durch jene die intelligible Welt producirende intellectuelle Anschauung des Absoluten hinlänglich angedeutet, so dass auch sein unmittelbarster Fortsetzer Fichte nur auf diesem Wege weiter gehen konnte. Nach ihm ist »Gottes *Dasein* ... schlechthin *das Wissen selber*« (Fichte's s. Werke, II. S. 129–130), aber nur das *substantielle* Wissen, welchem, als dem Unendlichen, *niemals Bewusstsein* zugeschrieben werden kann (II, 305). Zwar ist es dem Wissen *nothwendig*, Selbstbewusstsein zu *werden*, aber es *spaltet* sich hierbei ebenso nothwendig in die Bewusstseinsvielheit mannichfaltiger Individuen und Personen (VII, 130, 132). So als substantielles Wissen (d. h. als bloss inhaltliches Wissen ohne die Form des Bewusstseins) ist Gott *die unendliche Vernunft*, in welcher die endliche enthalten ist; ebenso ist er aber auch der unendliche Wille, der alle Individualwillen in seiner Sphäre hält und trägt, und in welchem diese communiciren (II, 301 u. 302). Muss der Einheit der unendlichen Vernunft und des unendlichen Willens trotz ihres absoluten unendlichen Wissens, oder vielmehr gerade wegen desselben das Bewusstsein abgesprochen werden, so muss es die Persönlichkeit, in welchem Begriffe Schranken liegen, erst recht (II, 304–5). Man sieht hiernach, dass schon bei Fichte alle Elemente unsres Unbewussten zu finden sind, aber sie treten nur gelegentlich, andeutungsweise und an verschiedenen Stellen zerstreut hervor, und ohne Frucht getragen zu haben, werden diese vielversprechenden Gedankenknospen von andern Gesichtspuncten bald wieder überwuchert.

Viel näher lag der Begriff des Unbewussten der *Glaubensphilosophie* (Hamann, Herder und Jacobi), die eigentlich auf ihm beruht, aber sich über sich selbst so unklar und so unfähig ist, ihre eigene Grundlage rationell zu begreifen, dass sie nie dazu kommt, das Stichwort ihrer Partei zu finden.

In voller Reinheit, Klarheit und Tiefe finden wir dagegen den Begriff des Unbewussten bei Schelling; es verlohnt sich daher eines Seitenblicks auf die Art und Weise, wie er zu demselben gekommen ist. Hierüber giebt am besten folgende Stelle Aufschluss (Schelling's Werke Abth. I. Bd. 10. S. 92–93): »Die Meinung dieses (des Fichte'schen subjectiven Idealismus konnte nicht sein, dass das Ich die Dinge ausser sich *frei* und mit *Wollen* setzte, denn nur zu vieles ist, das das Ich ganz anders wollte, wenn das äussere Sein von ihm abhinge ... Um dies alles zeigte sich nun Fichte unbekümmert ... Angewiesen nun, die Philosophie da aufzunehmen, wo sie Fichte hingestellt hatte, musste ich vor allem sehen, wie jene unleugbare und unabweisliche Nothwendigkeit« (mit der dem Ich seine Vorstellungen von der Aussenwelt entgegentreten), »die Fichte gleichsam nur mit Worten hinwegzuschelten sucht, mit den Fichte'schen Begriffen, also mit der behaupteten absoluten Substanz des Ich sich vereinigen liesse. Hier ergab sich nun aber sogleich, dass freilich die Aussenwelt *für* mich nur da ist, inwiefern ich zugleich selbst da und mir bewusst bin (dies versteht sich von selbst), aber dass auch umgekehrt, *sowie* ich für mich selbst da, ich mir *bewusst* bin, dass, mit dem ausgesprochenen *Ich* bin, ich auch die Welt als bereits – da – seiend finde, dass also auf keinen Fall das *schon bewusste* Ich die Welt produciren kann. Nichts verhinderte aber, mit diesem *jetzt* in mir sich-bewussten Ich auf einen Moment zurückzugehen, *wo es seiner noch nicht bewusst war*, eine Region jenseits des *jetzt vorhandenen* Bewusstseins anzunehmen, und eine Thätigkeit, die nicht mehr *selbst*, sondern *nur* durch ihr *Resultat* in das Bewusstsein kommt.« (Vgl. auch Schelling's Werke Abth. I. Bd. 3. S. 348–9). Der Umstand, dass Schelling keine andere Ableitung für den Begriff des Unbewussten hat, als aus der Voraussetzung des Fichte'schen Idealismus, ist wohl der Grund, dass seine zahlreichen schönen Bemerkungen über diesen Begriff auf die Bildung der Zeit nicht mehr Einfluss gehabt haben, da letztere, um seine Nothwendigkeit einzusehen, einer empirischen Ableitung desselben bedurft hätte. Ausser der vorhin bei Gelegenheit des Leibniz schon angeführten Stelle werden im Verlauf unserer Untersuchungen noch mehrfach Citate aus Schelling angezogen werden. Hier nur noch einiges zur Orientirung im Allgemeinen (Werke I. 3. S. 624): »In allem, auch dem gemeinsten und alltäglichsten Produciren wirkt mit der bewussten Thätigkeit eine bewusstlose zusammen.« Die Ausführung dieses Satzes auf den verschiedenen Gebieten der empirischen

Psychologie hätte *a posteriori* die Grundlage des Begriffes des Unbewussten gegeben; Schelling bleibt dieselbe aber (mit Ausnahme für das ästhetische Produciren) nicht nur schuldig, sondern er behauptet auch anderwärts (Werke I. 3. S. 349): »Eine solche (zugleich bewusste und bewusstlose) Thätigkeit ist *allein* die ästhetische.«

Wie rein und tief trotzdem Schelling in der Genialität seiner Conception den Begriff des Unbewussten erfasst hatte, beweist folgende Hauptstelle (I, 3. S. 600): »*Dieses ewig Unbewusste*, was gleichsam die *ewige Sonne im Reiche der Geister*, durch sein eigenes ungetrübtes Licht sich verbirgt, und obgleich es nie Object wird, doch allen freien Handlungen seine Identität aufdrückt, ist zugleich *dasselbe* für alle Intelligenzen, die unsichtbare Wurzel, wovon alle Intelligenzen nur die Potenzen sind, und das ewig Vermittelnde des sich selbst bestimmenden Subjectiven in uns und des Objectiven oder Anschauenden, zugleich der Grund der Gesetzmässigkeit in der Freiheit und der Freiheit in der Gesetzmässigkeit.« Hiermit bezeichnet er dasselbe, was Fichte das substantielle Wissen ohne Bewusstsein oder den unpersönlichen Gott als Einheit der unendlichen Vernunft und des unendlichen Willens nannte, welche Einheit die vielen Individualwillen mit ihrer endlichen Vernunft in sich befasst. Auch Schelling kommt dazu, als das letzte und höchste Princip seiner Identitätsphilosophie i. J. 1801 die *absolute Vernunft* zu bestimmen (Werke I. 4. S. 114–116), und hiermit seinem »ewig Unbewussten« eine concrete Erfüllung zu geben, welcher er i. J. 1809 ebenfalls den *Willen* als der Wichtigkeit nach voranzustellende Ergänzung hinzufügte (I. 7, 350).

In demselben Maasse als für Schelling in seiner eigenen Entwickelungsgeschichte der Fichte'sche Idealismus in den Hintergrund trat, verfiel auch der Begriff des Unbewussten diesem Schicksal. Während derselbe im transcendentalen Idealismus eine Hauptrolle spielt, ist von ihm schon in den bald nachher erschienenen Schriften kaum noch die Rede und später verschwindet er fast ganz. Auch die mystische Naturphilosophie der Schelling'schen Schule, welche (besonders Schubert) doch so viel im Gebiete des Unbewussten verkehrt, hat sich meines Wissens mit einer Entwickelung und Betrachtung dieses Begriffes nirgends befasst. Um so besser weiss das ahnungsvolle Dichtergemüth Jean Paul Friedrich *Richter's* das Unbewusste Schelling's zu würdigen und heben wir aus seinem letzten, unvollendeten Werke »Selina« folgende Stellen hervor: »Wir machen von dem Länderreichthum des Ich viel zu kleine oder enge Messungen, wenn wir das ungeheure Reich des *Unbewussten*, dieses in jedem Sinne wahre innere Afrika, auslassen. Von der weiten vollen Weltkugel des Gedächtnisses drehen sich dem

Geiste in jeder Sekunde immer nur einige erleuchtete Bergspitzen vor, und die ganze übrige Welt bleibt in ihrem Schatten liegen.« – »Es bleibt nichts übrig für den Aufenthalt und Thron der Lebenskraft, als das grosse Reich des *Unbewussten* in der Seele selber.« – »Man sieht bei gewissen Menschen sogleich über die ganze angebaute Seele hinüber, bis an die Grenze der aufgedeckten Leerheit und Dürftigkeit; aber das Reich des *Unbewussten*, zugleich ein Reich des Unergründlichen und Unermesslichen, das jeden Menschengeist besitzt und regiert, macht die Dürftigen reich und rückt ihnen die Grenzen in's Unsichtbare.« – »Ist es nicht ein tröstlicher Gedanke, dieser verdeckte Reichthum in unserer Seele? Können wir nicht hoffen, dass wir *unbewusst* Gott vielleicht inniger lieben als wir wissen, und dass ein stiller Instinct für die zweite Welt in uns arbeite, indess wir bewusst uns so sehr der äusseren übergeben?« – »Wir sehen ja täglich, wie das Bewusste zum *Unbewussten* wird, wie die Seele ohne Bewusstsein die Finger nach dem Generalbasse regt, indem sie jenes auf neue Verhältnisse und Handlungen richtet. Wenn man die Muskel- und Nervendurchkreuzung betrachtet, erstaunt man über Zuckungen und Drucke der kleinsten Art ohne bewusstes Wollen.«

Bei *Hegel* tritt ebenso wie in Schelling's späteren Werken der Begriff des Unbewussten nicht deutlich heraus, ausser in der Einleitung zu den Vorlesungen über »Philosophie der Geschichte«, wo er die in Cap. B. X. anzuführenden Ideen Schelling's über diesen Gegenstand reproducirt. Gleichwohl stimmt Hegel's absolute Idee in ihrem Ansichsein vor ihrer Entlassung zur Natur, also auch vor ihrer Rückkehr zu sich als Geist, in jenem Zustande, wo sie die Wahrheit ohne Hülle ist, gleichsam die Gottheit in ihrem ewigen Wesen vor Erschaffung der Welt und eines endlichen Geistes, durchaus mit Schelling's »ewig Unbewusstem« überein, wenn sie auch nur die eine Seite desselben, nämlich die Seite des Logischen oder der Vorstellung ist, also mit Fichte's »substantiellem Wissen« und seiner unendlichen Vernunft ohne Bewusstsein zusammenfällt. Auch bei Hegel nämlich erlangt der Gedanke erst dann das Bewusstsein, wenn er durch die Vermittelung seiner Entäusserung zur Natur den Weg vom blossen Ansichsein zum Fürsichsein zurückgelegt, und als ein sich gegenständlich gewordener, als *Geist*, zu sich selbst gekommen ist. Der Hegel'sche Gott als Ausgangspunct ist erst »an sich« und unbewusst, nur Gott als Resultat ist »für sich« und bewusst, ist Geist. Dass das zum-Fürsichsein-Gelangen, sich Gegenstand-Werden wirklich ein zum-Bewusstsein-Kommen ist, spricht Hegel in Werke XIII. S. 33 u. 46 deutlich aus. – Die Theorie des Unbewussten ist die nothwendige, wenn auch bisher meist nur stillschweigende *Voraussetzung* jedes objectiven oder absoluten *Idealismus*, der nicht unzweideutiger Theismus ist; d. h. jede Metaphysik, welche die Idee als das Prius der Natur (aus welcher dann wiederum erst der subjective Geist entspringt) betrachtet, *muss* die Idee als eine *unbewusst* seiende supponiren, so lange dieselbe gestaltende Idee ist und sich noch nicht aus dem Sein vor und in der Natur zum anschauenden Bewusstsein im subjectiven Geiste durchgerungen hat, – es sei denn, dass die gestaltende Idee als bewusster Gedanke eines selbstbewussten Gottes behauptet werde. Als höchste Form des absoluten Idealismus verfällt der *Hegelianismus* am sichersten dieser Nothwendigkeit, da ihm die Idee nichts weniger als bewusster Gedanke eines von Anfang an selbstbewussten Gottes, sondern vielmehr »Gott« nur ein opportuner Name für die (in der Selbstentfaltung begriffene) Idee ist. Man kann also sagen, es handle sich in diesem Buche grossentheils nur darum, Hegel's unbewusste Philosophie des Unbewussten zu einer bewussten zu erheben (vergl. meinen Aufsatz: »Ueber die nothwendige Umbildung der Hegel'schen Philosophie aus ihrem Grundprincip heraus« in den »Gesammelten philosoph. Abhandlungen«, No. II, Berlin, C. Duncker). Aber auch alle Diejenigen, welche, mehr oder minder von Plato und Hegel beeinflusst, überhaupt nur Ideen als gestaltende Principien der Bildungsvorgänge in Natur und Geschichte und eine leitende objective Vernunft als im Weltprocess sich offenbarend annehmen, ohne sich doch zu einem selbstbewussten Gott-Schöpfer bekennen zu wollen, alle diese sind schon unbewusste Anhänger der Philosophie des Unbewussten, und bleibt dem Nachfolgenden solchen Lesern gegenüber nur die Aufgabe, sie über die Consequenzen und den systematischen Zusammenhang ihrer Gedanken aufzuklären, und sie durch strengere Begründung in ihrem Standpunct zu befestigen.

Schopenhauer kennt als metaphysisches Princip nur den Willen, während ihm die Vorstellung in materialistischem Sinne Hirnproduct ist, eine Thatsache, welche dadurch keine Einschränkung erleidet, dass er die Materie des Gehirns wiederum für die blosse Sichtbarkeit eines (blinden d. h. vorstellungslosen) Willens erklärt. Der Wille, das einzige *metaphysische* Princip Schopenhauers ist hiernach selbstverständlich ein *unbewusster* Wille, die Vorstellung hingegen, die ihm nur das Phänomen eines Metaphysischen und daher *als* Vorstellung nicht selbst etwas Metaphysisches ist, kann auch da, wo sie unbewusst wird, niemals mit der unbewussten Vorstellung Schelling's vergleichbar sein, welche ich als *gleichberechtigtes metaphysisches* Princip dem des unbewussten Willens *coordinire*. Aber auch abgesehen von diesem Unterschiede des Metaphysischen und Phänomenalen bezieht sich die »unbewusste Rumination«, auf welche Schopenhauer in zwei übereinstimmenden Aperçu's (W. a. W. u. V. 3. Aufl. II. S. 148 u. Parerga 2. Aufl. S. 59) zu sprechen kommt, und welche er in's Innere des Gehirns verlegt, doch nur auf die dunklen und *undeutlichen* Vorstellungen des Leibniz und Kant: welche vom Lichte des Bewusstseins *zu schwach* beschienen sind, um klar hervorzutreten, welche also bloss unterhalb der Schwelle des deutlichen Bewusstseins gelegen sind, und sich von den deutlich-bewussten Vorstellungen *nur graduell* (nicht wesentlich) unterscheiden. Schopenhauer erreicht also den wahren Begriff der absolut unbewussten Vorstellung in diesen beiden, übrigens für seine Philosophie ganz einflusslosen Aperçu's ebenso wenig wie in einer andern Stelle, wo er von dem gesonderten Bewusstsein untergeordneter Nervencentra im Organismus spricht (W. a .W. u. V. II. 291). – Einen Anknüpfungspunct für die wahre, absolut unbewusste Vorstellung bietet das Schopenhauer'sche System allerdings, aber eben nur da, wo es sich selbst untreu wird und sich mit sich selbst in Widerspruch setzt, indem ihm die *Idee*, welche ihm ursprünglich nur eine andere Gattung von Anschauung des cerebralen Intellects ist, zu einer der realen Individuation vorhergehenden und dieselbe bedingenden metaphysischen Wesenheit wird (vgl. den Aufsatz: »Ueber die nothwendige Umbildung der Schopenhauer'schen Philosophie aus ihrem Grundprincip heraus« in meinen »Gesammelten philosophischen Abhandlungen« No. III – Berlin, C. Duncker's Verlag 1872). Hiervon zeigt aber Schopenhauer selbst keine Ahnung, so dass es ihm z. B. nicht einfällt, die Idee zur Erklärung der Zweckmässigkeit in der Natur heranzuziehen, welche ihm vielmehr in echt idealistischer Weise ein blosser subjectiver Schein ist, der durch die Auseinanderzerrung des real Einen in das Nebeneinander und Nacheinander von Raum und Zeit entsteht, wobei dann die wesentliche Einheit in Form einer wesentlich gar nicht existirenden teleologischen Beziehung hindurchschimmert, so dass es ganz verkehrt wäre, in der Zweckthätigkeit der Natur etwa *Vernunft* zu suchen. Dabei merkt er aber gar nicht, dass der unbewusste Naturwille *eo ipso* eine unbewusste Vorstellung als Ziel, Inhalt oder Gegenstand seiner selbst voraussetzt, ohne die er leer, unbestimmt und gegenstandslos wäre; so geberdet sich denn der unbewusste Wille in den scharfsinnigen und lehrreichen Betrachtungen über Instinct, Geschlechtsliebe, Leben der Gattung u. s. w. immer genau so, *als ob* er mit unbewusster Vorstellung verbunden wäre, ohne dass Schopenhauer letzteres wüsste oder zugäbe. Allerdings fühlte Schopenhauer, der wie alle Philosophen und die menschliche Natur überhaupt im Alter leise mehr und mehr vom Idealismus zum Realismus hin gravitirte, im Stillen wohl eine gewisse

Nothwendigkeit, den Schritt, den Schelling längst über Fichte hinaus gethan hatte, den Schritt vom subjectiven zum objectiven Idealismus nachzuthun; aber er selbst konnte sich nicht dazu entschliessen, den Standpunct seiner Jugend (speciell das erste Buch seines Hauptwerks) entschieden zu desavouiren, und musste diesen Entschluss seinen Schülern (Frauenstädt, Bahnsen) überlassen. So finden wir hierüber nur Andeutungen, die, weiter ausgeführt, den ganzen bisherigen Standpunct seines Systems verrücken würden, z. B. die Stelle Parerga 2. Aufl. II. 291 (auf welche Freiherr du Prel in Cotta's »deutscher Vierteljahrsschrift«, Heft 129 hingewiesen hat), wo er die Möglichkeit hinstellt, dass nach dem Tode dem »an sich erkenntnisslosen Willen« eine höhere Form des erkenntnisslosen Bewusstseins zukommen könne, in welchem der Gegensatz von Subject und Object aufhört. Nun ist aber alles Bewusstsein *eo ipso* Bewusstsein eines Objectes mit mehr oder minder deutlich bewusster Beziehung auf den correlativen Begriff des Subjects, also ein *Bewusstsein*, in welchem dieser Gegensatz aufhört, undenkbar; wohl aber ist eine *unbewusste Erkenntniss* ohne diesen Gegenstand denkbar, wie Schopenhauer ihr in der Schilderung der intuitiven Idee bereits sehr nahe getreten ist (W. a. W. u. V. I. §. 34 vgl. auch meinen obengen. Aufsatz). Man wird also zugeben müssen, dass Schopenhauer hier das Richtige geahnt, ihm aber einen verkehrten Ausdruck gegeben hat, und dadurch verhindert worden ist, dieses Aperçu an die einzig mögliche Stelle in seinem System einzufügen. Nur sein gehässiges Vorurtheil gegen Schelling hinderte ihn, dort alles das zu finden, was ihm mangelt, und wonach er an dieser Stelle vergeblich ringt.

Erst nach diesen Darlegungen aus der europäischen Philosophie wage ich es, auch auf die morgenländische, speciell die Vedantaphilosophie hinzuweisen. Wie es in der orientalischen Natur begründet liegt, minder systematisch durchzuführen, aber leichter das Verborgenste zu ahnen, und den leisen Einflüsterungen des Genius zugänglicher zu sein, so sind auch in den philosophischen Systemen der Inder und Chinesen noch ungehobene Schätze, in denen oft die Vorwegnahme vieltausendjähriger occidentalischer Entwickelungsresultate am meisten überrascht. In der Vedantaphilosophie heisst das Absolute das Brahma, und hat die drei Attribute Sat (Sein, Substantilität), C'it (absolutes unbewusstes Wissen) und Ananda (intellectuelle Wonne). Als absolutes Wissendes heisst das Brahma C'aitanja (Schopenhauer's ewiges Weltauge, absolutes Subject des Erkennens, zugleich intelligibles Ich aller erkennenden Individuen: Kūtastà-Gīva Saksin). Die Identität des Realen und Idealen wird auf das Nachdrücklichste betont: denn wäre das

Ideale nicht das Reale, so wäre es ja unreal, und wäre das Reale nicht das Ideale, so sänke es zur dumpfen Materie ohne erhaltende Kraft herab (Graul, Tamulische Bibliothek Bd. I. S. 78 No. 141). »*Der Unterschied von Erkenner, Erkenntniss und zu Erkennendem« wird im höchsten Geiste nicht gewusst*, (vielmehr) wird dieses (Brahma) durch sich selbst erleuchtet in Folge seines einigen Wesens, das Geist und Wonne ist« (Ebenda S. 188 No. 40). »*Lehrer:* Jener reingeistige C'aitanja erkennt alle Körper. Da er aber selbst nicht Körper ist, so wird er auch in Nichts erkannt. – *Schüler:* Wenn er, obschon Wissen, *doch von Nichts erkannt wird*, wie kann er dann eben *Wissen sein*? – *Lehrer:* Auch der Syrupssaft bringt sich selber nicht in Erfahrung, dennoch sagen wir vermöge der von jenem Safte verschiedenen Sinne, die ihn erkennen, dass er von süsser Natur ist. So darf man auch nicht zweifeln, dass dem alle Dinge erkennenden Selbst das Wissen (als seine Substanz) zukommt. – *Schüler:* Ist denn das Brahma etwas, das erkannt, oder das nicht erkannt wird? – *Lehrer:* Keines von Beiden. Das, was (über diese beiden Kategorien) hinausliegt (das substantielle Wissen), das ist das Brahma. – *Schüler:* Wie können wir es denn erkennen? – *Lehrer:* Das ist ja gerade, als wenn Jemand sagen wollte: Habe ich eine Zunge oder nicht? *Obgleich wissensartig*, frägst Du doch: Wie ist das Wissen? Schämst Du Dich nicht?« (Ebenda S. 148 No. 2). Das absolute Wissen ist hiernach weder sich selbst bewusst (weil in ihm keine Differenzirung von Subject und Object), noch einem andern unmittelbar bewusst, weil es über die Sphäre des direct Erkennbaren hinausliegt; dennoch ist es seiner Existenz nach uns erkennbar, weil es in allem Wissen das Wissende, in allem Erkennen das Erkennende ist, und ist uns sogar seiner Beschaffenheit nach wenn auch nur negativ (durch obige Betrachtung) erkennbar als un-bewusstes und un-beschränktes Wissen. – Das Unbewusste ist in diesem altindischen Buch zur Vedantaphilosophie (*Panćadaśaprakarana*) in der That so scharf und genau charakterisirt wie kaum von irgend einem der neuesten europäischen Denker.

Kehren wir nun zu diesen zurück, so versteht *Herbart* unter »bewusstlosen Vorstellungen« solche, »die im *Bewusstsein* sind, ohne dass man *sich* ihrer bewusst ist« (Werke V. S. 342), d. h. ohne dass *man* dieselben »als die seinigen beobachtet und an das Ich anknüpft«, oder mit anderen Worten, ohne dass man dieselben mit dem *Selbstbewusstsein* in Verbindung setzt. Dieser Begriff bietet keine Gefahr der Verwechselung mit dem wahrhaft Unbewussten; dagegen ist um der von Fechner gemachten Anwendungen willen, ein anderer von Herbart behandelter Begriff zu berücksichtigen, nämlich der »der Vorstellungen unterhalb der Schwelle des Bewusstseins«, welche nur, ein von der Realisirung mehr oder minder entferntes *Streben* nach Vorstellung repräsentiren, selbst aber »durchaus kein wirkliches Vorstellen« sind, vielmehr für das Bewusstsein nicht einmal Nichts, sondern »eine unmögliche Grösse« bedeuten (Herbart's Werke V. S. 339–342). Herbart kommt auf diesen schwer zu fassenden Begriff dadurch, dass er gemäss der Anschauungsweise des Leibniz eine Continuität der Ab- und Zunahme in dem Uebergange von wirklichen Vorstellungen des Bewusstseins zu solchen, die im Gedächtniss schlummern, und umgekehrt, festhalten, auch die Möglichkeit eines Aufeinander-Wirkens dieser schlummernden Gedächtnissvorstellungen nicht aufgeben wollte, trotzdem aber sich nicht zu einer materialistischen Erklärungsweise dieser Processe herbeilassen konnte, in der Art, dass er in ihnen nur materielle Hirnprocesse von einer für die Bewusstseinserregung nicht ausreichenden Stärke gesehen hätte.

Nun ist aber auf dem heutigen Standpunct der Wissenschaft unschwer zu sehen, dass die sogenannten schlummernden Gedächtnissvorstellungen durchaus nicht Vorstellungen in actu, in Thätigkeit, sondern bloss *Dispositionen* des Gehirns zur leichteren Entstehung dieser Vorstellungen sind. Wie eine Saite auf alle Luftschwingungen, die sie treffen, wenn sie von denselben überhaupt zum Tönen gebracht wird, immer mit demselben Tone resonirt, und zwar mit dem Ton a oder c, je nachdem sie auf a oder c gestimmt ist, so entsteht auch im Gehirn leichter die eine oder die andere Vorstellung, je nachdem die Vertheilung und Spannung der Hirnmolecule so beschaffen ist, dass sie leichter mit der einen oder der andern Art von Schwingungen auf einen entsprechenden Reiz antwortet; und wie die Saite nicht bloss auf Schwingungen, die ihren Eigenschwingungen homolog sind, sondern auch auf solche, die entweder nur wenig von denselben abweichen, oder in einem einfachen rationalen Verhältniss zu denselben stehen, resonirt, so werden auch die Schwingungen der prädisponirten Molecule einer Hirnzelle nicht bloss durch *Eine* Art zugeleiteter Schwingungen wachgerufen, sondern auch durch wenig abweichende oder in einem einfachen Verhältniss zu der Prädisposition stehenden Reize (dieser Zusammenhang ist in den Gesetzen der Ideenassociation erkennbar). Was bei der Saite das Stimmen ist, das ist für das Gehirn die bleibende Veränderung, welche eine lebhafte Vorstellung nach ihrem Verschwinden in Vertheilung und Spannung der Molecule hinterlässt. Wenn schon diese Hirnprädispositionen von höchster Wichtigkeit sind, da von der Form der ausgelösten Hirnschwingungen der Inhalt der Empfindung abhängt, mit welcher die Seele reagirt, also einerseits das ganze *Gedächtniss* auf ihnen beruht, und andrerseits von der Summe der so erlangten, respective ererbten Prädispositionen wesentlich der *Charakter* des Individuums bedingt ist (vgl. Cap. C. X.), so ist doch eine solche ruhende materielle Lagerung der Molecule, welche für die Entstehung gewisser Vorstellungen prädisponirt, nicht als *Vorstellung* zu bezeichnen, obgleich sie unter Umständen zu dem Zustandekommen einer Vorstellung, und zwar einer bewussten Vorstellung, als Bedingung mitwirken kann. Da nun von einer unendlichen Fortdauer einmal erregter Schwingungen im Gehirn nicht die Rede sein kann, vielmehr die starken daselbst vorhandenen Widerstände jede Bewegung in endlicher und zwar ziemlich kurzer Zeit zur Ruhe bringen müssen, so könnte Herbart's unbewusster Zustand der Vorstellung nur innerhalb der Grenzen bestehen bleiben, welche durch das Aufhören der Bewegung einerseits und das Aufhören der bewußten Vorstellung bei noch fortdauernder Bewegung der Hirnschwingungen anderseits gegeben sind, vorausgesetzt, dass beide Grenzen nicht zusammenfallen. Die Frage ist also:

1) ob *jede* Stärke von Hirnschwingungen Vorstellung erweckt, oder ob die Vorstellung erst bei einer gewissen Stärke derselben beginnt, und

2) ob durch jede Stärke von Hirnschwingungen *bewusste* Vorstellung erregt wird oder erst von einer gewissen Stärke an.

Diesen Fragen ist Fechner in seinem ausgezeichneten Werke »Psychophysik« näher getreten. Sein Gedankengang ist folgender: Nicht jeder sinnliche Reiz bewirkt Sinnesempfindung, sondern nur von einer gewissen Grösse an, die *Reizschwelle* heisst; z. B. eine tönende Glocke wird erst von einer gewissen Entfernung aus gehört. Addiren sich mehrere gleichartige, einzeln nicht wahrnehmbare Reize, so entstehen bewusste Empfindungen; z. B. durch mehrere zugleich tönende ferne Glocken, deren jede einzeln man nicht hören würde, oder durch das Blattgeflüster im Walde. Nun könnte man dieses zwar so erklären, dass der Reiz unter der Schwelle nur darum keine Empfindung bewirkt, weil er nicht stark genug ist, um die Leitungswiderstände im Sinnesorgan und Nerven bis zum Centralorgan zu überwinden, dass aber die Seele auf den kleinsten, im Centrum selbst angelangten Reiz mit entsprechender Empfindung reagirt. Diese Annahme reicht aber allein nicht aus, da sie auf Empfindungs*unterschiede* nicht passt. Denn verschieden starke, gleichartige Reize bewirken verschiedene Empfindungen; doch muss auch hier der Unterschied der Reize ein gewisses Maass (die Unterschiedsreizschwelle) überschreiten, wenn die Empfindungen als verschieden wahrgenommen werden sollen. Hier können offenbar die Leitungswiderstände nicht für die Erscheinung verantwortlich gemacht werden, da *jede* der Empfindungen gross genug ist, dieselben zu überwinden. Andererseits können aber für Reizschwelle und Unterschiedsschwelle auch nicht verschiedene Principien geltend gemacht werden, da der erste Fall auf den zweiten Fall *zurückführbar* ist, wenn in letzterem der eine Reiz = 0 gesetzt wird. Mithin bleibt nur die Annahme übrig, dass die Schwingungen am *Centrum* einen gewissen Grad überschreiten müssen, ehe die Empfindung erfolgt. Was hierbei für die Sinnes-Empfindung gilt, gilt natürlich für jede andere Vorstellung und ist somit die zweite Frage entschieden. Es bleibt die Ermittelung offen, ob die Reize unter der Schwelle die Seele *überhaupt* zu einer Reaction bringen, welche dann unbewusste Empfindung oder Vorstellung wäre, oder ob die Reaction der Seele erst bei der Schwelle beginnt.

Hören wir weiter auf Fechner. Das sogenannte Weber'sche Gesetz lautet: »Zwei gleichartige Empfindungsunterschiede verhalten sich wie die zwei Quotienten der zugehörigen Reize«, und die von Fechner hieraus höchst geistreich abgeleitete Formel lautet:

$\gamma = k \log \frac{\beta}{b}$, worin γ die Empfindung bei dem Reiz β, b die Reizschwelle, d. h. der Werth des Reizes, bei dessen kleinster Ueberschreitung γ den Werth 0 überschreitet, und k eine Constante ist, welche die Beziehung der Maasseinheiten von β und γ enthält. (J. J. Müller giebt eine sehr interessante *teleologische* Ableitung dieser Formel in den Berichten der kgl. sächs. Akad. d. Wiss. Sitz. v. 12. Decbr. 1870, worin er zeigt, dass *nur bei dieser* Beziehung zwischen Reiz und Empfindung »der durch Verschiedenheit der Reize bedingte Empfindungsunterschied unabhängig ist von der Erregbarkeit, und der durch Verschiedenheit der Erregbarkeit bedingte Empfindungsunterschied unabhängig vom Reize«, zwei Bedingungen, unter welchen allein das Bewusstsein im Stande ist, die ursächlichen Verschiedenheiten der Reize und der Erregbarkeit auseinanderzuhalten und dadurch zu erkennen.) Wird nun β kleiner als b, d. h. der Reiz kleiner als die Reizschwelle, so wird γ negativ und sinkt um so weiter unter 0, als β unter b sinkt (bei $\beta = 0$ ist $\gamma = -\infty$).

Diese negativen γ's nennt nun Fechner »*unbewusste* Empfindungen«, aber auch mit dem vollen Bewusstsein, in diesem Worte nur eine Licenz des Ausdrucks zu haben, welche bedeuten soll, dass die Empfindung γ sich um so mehr von der Wirklichkeit entfernt, je weiter γ unter 0 sinkt, d. h. dass *ein immer grösserer Zuwachs des Reizes* dazu erfordert werde, um nur erst den Nullwerth von γ wieder hervorzubringen, und dieses an die Grenze der Wirklichkeit zurückzurufen.

Das negative Vorzeichen vor γ bedeutet also hier (wie anderweitig oft das Imaginaire) die Unlösbarkeit der Aufgabe, aus der gegebenen Reizgrösse eine Empfindung zu berechnen.

Ueber die sachliche Bedeutung des negativen Vorzeichens, sagt Fechner sehr richtig, kann nur die vernünftige Vergleichung des Rechnungsansatzes mit den erfahrungsmässigen Thatsachen Aufschluss geben. Darum weist er den Seitenblick auf Wärme und Kälte hier als ganz ungehörig zurück, und verbietet, aus positiven und negativen γ's eine algebraische Summe zu ziehen, ebenso wie dies bei Flächenberechnungen durch rechtwinklige Coordinaten mit den positiven und negativen Flächenstücken unzulässig ist. »Mathematisch kann der Gegensatz der Vorzeichen ganz ebenso gut auf den Gegensatz der Wirklichkeit und Nichtwirklichkeit, als der Zunahme und Abnahme oder der Richtungen bezogen werden. – Im System der Polarcoordinaten bedeutet er den Gegensatz der Wirklichkeit und Nichtwirklichkeit einer Linie, so aber, dass grössere negative Werthe eine *grössere Entfernung von der Wirklichkeit* bedeuten, als kleinere. Es kann nicht das geringste Hinderniss sein, das, was für den *Radius vector* als Function eines Winkels gültig ist, auf die Empfindung als Function eines Reizes zu übertragen« (Psychophysik II. S. 40). Was hier für den algebraischen Ausdruck der Function gilt, gilt natürlich auch für ihre geometrische Veranschaulichung als Curve, wo der sichtbare Zusammenhang des positiven und negativen Theils das Urtheil von neuem gefangen nehmen könnte. Man sieht, dass es schwer ist, für die negativen γ's einen bezeichnenden Ausdruck zu finden, der nicht zu Missverständnissen Anlass geben könnte; das beste wäre vielleicht, gradezu »unwirkliche Empfindung« zu sagen. Indess ist Fechner aus der willkürlichen Benutzung des Wortes unbewusste Empfindung kein Vorwurf zu machen, da er unsere positive Bedeutung des Unbewussten nicht kennt oder wenigstens nicht anerkennt. Schlimmer aber ist es, dass Fechner später so inconsequent war, sich in der That durch den Zusammenhang der geometrischen Curven unterhalb der Schwelle täuschen zu lassen, und von einem realen Zusammenhang der Bewusstseine verschiedener Individuen unterhalb der Schwelle zu sprechen. –

Ich bin hierauf so ausführlich eingegangen, weil ich mich vor Verwechselung mit dem Fechner'schen Begriff der unbewussten Empfindung wahren, zugleich dem trefflichen Werke den Zoll meiner Hochachtung darbringen und endlich die Gelegenheit benutzen wollte, den Leser mit dem Begriff der Schwelle bekannt zu machen, der in den verschiedensten Gebieten der Wissenschaft von Bedeutung ist, und den auch wir für unsere Untersuchungen nicht entbehren können. Dass übrigens eine gewisse Stärke des Hirnreizes dazu gehört, um überhaupt die Seele zu einer Reaction zu nöthigen, ist teleologisch sehr begreiflich; denn was sollte aus uns armen Seelen werden, wenn wir fortwährend auf die unendliche Menge unendlich kleiner Reize reagiren sollten, die uns unaufhörlich umspielen. Aber wenn die Seele einmal auf einen Hirnreiz reagirt, so ist auch *eo ipso* das Bewusstein gegeben, wie in Cap. C. III. gezeigt wird; dann können diese Reactionen nicht mehr unbewusst bleiben. Wollte man hier aber auf die Theorie vom unendlich kleinen Bewusstsein zurückkommen, so wird dieselbe einfach durch das Experiment widerlegt, welches zeigt, dass die bewusste Empfindung *stetig* abnimmt bis zum Nullwerth, dem die Reizschwelle entspricht, also die unendlich kleinen Werthe *in der That oberhalb der Schwelle durchläuft*, wo wirklich noch unendlich kleines Bewusstsein vorhanden ist, mit der Schwelle selbst aber 0 wird, d. h. *absolut aufhört*; ich verweise darüber auf Fechner's Werk.

In die neuere *Naturwissenschaft* hat der Begriff des Unbewussten noch wenig Eingang gefunden; eine rühmliche Ausnahme macht der bekannte Physiologe Carus, dessen Werke »Psyche« und »Physis« wesentlich eine Untersuchung des Unbewussten in seinen Beziehungen zu leiblichem und geistigem Leben enthalten. Wie weit ihm dieser Versuch gelungen ist, und wieviel ich bei dem meinigen von ihm entlehnt haben könne, überlasse ich dem Urtheil des Lesers. Jedoch füge ich hinzu, dass der Begriff des Unbewussten hier in seiner Reinheit, frei von jedem unendlich kleinen Bewusstsein, klar hingestellt ist. – Ausser bei Carus hat auch noch in einigen Specialuntersuchungen der Begriff des Unbewussten sich eine Geltung erzwungen, welche indessen selten über das betreffende specielle Gebiet ausgedehnt worden ist. So sieht sich z. B. Perty in seinem Buch: »Ueber das Seelenleben der Thiere« (Leipz. u. Heidelb. 1865) zu einer Ableitung des Instincts aus unbewussten Momenten hingeführt, und ebenso erkennt Wundt in seinen »Beiträgen zur Theorie der Sinneswahrnehmung« (Leipzig und Heidelberg 1862, auch in Henle's und Pfeuffer's Zeitschr. f. ration. Medicin 1858 und 59) die Nothwendigkeit an, die Entstehung der Sinneswahrnehmung und überhaupt des Bewusstseins auf unbewusste logische Processe zurückzuführen, »da die Wahrnehmungsprocesse unbewusster Natur sind, und nur die *Resultate* derselben zum Bewusstsein zu gelangen pflegen« (ebd. S. 436). »Die Voraussetzung der *logischen* Begründung der Wahrnehmungsvorgänge«, sagt er, »ist in nicht höherem Grad eine Hypothese, als jede andere Annahme, die wir in Bezug auf den Grund von Naturerscheinungen machen; sie hat das wesentliche Erforderniss jeder festbegründeten Theorie, dass sie der *einfachste* und zugleich *passend-*

ste Ausdruck ist, unter den die Thatsachen der Beobachtung sich subsumiren lassen.« (S. 437.) »Ist der erste Act des Bewusstwerdens, der noch in's unbewusste Leben fällt, schon ein Schlussprocess, so ist damit das Gesetz logischer Entwickelung auch für dieses unbewusste Leben nachgewiesen, es ist gezeigt, dass es nicht blos ein bewusstes, sondern auch ein unbewusstes *Denken* giebt. Wir glauben hiermit vollständig dargelegt zu haben, dass die Annahme unbewusster logischer Processe nicht blos die Resultate der Wahrnehmungsvorgänge zu *erklären* im Stande ist, sondern dass dieselbe in der That auch die *wirkliche Natur dieser Vorgänge richtig angiebt*, obgleich die Vorgänge selber unserer unmittelbaren Beobachtung nicht zugänglich sind« (438). Wundt weiss sehr wohl, dass der Ausdruck: »unbewusste Schlussfolgerung« ein uneigentlicher ist; »erst in's *bewusste* Leben *übersetzt* nimmt der psychische Process der Wahrnehmung die Form des Schlusses an« (169); daher vollziehen sich auch die unbewusst-logischen Processe »mit so grosser *Sicherheit* und bei allen Menschen mit so grosser *Gleichmässigkeit*«, wie es bei bewussten Schlüssen, wo die Möglichkeit des Irrthums vorliegt, unmöglich wäre (169). »Unsere Seele ist so glücklich angelegt, dass sie die wichtigsten Fundamente der Erkenntniss uns bereitet, während wir von der Arbeit, mit der dies geschieht, nicht die leiseste Ahnung haben. *Wie ein fremdes Wesen* steht diese unbewusste Seele da, das *für uns* schafft und vorbereitet, um uns endlich die *reifen Früchte* in den Schooss zu werfen« (375).

Helmholtz schliesst sich im Wesentlichen diesen Ansichten an, obschon er, vorsichtiger als Wundt, mehr am Aeussern der Sache haften bleibt. Jedenfalls erkennt er soviel an: »man muss von den gewöhnlich betretenen Pfaden der psychologischen Analyse etwas seitab gehen, um sich zu überzeugen, dass man es hierbei wirklich mit derselben Art von geistiger Thätigkeit zu thun hat, die in den gewöhnlich so genannten Schlüssen wirksam ist« (»Populäre wissenschaftliche Vorträge«, II, S. 92). Er sucht den Unterschied nur in der Aeusserlichkeit, dass die bewussten Schlüsse mit *Worten* operiren (was bei Thieren und Taubstummen nicht zutrifft), während die unbewussten Schlüsse oder Inductionen nur mit *Empfindungen*, Erinnerungsbildern, und Anschauungen zu thun haben (wobei nicht einzusehen wäre, warum dann letztere »niemals in der gewöhnlichen Form eines logisch analysirten Schlusses auszusprechen« wären). Besondere Anerkennung verdient bei Helmholtz, dass er ausdrücklich darauf hinweist, wie die bewussten Schlüsse nach vollständiger Herbeischaffung und Bereitstellung des erforderlichen Vorstellungsmaterials *ganz ebenso* wie die unbewussten Schlüsse »ohne alle Selbstthätigkeit von unserer Seite« (d. h. von Seiten unsres Bewusstseins) so zwingend wie durch äussere Naturgewalt uns entgegentreten (S. 95). – Zur Annahme unbewusster Schlüsse fand sich unabhängig von den Vorgenannten auch *Zöllner* bewogen behufs Erklärung derjenigen pseudoskopischen Phänomene, welche bei Unmöglichkeit einer physiologischen Erklärung nothwendig erfordern (vgl. Poggendorf's Annalen 1860, Bd. 110. S. 500ff. und sein neueres Werk: »Ueber die Natur der Kometen; Beiträge zur Geschichte und Theorie der Erkenntniss«. 2. Aufl. Leipzig bei Engelmann, 1872). – Ferner erinnert es lebhaft an Wundt's unbewusste Seele, die wie ein fremdes Wesen für uns arbeitet, wenn *Bastian* seine »Beiträge zur vergleichenden Psychologie« (Berlin 1868) mit den Worten beginnt (S. 1): »Dass *nicht wir* denken, sondern dass *es in uns* denkt, ist demjenigen klar, der aufmerksam auf das zu sein gewohnt ist, was in uns vorgeht.« Dieses »Es« liegt aber, wie namentlich aus S. 120–121 hervorgeht, im Unbewussten. Indess geht dieser Forscher nicht über unbestimmte Andeutungen hinaus.

Auch in der modernen Behandlung der *Geschichte* zeigen sich Spuren, dass die Leistungen Schelling's und Hegel's (auf die wir in Cap. B. X. zu sprechen kommen) von der Gegenwart doch nicht ganz vergessen sind. So sagt Freitag in der Vorrede zum 1. Bande seiner »Bilder aus der deutschen Vergangenheit«, V. Aufl. Bd. I. S. 23–24: »Alle grossen Schöpfungen der Volkskraft, angestammte Religion, Sitte, Recht, Staatsbildung sind für uns nicht mehr die Resultate einzelner Männer, sie sind organische Schöpfungen eines hohen Lebens, welches zu jeder Zeit nur durch das Individuum zur Erscheinung kommt, und zu jeder Zeit den geistigen Gehalt der Individuen in sich zu einem mächtigen Ganzen zusammenfasst... So darf man wohl, ohne etwas Mystisches zu meinen, von einer *Volksseele* sprechen... Aber *nicht mehr bewusst*, nicht so zweckvoll(?) und verständig, wie die Willenskraft des Mannes, arbeitet das Leben des Volks. Das Freie, Verständige in der Geschichte vertritt der Mann, die Volkskraft wirkt unablässig mit dem *dunkeln Zwang* einer *Urgewalt*, und ihre geistigen Bildungen entsprechen zuweilen in auffallender Weise den *Gestaltungsprocessen* der *stillschaffenden Naturkraft*, die aus dem Samenkorn der Pflanze Stiel, Blätter und Blüthe hervortreibt.« – Eine weitere Ausführung dieser Gedanken ist es, welche den Arbeiten von Lazarus über »Völkerpsychologie« zu Grunde liegt (vgl. meinen Aufsatz: »Ueber das Wesen des Gesammtgeistes« in den »Gesammelten philosophischen Abhandlungen« No. V.).

In der *Aesthetik* hat besonders Carriere die Wichtigkeit der unbewussten Geistesthätigkeit hervorgehoben, und, gestützt auf Schelling, das Ineinander von bewusster und unbewusster Geistesthätigkeit als unentbehrlich für jede künstlerische Leistung nachgewiesen. Einen interessanten Beitrag zum Unbewussten in der Aesthetik liefert Rötscher in einem Aufsatz über das *Dämonische* (in seinen »Dramaturgischen und ästhetischen Abhandlungen«).

Auf die mannigfache Verwerthung, welche der Begriff des Unbewussten nach dem Erscheinen der ersten Auflage dieses Werks gefunden hat, kann hier natürlich nicht weiter eingegangen werden.

Zweiter Teil: Metaphysik des Unbewussten

I
Die Unterschiede von bewusster und unbewusster Geistesthätigkeit und die Einheit von Wille und Vorstellung im Unbewussten

1. *Das Unbewusste erkrankt nicht*, aber die bewusste Geistesthätigkeit kann erkranken, wenn ihre materiellen Organe Störungen erleiden, sei es durch körperliche Ursachen, sei es durch heftige Erschütterungen, welche von starken Gemüthsbewegungen herrühren. Dieser Punct ist, soweit wir auf denselben eingehen können, schon in dem Capitel über die Naturheilkraft (S. 138–144) berührt worden.

2. *Das Unbewusste ermüdet nicht*, aber jede bewusste Geistesthätigkeit ermüdet, weil ihre materiellen Organe zeitweise gebrauchsunfähig werden in Folge eines schnelleren Stoffverbrauchs, als die Ernährung in derselben Zeit ersetzen kann. Allerdings lässt sich durch einen Wechsel des besonders beanspruchten Sinnes, oder des Gegenstandes des Denkens oder der Sinneswahrnehmung die Ermüdung beseitigen, weil nun andere Organe und Gehirntheile, oder wenigstens dieselben Organe in eine andere Art von Thätigkeit versetzt werden, aber die allgemeine Ermüdung des Centralorganes des Bewusstseins ist selbst beim Wechsel der Gegenstände nicht zu verhindern und tritt bei jedem neuen Gegenstand um so schneller ein, je länger die Aufmerksamkeit schon bei anderen Gegenständen thätig war, bis zuletzt vollständige Erschöpfung erfolgt, die nur durch neue Sauerstoffaufnahme während des Schlafes wieder auszugleichen ist. Je mehr wir uns dem Gebiet des Unbewussten nähern, desto weniger ist eine Ermüdung zu bemerken, so z. B. im Gebiet der Gefühle, und um so weniger, je weniger Bestimmtheit für's Bewusstsein dieselben besitzen, denn desto mehr gehört ihr eigent-

liches Wesen dem Unbewussten an. Während ein Gedanke nicht wohl länger als zwei Secunden ohne Unterbrechung im Bewusstsein festzuhalten ist, und das Denken in wenigen Stunden ermüdet, bleibt ein und dasselbe Gefühl zwar mit schwankender Intensität, aber ununterbrochen oft Tage und Nächte hindurch, ja Monate lang bestehen, und wenn es sich endlich abstumpft, so erscheint doch im Gegensatz zum Denken die Empfänglichkeit für andere Gefühle nicht beeinträchtigt, und diese ermüden dann nicht früher, als sie es ohnehin gethan hätten. Letztere Behauptung bedarf nur insoweit der Einschränkung, als das Gesetz der Stimmung mit zu berücksichtigen ist. – Vor dem Einschlafen, wo der Intellect ermüdet, treten die uns belastenden Gefühle gerade um so mächtiger hervor, weil sie nicht von Gedanken behindert sind, so stark, dass sie öfters den Schlaf verhindern. Auch im Traume sind lebhafte Gefühle viel häufiger, als klare Gedanken, und sehr viele Traumbilder verdanken augenscheinlich den vorhandenen Gefühlen ihren Ursprung. Ferner denke man an die unruhige Nacht vor einem wichtigen Ereigniss, an das Erwachen der Mutter bei dem leisesten Weinen des Kindes bei gleichzeitiger Unempfindlichkeit gegen andere stärkere Geräusche, an das Aufwachen zur bestimmten Stunde, wenn man den entschiedenen Willen dazu hat u. dergl. Alles dies beweist das unermüdliche Fortbestehen der Gefühle, des Interesses und des Willens im Unbewussten oder auch mit ganz schwacher Affection des Bewusstseins, während der ermüdete Intellect ruht, oder höchstens dem Gaukelspiel der Träume müssig zuschaut. Wo wir es mit demjenigen Zustand zu thun haben, welcher von allen, die überhaupt noch unserer Beobachtung zugänglich sind, am tiefsten im Unbewussten steckt und am wenigsten in's Bewusstsein hinüberreicht, der Entrückung der Mystiker, da schwindet der Natur der Sache nach auch die Ermüdung auf ein Minimum zusammen, denn »hundert Jahre sind wie eine Stunde«, und selbst die körperliche Ermüdung wird wie im Winterschlaf der Thiere durch unglaubliche Verlangsamung aller organischen Functionen fast getilgt; – man denke an die ewig betenden Säulenheiligen, oder die indischen Büsser und ihre vertrackten Stellungen.

3. *Alle bewusste Vorstellung hat die Form der Sinnlichkeit, das unbewusste Denken kann nur von unsinnlicher Art sein.* Wir denken entweder in Bildern, dann nehmen wir direct die Sinneseindrücke und ihre Umgestaltungen und Combinationen aus der Erinnerung auf, oder wir denken in Abstractionen. Diese Abstractionen sind aber doch auch bloss von Sinneseindrücken abstrahirt, und mag man beim Abstrahiren *fallen* lassen, so viel man will, – so lange man *überhaupt etwas* übrig

behält, kann es nur etwas sein, was in dem Ganzen *schon steckte*, *aus* welchem man erst abstrahirt, d. h. es sind auch die Abstracta für uns nur *Reste von Sinneseindrücken* und haben mithin die *Form der Sinnlichkeit*. – Dass die Sinneseindrücke, die wir von den Dingen empfangen, mit diesen keine Aehnlichkeit haben, ist schon aus der Naturwissenschaft genügend bekannt. Jede Sinneswahrnehmung ist ferner *eo ipso* mit Bewußtsein verknüpft, d. h. sie *erzeugt* dasselbe überall da, wo sie nicht auf eine schon bestehende Bewusstseinssphäre trifft und von dieser appercipirt wird. Das Unbewusste würde mithin, wollte es die Dinge in der Form der Sinnlichkeit vorstellen, dieselben nicht nur in inadäquater Gestalt vorstellen, sondern es würde mit dieser Vorstellungsthätigkeit allemal aus der Sphäre unbewusster Geistesthätigkeit in die der bewussten hinübertreten, wie es dies ja factisch im Individualbewusstsein der Organismen thut; fragen wir also nach der Beschaffenheit der *unbewussten* Geistesthätigkeit des Unbewussten, so geht aus dem Gesagten hervor, dass sie sich eben *nicht* in der Form der *Sinnlichkeit* bewegen kann. Da nun aber das *Bewusstsein* seinerseits, wie wir oben sahen, wiederum gar nichts vorstellen kann, es sei denn in Form der Sinnlichkeit, so folgt, dass das Bewusstsein nun- und nimmermehr sich eine *directe Vorstellung machen kann* von der Art und Weise, wie die unbewusste Vorstellung vorgestellt wird, es kann nur *negativ* wissen, dass jene auf *keine* Weise vorgestellt wird, *von der* es sich eine Vorstellung machen kann. Höchstens kann man noch die sehr wahrscheinliche Vermuthung äussern, dass in der unbewussten Vorstellung die Dinge vorgestellt werden, wie sie an sich sind, da nicht abzusehen wäre, woher für das Unbewusste die Dinge *anders scheinen* sollten, als sie *sind*, vielmehr die Dinge *das, was* sie sind, eben nur deshalb *sind*, weil sie so und nicht anders vom Unbewussten *vorgestellt werden*; freilich giebt uns diese Erklärung durchaus keinen positiven Halt für die Vorstellung, und wir werden in Ansehung der Art und Weise des unbewussten Vorstellens nicht klüger.

4. *Das Unbewusste schwankt und zweifelt nicht*, es braucht *keine Zeit* zur Ueberlegung, *sondern erfasst momentan das Resultat* in demselben Moment, wo es den ganzen logischen Process, der das Resultat erzeugt, auf einmal und nicht *nach* einander, sondern *in* einander denkt, was dasselbe ist, als ob es ihn gar nicht denkt, sondern das Resultat unmittelbar in intellectualer Anschauung mit der unendlichen Kraft des Logischen hin-sieht. Auch diesen Punct haben wir schon öfter erwähnt, und überall so sehr bestätigt gefunden, dass wir ihn geradezu als ein unfehlbares Kriterium benutzen konnten, um im besonderen Falle zu entscheiden, ob wir es mit einer Einwirkung des Unbewuss-

ten oder mit einer bewussten Leistung zu thun hatten. Darum muss die Ueberzeugung dieses Satzes wesentlich aus der Summe unserer bisherigen Betrachtungen gewonnen sein. – Hier will ich nur noch Folgendes anschliessen: Die Ideal-Philosophie fordert eine intelligible Welt ohne Raum und Zeit, welche der Erscheinungswelt mit ihren für bewusstes Denken und Sein geltenden Formen: Raum und Zeit, gegenüber steht. Wie der *Raum* erst *in* und *mit* der Natur *gesetzt* ist, werden wir später sehen, hier handelt es sich um die *Zeit*. Wenn wir nun annehmen dürfen, dass das Unbewusste jeden Denkprocess mit seinen Resultaten in einen *Moment*, d. h. in *Null-Zeit* zusammenfasst, so ist das Denken des Unbewussten *zeitlos*, obwohl noch *in der Zeit*, weil der Moment, in welchem gedacht wird, noch seine zeitliche Stelle in der übrigen Reihe der zeitlichen Erscheinungen hat. Bedenken wir aber, dass dieser Moment, in welchem gedacht wird, nur an dem In-Erscheinung-Treten seines Resultates erkannt wird, und das Denken des Unbewussten in jedem besonderen Falle nur für ein bestimmtes Eingreifen in die Erscheinungswelt Existenz gewinnt (denn Vorüberlegungen und Vorsätze braucht es nicht), so liegt der Schluss nahe, dass das Denken des Unbewussten nur insofern *in der Zeit* ist, als das In-Erscheinung-Treten dieses Denkens in der Zeit ist, dass aber das Denken des Unbewussten, *abgesehen* von der Erscheinungswelt und vom Eingreifen in diese, in der That nicht nur *zeitlos*, sondern auch *unzeitlich*, d. h. *ausser aller Zeit* wäre. Dann würde auch nicht mehr von Vorstellungs-*Thätigkeit* des Unbewussten im eigentlichen Sinne die Rede sein können, sondern die Welt der möglichen Vorstellungen würde als ideale Existenz im Schoosse des Unbewussten beschlossen liegen, und die Thätigkeit, als welche ihrem Begriffe nach etwas Zeitliches, zum mindesten Zeit*setzendes* ist, würde erst in dem Moment und damit beginnen, dass aus dieser ruhenden idealen Welt aller möglichen Vorstellungen die Eine oder die Andere in reale Erscheinung tritt, was eben dadurch geschieht, dass sie vom Willen als Inhalt erfasst wird, wie wir später sehen werden zu Ende dieses Capitels (S. 374–375). Damit hätten wir das Reich des Unbewussten als die metaphysisch haltbare Seite der intelligiblen Welt Kant's begriffen. – Hiermit stimmt völlig überein, dass die Zeit*dauer* in das bewusste Denken erst durch das *materielle Organ* des Bewusstseins hineinkommt, dass das bewusste Denken nur darum Zeit erfordert, weil die Hirnschwingungen, auf denen sie beruht, Zeit brauchen, wie ich dies im Capitel B. VIII. (S. 299–300) kurz gezeigt habe.

5. *Das Unbewusste irrt nicht.* Die Begründung dieses Satzes muss sich auf den Nachweis beschränken, dass dasjenige, was man bei oberflächlicher Betrachtung für Irrthümer des Unbewussten halten könnte,

bei näherer Erwägung nicht als solche angesehen werden kann. So lassen sich z. B. die vermeintlichen Irrthümer des Instinctes auf folgende vier Fälle zurückführen:

a) Wo gar kein besonderer Instinct existirt, sondern bloss eine Organisation, welche durch eine besondere Stärke gewisser Muskeln den allgemeinen Bewegungstrieb vorzugsweise auf diese Muskeln hinlenkt. So z. B. das unzweckmässige Stossen junger Rinder, die noch keine Hörner haben, oder wenn der Schlangengeier all sein Futter mit seinen starken Beinen vor dem Fressen zerstampft, obwohl dies nur bei lebenden Schlangen einen Zweck hat. In diesen Fällen ist die Organisation dazu da, einen besonderen Instinct, der für gewisse Fälle zweckmässig wäre, überflüssig zu machen und zu ersetzen; die Organisation aber treibt zu denselben Bewegungen, die in gewissen Fällen zweckmässig sind, auch in andern Fällen, wo sie überflüssig und nutzlos sind. Da aber das Unbewusste sich durch die Maschinerie der Organisation ein- für allemal die Arbeit leistet, die es sonst in jedem einzelnen Falle thun müsste, so würde man wegen der Kraftersparniss des Unbewussten diese Einrichtung selbst dann noch als zweckmässig anerkennen müssen, wenn in gewissen Fällen diese Organisation nicht nur überflüssig, sondern sogar zweckwidrig und nachtheilig wirkte, wenn nur die Anzahl der Fälle, wo sie zweckmässig ist, stark überwöge. Aber hiervon ist mir nicht einmal ein Beispiel bekannt.

b) Wo der Instinct durch naturwidrige Gewohnheit ertödtet ist, ein Fall, der vielfach beim Menschen und seinen Hausthieren eintritt, wenn z. B. letztere auf der Weide giftige Kräuter und Pflanzen fressen, die sie im Naturzustande vermeiden, oder wenn der Mensch manche Thiere künstlich an eine ihrer Natur widersprechende Nahrung gewöhnt.

c) Wo der Instinct aus zufälligen Gründen nicht functionirt, also die Eingebung des Unbewussten ganz ausbleibt, oder in so schwachem Grade eintritt, dass andere entgegenstehende Triebe sie überwinden, z. B. wenn ein Thier seinen natürlichen Feind nicht scheut und ihm dadurch zum Opfer fällt, den andere Thiere seiner Art instinctiv zu fliehen pflegen, oder wenn bei einem Schweine die Mutterliebe so gering ist, dass der Nahrungstrieb es zum Auffressen seiner Jungen bringt.

d) Wo der Instinct zwar auf die bewusste Vorstellung, auf welche er functioniren soll, richtig functionirt, aber diese bewusste Vorstellung einen Irrthum enthält. Wenn z. B. eine Henne auf einem untergelegten eirunden Stücke Kreide brütet, oder die Spinne ein mit ihrem Eierbeutel vertauschtes Knäulchen Baumwolle sorgfältig pflegt, so irrt in beiden die bewusste Vorstellung in Folge mangelhafter Sinneswahrnehmung, die die Kreide für ein Ei, das Baumwollenknäulchen für einen Eierbeutel hält; der Instinct aber irrt nicht, denn er tritt auf diese Vorstellung ganz richtig ein. Es wäre unbillig, zu verlangen, dass hier das Hellsehen des Instinctes eintreten solle, um den Irrthum der bewussten Vorstellung zu corrigiren; denn das Hellsehen des Instinctes betrifft ja gerade immer nur solche Puncte, welche die bewusste Wahrnehmung überhaupt nicht zu erreichen vermag, aber nicht solche, für welche der Mechanismus der sinnlichen Erkenntniss in allen gewöhnlichen Fällen ausreicht. Aber selbst wenn man diese Anforderung stellte, würde man immer noch nicht sagen können, dass das Unbewusste irrte, sondern nur, dass es mit seinem Hellsehen nicht eingriff, wo es hätte eingreifen können.

Auf diese vier Fälle lässt sich mit Leichtigkeit Alles zurückbringen, was man versucht sein könnte, für scheinbare Irrthümer des Instinctes zu halten. Was man im menschlichen Geiste für falsche und schlechte Eingebungen des Unbewussten halten könnte, würde noch leichter sein zu widerlegen; wo man von falschem Hellsehen hört, kann man so sicher sein, mit absichtlicher oder unabsichtlicher Täuschung zu thun zu haben, wie bei nicht zutreffenden Träumen, dass sie nicht Eingebungen des Unbewussten sind; ebenso kann man im Voraus überzeugt sein, dass alle krankhaften und schlechten Auswüchse an der Mystik oder an künstlerischen Conceptionen nicht aus dem Unbewussten, sondern aus dem Bewusstsein stammen, nämlich aus krankhaften Ausschweifungen der Phantasie, oder von verkehrter Erziehung und Bildung der Grundsätze, des Urtheiles und des Geschmackes. Endlich muss man unterscheiden, in wie weit und bis zu welchem Grade in einem bestimmten Falle die Einwirkung des Unbewussten gereicht hat. Denn ich kann z. B. über einer Erfindung grübeln, und dazu einen Anlauf in bestimmter Richtung genommen haben; wenn ich mir nun über einen gewissen Punct den Kopf zerbreche, der mir zur Vollendung des Ganzen bloss noch zu fehlen scheint, so wird es allerdings einer Einwirkung des Unbewussten zu verdanken sein, wenn mir dieser plötzlich einfällt; nun braucht aber keineswegs hiermit die Erfindung in brauchbarer Weise abgeschlossen zu sein, denn ich kann ja in meinem Glauben geirrt haben, dass nur dieser Eine Punct zur Vollendung des Ganzen noch fehle, oder das Ganze kann vollendet, aber überhaupt nichts werth sein, und dennoch darf man nicht behaupten, dass jene Eingebung des Unbewussten falsch oder schlecht gewesen sei, sondern sie war entschieden gut und richtig für den Punct, den ich gerade suchte, nur dass der gesuchte Punct nicht der richtige war. Wenn ein andermal eine Eingebung des Unbewussten gleich die Erfindung in den Grundzügen fix und fertig hinstellt, so ist eben diese letztere nur weiter gegangen, aber richtig und gut für den Zweck, bis zu dem sie gerade reichen, sind beide, sind alle Einwirkungen des Unbewussten.

6. *Das Bewusstsein erhält seinen Werth erst durch das Gedächtniss*, d.h. durch die Eigenschaft der Hirnschwingungen, bleibende Eindrücke oder moleculare Lagerungsveränderungen von der Art zu hinterlassen, dass von nun an dieselben Schwingungen leichter als das vorige Mal hervorzurufen sind, indem das Hirn nunmehr auf denselben Reiz gleichsam leichter resonirt; dies ermöglicht erst das Vergleichen gegenwärtiger Wahrnehmungen mit früheren, ohne welches alle Begriffsbildung fast unmöglich wäre, – es ermöglicht überhaupt erst das Sammeln von *Erfahrungen*. Das bewusste Denken nimmt mit dem Gedächtnissmateriale, dem fertigen Begriffs- und Urtheilsschatze, und der Uebung des Denkens an Vollkommenheit zu. *Dem Unbewussten dagegen können wir kein Gedächtniss zuschreiben*, da wir das letztere nur mit Hülfe der im Gehirne verbleibenden Eindrücke zu begreifen vermögen, und dasselbe ganz oder stückweise durch Beschädigungen des Gehirns zeitweise oder für immer verloren gehen kann. Auch denkt das Unbewusste Alles, was es zu einem bestimmten Falle braucht, implicite in einem Momente mit, es *braucht also keine Vergleichungen* anzustellen; ebenso wenig hat es *Erfahrungen* nöthig, da es vermöge seines Hellsehens Alles weiss oder wissen kann, sobald nur der Wille es dringend genug verlangt. Daher ist das Unbewusste immer bis zu dem Grade *vollkommen*, wie es überhaupt seiner Natur nach sein kann, und ist eine weitere Vervollkommnung in dieser Richtung undenkbar; wenn darüber hinausgegangen werden soll, so muss es durch eine Aenderung der Richtung selbst geschehen, d. h. durch den Uebergang vom Unbewussten in's Bewusstsein.

7. *Im Unbewussten ist Wille und Vorstellung in untrennbarer Einheit verbunden*, es kann nichts gewollt werden, was nicht vorgestellt wird, und *nichts vorgestellt werden, was nicht gewollt wird*; im Bewusstsein dagegen kann zwar auch nichts gewollt werden, was nicht vorgestellt wird, aber es kann Etwas vorgestellt werden, ohne dass es gewollt würde: *das Bewusstsein ist die Möglichkeit der Emancipation des Intellectes vom Willen*. – Die Unmöglichkeit eines Wollens ohne Vorstellung ist schon Cap. A. IV. besprochen worden; hier handelt es sich um die Unmöglichkeit einer unbewussten Vorstellung ohne den unbewussten Willen zu ihrer Verwirklichung, d. h. ohne dass diese unbewusste Vorstellung zugleich Inhalt oder Gegenstand eines unbewussten Willens wäre. Am klarsten ist dies Verhältniss beim Instincte und den auf

leibliche Vorgänge bezüglichen unbewussten Vorstellungen. Hier ist jede einzelne unbewusste Vorstellung von einem unbewussten Willen begleitet, welcher zu dem allgemeinen Willen der Selbsterhaltung und Gattungserhaltung im Verhältnisse vom Wollen des Mittels zum Wollen des Zweckes steht. Denn dass alle Instincte mit wenigen Ausnahmen die beiden Hauptzwecke in der Natur, Selbst- und Gattungserhaltung, verfolgen, dürfte wohl keinem Zweifel unterliegen, mögen wir nun auf die Entstehung der Reflexbewegungen, Naturheilwirkungen, organischen Bildungsvorgänge und thierischen Instincte sehen, oder auf die Instincte zum Verständnisse der sinnlichen Wahrnehmung, zur Bildung der Abstracta und unentbehrlichen Beziehungsbegriffe, zur Bildung der Sprache, oder auf die Instincte der Scham, des Ekels, der Auswahl in der geschlechtlichen Liebe u. s. w.; es würde übel aussehen mit Menschen und Thieren, wenn auch nur Eines von allen diesen ihnen fehlte, z. B. die Sprache oder die Bildung der Beziehungsbegriffe, Beides für Thiere und Menschen gleich wichtig. Alle Instincte, die nicht auf Selbst- oder Gattungserhaltung gehen, beziehen sich auf den dritten Hauptzweck in der Welt, Vervollkommnung und *Veredelung* der Gattung, etwas beim Menschengeschlechte besonders Hervortretendes. Unter das allgemeine Wollen dieses Zweckes fällt das Wollen aller besonderen Fälle als Mittel, wo das Unbewusste in die Geschichte fördernd eingreift, sei es in Gedanken (mystische Gewinnung von Wahrheiten), oder Thaten, sei es in Einzelnen (wie bei Heroen der Geschichte) oder in Massen des Volkes (wie bei Staatenbildungen, Völkerwanderungen, Kreuzzügen, Revolutionen politischer, kirchlicher oder socialer Art u. s. w.). Es bleibt uns noch die Einwirkung des Unbewussten im Gebiete des Schönen und in dem des bewussten Denkens. In beiden Fällen haben wir schon anerkennen müssen, dass das Eingreifen des Unbewussten zwar vom bewussten Willen des Augenblickes unabhängig, aber dafür ganz und gar abhängig ist vom innerlichen Interesse am Gegenstande, von dem tiefen Bedürfnisse des Geistes und Herzens nach Erreichung dieses Zieles, – dass es zwar davon ziemlich unabhängig ist, ob man sich gerade augenblicklich lebhaft im Bewusstsein mit dem Gegenstande beschäftigt, dass es aber sehr von einer dauernden und angelegentlichen Beschäftigung mit demselben abhängt. Wenn nun das tiefinnere Geistesinteresse und Herzensbedürfniss schon selber wesentlich unbewusster, nur zum kleineren Theile in's Bewusstsein fallender Wille ist, oder doch ebenso wie die angelegentliche Beschäftigung mit der Sache höchst geeignet ist, den unbewussten Willen zu erwecken und zu erregen, wenn ferner die Eingebung um so leichter erfolgt, je mehr sich das Interesse vertieft und von den lichten Höhen des Bewusstseins in die dunkeln Gründe des Herzens, d. h. in's Unbewusste, zurückgezogen hat, so werden wir gewiss berechtigt sein, auch in diesen Fällen einen unbewussten Willen anzunehmen. In der blossen Auffassung des Schönen aber werden wir gewiss einen Instinct anerkennen müssen, der zu dem dritten Hauptzwecke, der Vervollkommnung des Geschlechtes gehört, denn man denke nur, was das Menschengeschlecht wäre, was es glücklichsten Falles am Ende der Geschichte erreichen könnte, und wie viel elender das elende Menschenleben sein würde, wenn Niemand das Gefühl des Schönen kennte. [...]

FRIEDRICH NIETZSCHE

Willensfreiheit und Fatum

Freiheit des Willens, in sich nichts anderes als Freiheit des Gedankens, ist auch in ähnlicher Weise wie Gedankenfreiheit beschränkt. Der Gedanke kann die Weite des Ideenkreises nicht überschreiten, der Ideenkreis aber beruht auf den gewonnenen Anschauungen und kann mit deren Erweiterung wachsen und sich steigern, ohne über die durch den Bau des Gehirns bestimmten Grenzen hinauszukommen. Ebenso ist auch bis zu demselben Endpunkte die Willensfreiheit einer Steigerung fähig, innerhalb dieser Grenzen aber unbeschränkt. Etwas anderes ist es, den Willen ins Werk zu setzen; das Vermögen hiezu ist uns fatalistisch zugemessen. –

Indem das Fatum dem Menschen im Spiegel seiner eignen Persönlichkeit erscheint, sind individuelle Willensfreiheit und individuelles Fatum zwei sich gewachsene Gegner. Wir finden, daß die an ein Fatum glaubenden Völker sich durch Kraft und Willensstärke auszeichnen, daß hingegen Frauen und Männer, die nach verkehrt aufgefaßten christl(ichen) Sätzen die Dinge gehen lassen wie sie gehen, da »Gott alles gut gemacht hat«, sich von den Umständen auf eine entwürdigende Art leiten lassen. Ueberhaupt sind »Ergebung in Gottes Willen« und »Demut« oft nichts als Deckmäntel für feige Furchtsamkeit, dem Geschick mit Entschiedenheit entgegenzutreten.

Wenn aber das Fatum als Grenzbestimmendes doch noch mächtiger als der freie Wille erscheint, so dürfen wir zweierlei nicht vergessen, zuerst, daß Fatum nur ein abstrakter Begriff ist, eine Kraft ohne Stoff, daß es für das Individuum nur ein individuelles Fatum giebt, daß Fatum nichts ist als eine Kette von Ereignissen, daß der Mensch, sobald er handelt und damit seine eignen Ereignisse schafft, sein eignes Fatum bestimmt, daß überhaupt die Ereignisse, wie sie den Menschen treffen, von ihm selbst bewußt oder unbewußt veranlaßt sind und ihm passen müssen. Die Tätigkeit des Menschen aber beginnt nicht erst mit der Geburt, sondern schon im Embryon und vielleicht – wer kann hier entscheiden – schon in Eltern und Voreltern. Ihr alle, die ihr an Unsterblichkeit der Seele glaubt, müßt auch an die Vorexistenz der Seele glauben, wenn ihr nicht aus etwas Sterblichen etwas Unsterbliches sich entwickeln lassen wollt, ihr müßt auch an diese Art der Seelenexistenz glauben, wenn ihr nicht die Seele in der Luft herumflattern lassen wollt, bis sie endlich in den Körper hineingepfropft wird. Der Hindu sagt: Fatum ist nichts, als die Thaten, die wir in einem früheren Zustande unseres Seins begangen haben.

Woraus soll man widerlegen, daß man nicht seit Ewigkeit schon mit Bewußtsein gehandelt habe? Aus dem ganz unentwickelten Bewußtsein des Kindes? Können wir nicht vielmehr behaupten, daß unsre Handlungen immer im Verhältniß zu unserm Bewußtsein stehn? Auch Emmerson sagt:

> Immer ist der Gedanke vereint
> Mit dem Ding, das als sein Ausdruck erscheint.

Ueberhaupt kann ein Ton uns berühren, wenn nicht eine entsprechende Saite in uns ist? Oder anders ausgedrückt: Können wir einen Eindruck in unserm Gehirn aufnehmen, wenn nicht unser Gehirn schon eine Aufnahmefähigkeit dazu besitzt?

Freier Wille ist ebenso nur ein Abstraktum und bedeutet die Fähigkeit, bewußt zu handeln, während wir unter Fatum das Princip verstehn, das uns beim unbewußten Handeln leitet. Handeln an und für sich drückt immer zugleich auch eine Seelentätigkeit aus, eine Willensrichtung, die wir selbst noch nicht als Object in das Auge zu fassen brauchen. Bei bewußtem Handeln können wir uns ebenso sehr von Eindrücken leiten lassen, wie beim unbewußten, aber auch ebenso wenig. Man sagt öfters bei einer glücklichen That: Das habe ich zufällig so getroffen. Das braucht keineswegs immer wahr zu sein. Die Seelentätigkeit dauert fort und ebenso ungeschwächt, wenn wir sie auch nicht mit unsern geistigen Augen betrachten.

Ähnlich meinen wir oft, wenn wir im hellen Sonnenschein die Augen geschlossen haben, daß für uns die Sonne nicht schiene. Aber ihre Wirkungen auf uns, das Belebende ihres Lichtes, ihre milde Wärme hören nicht auf, ob wir sie auch mit den Sinnen nicht weiter wahrnehmen.

Wenn wir also den Begriff des unbewußt Handelns nicht blos als ein Sichleitenlassen von früheren Eindrücken nehmen, so entschwindet für uns der strenge Unterschied von Fatum und freien Willen und beide Begriffe verschwimmen zu der Idee der Individualität.

Je mehr sich die Dinge vom Unorganischen entfernen und je mehr sich die Bildung erweitert, um so hervortretender wird die Individualität, um so mannigfaltiger ihre Eigenschaften. Selbtätige, innere Kraft und äußere Eindrücke, ihre Entwicklungshebel, was sind sie anders als Willensfreiheit und Fatum?

In der Willensfreiheit liegt für das Individuum das Princip der Absonderung, der Lostrennung vom Ganzen, der absoluten Unbeschränktheit; das Fatum aber setzt den Menschen wieder in organische Verbindung mit der Gesammtentwicklung, und nöthigt ihn, indem es ihn zu beherrschen sucht, zur freien Gegenkraftentwicklung; die fatumlose, absolute Willensfreiheit würde den Menschen zum Gott machen, das fatalistische Princip zu einem Automaten.

FRIEDRICH NIETZSCHE

Morgenröthe. Gedanken über die moralischen Vorurtheile

115.

Das sogenannte »Ich«. – Die Sprache und die Vorurtheile, auf denen die Sprache aufgebaut ist, sind uns vielfach in der Ergründung innerer Vorgänge und Triebe hinderlich: zum Beispiel dadurch, dass eigentlich Worte allein für *superlativische* Grade dieser Vorgänge und Triebe da sind –; nun aber sind wir gewohnt, dort, wo uns Worte fehlen, nicht mehr genau zu beobachten, weil es peinlich ist, dort noch genau zu denken; ja, ehedem schloss man unwillkürlich, wo das Reich der Worte aufhöre, höre auch das Reich des Daseins auf. Zorn, Hass, Liebe, Mitleid, Begehren, Erkennen, Freude, Schmerz, – das sind Alles Namen für *extreme* Zustände: die milderen mittleren und gar die immerwährend spielenden niederen Grade entgehen uns, und doch weben sie gerade das Gespinnst unseres Charakters und Schicksals. Jene extremen Ausbrüche – und selbst das mässigste *uns bewusste* Wohlgefallen oder Missfallen beim Essen einer Speise, beim Hören eines Tones ist vielleicht immer noch, richtig abgeschätzt, ein extremer Ausbruch – zerreissen sehr oft das Gespinnst und sind dann gewaltthätige Ausnahmen, zumeist wohl in Folge von Aufstauungen: – und wie vermögen sie als solche den Beobachter irre zu führen! Nicht weniger, als sie den handelnden Menschen in die Irre führen. *Wir sind Alle nicht Das,* als was wir nach den Zuständen erscheinen, für die wir allein Bewusstsein und Worte – und folglich Lob und Tadel – haben; wir *verkennen* uns nach diesen gröberen Ausbrüchen, die uns allein bekannt werden, wir machen einen Schluss aus einem Material, in welchem die Ausnahmen die Regel überwiegen, wir verlesen uns in dieser scheinbar deutlichsten Buchstabenschrift unseres Selbst. *Unsere Meinung über uns* aber, die wir auf diesem falschen Wege gefunden haben, das sogenannte »Ich«, arbeitet fürderhin mit an unserem Charakter und Schicksal. –

116.

Die unbekannte Welt des »Subjects«. – Das, was den Menschen so schwer zu begreifen fällt, ist ihre Unwissenheit über sich selber, von den ältesten Zeiten bis jetzt! Nicht nur in Bezug auf gut und böse, sondern in Bezug auf viel Wesentlicheres! Noch immer lebt der uralte Wahn, dass man wisse, ganz genau wisse, *wie das menschliche Handeln zu Stande komme*, in jedem Falle. Nicht nur »Gott, der in's Herz sieht«, nicht nur der Thäter, der seine That überlegt, – nein, auch jeder Andere zweifelt nicht, das Wesentliche im Vorgange der Handlung jedes Andern zu verstehen. »Ich weiss, was ich will, was ich gethan habe, ich bin frei und verantwortlich dafür, ich mache den Andern verantwortlich, ich kann alle sittlichen Möglichkeiten und alle inneren Bewegungen, die es vor einer Handlung giebt, beim Namen nennen; ihr mögt handeln, wie ihr wollt, – ich verstehe darin mich und euch Alle!« – so dachte ehemals Jeder, so denkt fast noch Jeder. Sokrates und Plato, in diesem Stücke grosse Zweifler und bewunderungswürdige Neuerer, waren doch harmlos gläubig in Betreff jenes verhängnissvollsten Vorurtheils, jenes tiefsten Irrthums, dass »der richtigen Erkenntniss die richtige Handlung *folgen müsse*«, – sie waren in diesem Grundsatze immer noch die Erben des allgemeinen Wahnsinns und Dünkels: dass es ein Wissen um das Wesen einer Handlung gebe. »Es wäre ja *schrecklich*, wenn der Einsicht in das Wesen der rechten That nicht die rechte That folgte«, – diess ist die einzige Art, wie jene Grossen diesen Gedanken zu beweisen für nöthig hielten, das Gegentheil schien ihnen undenkbar und toll – und doch ist diess Gegentheil gerade die nackte, seit Ewigkeiten täglich und stündlich bewiesene Wirklichkeit! Ist es nicht gerade die »schreckliche« Wahrheit: dass, was man von einer That überhaupt wissen kann, *niemals* ausreicht, sie zu thun, dass die Brücke von der Erkenntniss zur That in keinem einzigen Falle bisher geschlagen worden ist? Die Handlungen sind *niemals* Das, als was sie uns erscheinen! Wir haben so viel Mühe gehabt, zu lernen, dass die äusseren Dinge nicht so sind, wie sie uns erscheinen, – nun wohlan! mit der inneren Welt steht es ebenso! Die moralischen Handlungen sind in Wahrheit »etwas Anderes«, – mehr können wir nicht sagen: und alle Handlungen sind wesentlich unbekannt. Das Gegentheil war und ist der allgemeine Glaube: wir haben den ältesten Realismus gegen uns; bis jetzt dachte die Menschheit: »eine Handlung ist Das, als was sie uns erscheint.« [...]

119.

Erleben und Erdichten. – Wie weit Einer seine Selbstkenntniss auch treiben mag, Nichts kann doch unvollständiger sein, als das Bild der gesammten *Triebe*, die sein Wesen constituiren. Kaum dass er die gröberen beim Namen nennen kann: ihre Zahl und Stärke, ihre Ebbe und Fluth, ihr Spiel und Widerspiel unter einander, und vor Allem die Gesetze ihrer *Ernährung* bleiben ihm ganz unbekannt. Diese Ernährung wird also ein Werk des Zufalls: unsere täglichen Erlebnisse werfen bald diesem, bald jenem Triebe eine Beute zu, die er gierig erfasst, aber das ganze Kommen und Gehen dieser Ereignisse steht ausser allem vernünftigen Zusammenhang mit den Nahrungsbedürfnissen der gesammten Triebe: sodass immer Zweierlei eintreten wird, das Verhungern und Verkümmern der einen und die Überfütterung der anderen. Jeder Moment unseres Lebens lässt einige Polypenarme unseres Wesens wachsen und einige andere verdorren, je nach der Nahrung, die der Moment in sich oder nicht in sich trägt. Unsere Erfahrungen, wie gesagt, sind alle in diesem Sinne Nahrungsmittel, aber ausgestreut mit blinder Hand, ohne Wissen um den, der hungert, und den, der schon Überfluss hat. Und in Folge dieser zufälligen Ernährung der Theile wird der ganze ausgewachsene Polyp etwas ebenso Zufälliges sein, wie es sein Werden ist. Deutlicher gesprochen: gesetzt, ein Trieb befindet sich in dem Puncte, wo er Befriedigung begehrt – oder Übung seiner Kraft, oder Entladung derselben oder Sättigung einer Leere – es ist Alles Bilderrede –: so sieht er jedes Vorkommniss des Tages darauf an, wie er es zu seinem Zwecke brauchen kann; ob der Mensch nun läuft oder ruht oder zürnt oder liest oder spricht oder kämpft oder jubelt, der Trieb in seinem Durste betastet gleichsam jeden Zustand, in den der Mensch geräth, und durchschnittlich findet er Nichts für sich daran, er muss warten und weiter dürsten: eine Weile noch und dann wird er matt, und noch ein paar Tage oder Monate der Nicht-Befriedigung, dann dorrt er ab, wie eine Pflanze ohne Regen. Vielleicht würde diese Grausamkeit des Zufalls noch greller in die Augen fallen, wenn alle Triebe es so gründlich nehmen wollten, wie der *Hunger*: der sich nicht mit *geträumter Speise* zufrieden giebt; aber die meisten Triebe, namentlich die sogenannten moralischen, *thun gerade diess*, – wenn meine Vermuthung erlaubt ist, dass unsere *Träume* eben den Werth und Sinn haben, bis zu einem gewissen Grade jenes zufällige Ausbleiben der »Nahrung« während des Tages zu *compensiren*. Warum war der Traum von gestern voller Zärtlichkeit und Thränen, der von vorgestern scherzhaft und übermüthig, ein früherer abenteuerlich und in einem beständigen düsteren Suchen? Wesshalb geniesse ich in diesem unbeschreibliche Schönheiten der Musik, wesshalb schwebe und fliege ich in einem anderen mit der Wonne eines Adlers hinauf nach fernen Bergspitzen? Diese Erdichtungen, welche unseren Trieben der Zärtlichkeit oder des Scherzes oder der Abenteuerlichkeit oder unserm Verlangen nach Musik und Gebirge Spielraum und Entladung geben – und Jeder wird seine schlagenderen Beispiele zur

Hand haben –, sind Interpretationen unserer Nervenreize während des Schlafens, *sehr freie*, sehr willkürliche Interpretationen von Bewegungen des Blutes und der Eingeweide, vom Druck des Armes und der Decken, von den Tönen der Thurmglocken, der Wetterhähne, der Nachtschwärmer und anderer Dinge der Art. Dass dieser Text, der im Allgemeinen doch für eine Nacht wie für die andere sehr ähnlich bleibt, so verschieden commentirt wird, dass die dichtende Vernunft heute und gestern so verschiedene *Ursachen* für die selben Nervenreize sich *vorstellt*: das hat darin seinen Grund, dass der Souffleur dieser Vernunft heute ein anderer war, als er gestern war, – ein anderer *Trieb* wollte sich befriedigen, bethätigen, üben, erquicken, entladen, – gerade er war in seiner hohen Fluth, und gestern war ein anderer darin. – Das wache Leben hat nicht diese *Freiheit* der Interpretation wie das träumende, es ist weniger dichterisch und zügellos, – muss ich aber ausführen, dass unsere Triebe im Wachen ebenfalls nichts Anderes thun, als die Nervenreize interpretiren und nach ihrem Bedürfnisse deren »Ursachen« ansetzen? dass es zwischen Wachen und Träumen keinen *wesentlichen* Unterschied giebt? dass selbst bei einer Vergleichung sehr verschiedener Culturstufen die Freiheit der wachen Interpretation in der einen der Freiheit der anderen im Träumen Nichts nachgiebt? dass auch unsere moralischen Urtheile und Werthschätzungen nur Bilder und Phantasien über einen uns unbekannten physiologischen Vorgang sind, eine Art angewöhnter Sprache, gewisse Nervenreize zu bezeichnen? dass all unser sogenanntes Bewusstsein ein mehr oder weniger phantastischer Commentar über einen ungewussten, vielleicht unwissbaren, aber gefühlten Text ist? – Man nehme ein kleines Erlebniss. Gesetzt, wir bemerken eines Tages, dass Jemand auf dem Markte über uns lacht, da wir vorübergehen: jenachdem dieser oder jener Trieb in uns gerade auf seiner Höhe ist, wird diess Ereigniss für uns diess oder das bedeuten, – und je nach der Art Mensch, die wir sind, ist es ein ganz verschiedenes Ereigniss. Der Eine nimmt es hin wie einen Regentropfen, der Andere schüttelt es von sich wie ein Insect, Einer sucht daraus Händel zu machen, Einer prüft seine Kleidung, ob sie Anlass zum Lachen gebe, Einer denkt über das Lächerliche an sich in Folge davon nach, Einem thut es wohl, zur Heiterkeit und zum Sonnenschein der Welt, ohne zu wollen, einen Strahl gegeben zu haben – und in jedem Falle hat ein Trieb seine Befriedigung daran, sei es der des Ärgers oder der Kampflust oder des Nachdenkens oder des Wohlwollens. Dieser Trieb ergriff das Vorkommniss wie seine Beute: warum er gerade? Weil er durstig und hungernd auf der Lauer lag. – Neulich Vormittags um elf Uhr fiel unmittelbar und senkrecht vor mir ein Mann plötzlich zusammen, wie vom Blitz getroffen, alle Weiber der Umgebung schrieen laut auf; ich selber stellte ihn auf seine Füsse und wartete ihn ab, bis die Sprache sich wieder einstellte, – während dem regte sich bei mir kein Muskel des Gesichts und kein Gefühl, weder das des Schrekkens, noch das des Mitleidens, sondern ich that das Nächste und Vernünftigste und gieng kalt fort. Gesetzt, man hätte mir Tags vorher angekündigt, dass morgen um elf Uhr Jemand neben mir in dieser Weise niederstürzen werde, – ich hätte Qualen aller Art vorher gelitten, die Nacht nicht geschlafen und wäre vielleicht im entscheidenden Augenblick dem Manne gleich geworden, anstatt ihm zu helfen. Inzwischen hätten nämlich alle möglichen Triebe *Zeit gehabt*, das Erlebniss sich vorzustellen und zu commentiren. – Was sind denn unsere Erlebnisse? Viel *mehr* Das, was wir hineinlegen, als Das, was darin liegt! Oder muss es gar heissen: an sich liegt Nichts darin? Erleben ist ein Erdichten? –

120.

Zur Beruhigung des Skeptikers. – »Ich weiss durchaus nicht, was ich *thue*! Ich weiss durchaus nicht, was ich *thun soll*!« – Du hast Recht, aber zweifle nicht daran: *du wirst gethan*! in jedem Augenblicke! Die Menschheit hat zu allen Zeiten das Activum und das Passivum verwechselt, es ist ihr ewiger grammatikalischer Schnitzer.

128.

Der Traum und die Verantwortlichkeit. – In Allem wollt ihr verantwortlich sein! Nur nicht für eure Träume! Welche elende Schwächlichkeit, welcher Mangel an folgerichtigem Muthe! Nichts ist *mehr* euer Eigen, als eure Träume! Nichts mehr *euer* Werk! Stoff, Form, Dauer, Schauspieler, Zuschauer, – in diesen Komödien seid ihr Alles ihr selber! Und hier gerade scheut und schämt ihr euch vor euch, und schon Oedipus, der weise Oedipus wusste sich Trost aus dem Gedanken zu schöpfen, dass wir Nichts für Das können, was wir träumen! Ich schliesse daraus: dass die grosse Mehrzahl der Menschen sich abscheulicher Träume bewusst sein muss. Wäre es anders: wie sehr würde man seine nächtliche Dichterei für den Hochmuth des Menschen ausgebeutet haben! – Muss ich hinzufügen, dass der weise Oedipus Recht hatte, dass wir wirklich nicht für unsere Träume, – aber ebenso wenig für unser Wachen verantwortlich sind, und dass die Lehre von der Freiheit des Willens im Stolz und Machtgefühl des Menschen ihren Vater und ihre Mutter hat? Ich sage diess vielleicht zu oft: aber wenigstens wird es dadurch noch nicht zum Irrthum.

129.

Der angebliche Kampf der Motive. – Man redet vom »Kampf der Motive«, aber bezeichnet damit einen Kampf, der *nicht* der Kampf der Motive ist. Nämlich: in unserm überlegenden Bewusstsein treten vor einer That der Reihe nach die *Folgen* verschiedener Thaten hervor, welche alle wir meinen thun zu können, und wir vergleichen diese Folgen. Wir meinen, zu einer That entschieden zu sein, wenn wir festgestellt haben, dass ihre Folgen die überwiegend günstigeren sein werden; ehe es zu diesem Abschluss unserer Erwägung kommt, quälen wir uns oft redlich, wegen der grossen Schwierigkeit, die Folgen zu errathen, sie in ihrer ganzen Stärke zu sehen und zwar alle, ohne Fehler der Auslassung zu machen: wobei die Rechnung überdiess noch mit dem Zufalle dividirt werden muss. Ja, um das Schwierigste zu nennen: alle die Folgen, die einzeln so schwer festzustellen sind, müssen nun mit einander auf Einer Wage gegen einander abgewogen werden; und so häufig fehlt uns für diese Casuistik des Vortheils die Wage nebst den Gewichten, wegen der Verschiedenheit in der *Qualität* aller dieser möglichen Folgen. Gesetzt aber, auch damit kämen wir in's Reine, und der Zufall hätte uns gegenseitig abwägbare Folgen auf die Wage gelegt: so haben wir jetzt in der That im *Bilde der Folgen* Einer bestimmten Handlung ein *Motiv*, gerade diese Handlung zu thun, – ja! *Ein* Motiv! Aber im Augenblicke, da wir schliesslich handeln, werden wir häufig genug von einer anderen Gattung Motiven bestimmt, als es die hier besprochene Gattung, die des »Bildes der Folgen«, ist. Da wirkt die Gewohnheit unseres Kräftespiels, oder ein kleiner Anstoss von einer Person, die wir fürchten oder ehren oder lieben, oder die Bequemlichkeit, welche vorzieht, was vor der Hand liegt zu thun, oder die Erregung der Phantasie, durch das nächste beste kleinste Ereigniss im entscheidenden Augenblick herbeigeführt, es wirkt Körperliches, das ganz unberechenbar auftritt, es wirkt die Laune, es wirkt der Sprung irgend eines Affectes, der gerade zufällig bereit ist, zu springen: kurz, es wirken Motive, die wir zum Theil gar nicht, zum Theil sehr schlecht kennen und die wir *nie vorher* gegen einander in Rechnung setzen können. *Wahrscheinlich*, dass auch unter ihnen ein Kampf Statt findet, ein Hin- und Wegtreiben, ein Aufwiegen und Niederdrücken von Gewichttheilen – und diess wäre der eigentliche »Kampf der Motive«: – etwas für uns völlig Unsichtbares und Unbewusstes. Ich habe die Folgen und Erfolge berechnet und damit Ein sehr wesentliches Motiv in die Schlachtreihe der Motive eingestellt, – aber diese Schlachtreihe selber stelle ich ebensowenig auf, als ich sie sehe: der Kampf selber ist mir verborgen, und der Sieg als Sieg ebenfalls; denn wohl erfahre ich, was ich schliesslich *thue*, – aber welches Motiv damit eigentlich gesiegt hat, erfahre ich nicht. *Wohl aber sind wir gewohnt*, alle diese unbewussten Vorgänge *nicht* in Anschlag zu bringen und uns die Vorbereitung einer That nur so weit zu denken, als sie bewusst ist: und so verwechseln wir den Kampf der Motive mit der Vergleichung der möglichen Folgen verschiedener Handlungen, – eine der folgenreichsten und für die Entwickelung der Moral verhängnissvollsten Verwechselungen!

FRIEDRICH NIETZSCHE

Die fröhliche Wissenschaft

8.

Unbewusste Tugenden. – Alle Eigenschaften eines Menschen, deren er sich bewusst ist – und namentlich, wenn er deren Sichtbarkeit und Evidenz auch für seine Umgebung voraussetzt – stehen unter ganz anderen Gesetzen der Entwickelung, als jene Eigenschaften, welche ihm unbekannt oder schlecht bekannt sind und die sich auch vor dem Auge des feineren Beobachters durch ihre Feinheit verbergen und wie hinter das Nichts zu verstecken wissen. So steht es mit den feinen Sculpturen auf den Schuppen der Reptilien: es würde ein Irrthum sein, in ihnen einen Schmuck oder eine Waffe zu vermuthen – denn man sieht sie erst mit dem Mikroskop, also mit einem so künstlich verschärften Auge, wie es ähnliche Thiere, für welche es etwa Schmuck oder Waffe zu bedeuten hätte, nicht besitzen! Unsere sichtbaren moralischen Qualitäten, und namentlich unsere sichtbar *geglaubten* gehen ihren Gang, – und die unsichtbaren ganz gleichnamigen, welche uns in Hinsicht auf Andere weder Schmuck noch Waffe sind, *gehen auch ihren Gang*: einen ganz anderen wahrscheinlich, und mit Linien und Feinheiten und Sculpturen, welche vielleicht einem Gotte mit einem göttlichen Mikroskope Vergnügen machen könnten. Wir haben zum Beispiel unsern Fleiss, unsern Ehrgeiz, unsern Scharfsinn: alle Welt weiss darum –, und ausserdem haben wir wahrscheinlich noch einmal *unseren* Fleiss, *unseren* Ehrgeiz, *unseren* Scharfsinn; aber für diese unsere Reptilien-Schuppen ist das Mikroskop noch nicht erfunden! – Und hier werden die Freunde der instinctiven Moralität sagen: »Bravo! Er hält wenigstens unbewusste Tugenden für möglich, – das genügt uns!« – Oh ihr Genügsamen!

9.

Unsere Eruptionen. – Unzähliges, was sich die Menschheit auf früheren Stufen aneignete, aber so schwach und embryonisch, dass es Niemand als angeeignet wahrzunehmen wusste, stösst plötzlich, lange darauf, vielleicht nach Jahrhunderten, an's Licht: es ist inzwischen stark und reif geworden. Manchen Zeitaltern scheint diess oder jenes Talent, diese oder jene Tugend ganz zu fehlen, wie manchen Menschen: aber man warte nur bis auf die Enkel und Enkelskinder, wenn man Zeit hat, zu warten, – sie bringen das Innere ihrer Grossväter an die Sonne, jenes Innere, von dem die Grossväter selbst noch Nichts wussten. Oft ist schon der Sohn der Verräther seines Vaters: dieser versteht sich selber besser, seit er seinen Sohn hat. Wir haben Alle verborgene Gärten und Pflanzungen in uns; und, mit einem andern Gleichnisse, wir sind Alle wachsende Vulcane, die ihre Stunde der Eruption haben werden: – wie nahe aber oder wie ferne diese ist, das freilich weiss Niemand, selbst der liebe Gott nicht.

11.

Das Bewusstsein. – Die Bewusstheit ist die letzte und späteste Entwikkelung des Organischen und folglich auch das Unfertigste und Unkräftigste daran. Aus der Bewusstheit stammen unzählige Fehlgriffe, welche machen, dass ein Thier, ein Mensch zu Grunde geht, früher als es nöthig wäre, »über das Geschick«, wie Homer sagt. Wäre nicht der erhaltende Verband der Instincte so überaus viel mächtiger, diente er nicht im Ganzen als Regulator: an ihrem verkehrten Urtheilen und Phantasiren mit offenen Augen, an ihrer Ungründlichkeit und Leichtgläubigkeit, kurz eben an ihrer Bewusstheit müsste die Menschheit zu Grunde gehen: oder vielmehr, ohne jenes gäbe es diese längst nicht mehr! Bevor eine Function ausgebildet und reif ist, ist sie eine Gefahr des Organismus: gut, wenn sie so lange tüchtig tyrannisirt wird! So wird die Bewusstheit tüchtig tyrannisirt – und nicht am wenigsten von dem Stolze darauf! Man denkt, hier sei *der Kern* des Menschen; sein Bleibendes, Ewiges, Letztes, Ursprünglichstes! Man hält die Bewusstheit für eine feste gegebene Grösse! Leugnet ihr Wachsthum, ihre Intermittenzen! Nimmt sie als »Einheit des Organismus«! – Diese lächerliche Ueberschätzung und Verkennung des Bewusstseins hat die grosse Nützlichkeit zur Folge, dass damit eine allzuschnelle Ausbildung desselben *verhindert* worden ist. Weil die Menschen die Bewusstheit schon zu haben glaubten, haben sie sich wenig Mühe darum gegeben, sie zu erwerben – und auch jetzt noch steht es nicht anders! Es ist immer noch eine ganz neue und eben erst dem menschlichen Auge aufdämmernde, kaum noch deutlich erkennbare *Aufgabe, das Wissen sich einzuverleiben* und instinctiv zu machen, – eine Aufgabe, welche nur von Denen gesehen wird, die begriffen haben, dass bisher nur unsere *Irrthümer* uns einverleibt waren und dass alle unsere Bewusstheit sich auf Irrthümer bezieht!

354.

Vom »Genius der Gattung«. – Das Problem des Bewusstseins (richtiger: des Sich-Bewusst-Werdens) tritt erst dann vor uns hin, wenn wir zu begreifen anfangen, inwiefern wir seiner entrathen könnten: und an diesen Anfang des Begreifens stellt uns jetzt Physiologie und Thiergeschichte (welche also zwei Jahrhunderte nöthig gehabt haben, um den vorausfliegenden Argwohn *Leibnitzens* einzuholen). Wir könnten nämlich denken, fühlen, wollen, uns erinnern, wir könnten ebenfalls »handeln« in jedem Sinne des Wortes: und trotzdem brauchte das Alles nicht uns »in's Bewusstsein zu treten« (wie man im Bilde sagt). Das ganze Leben wäre möglich, ohne dass es sich gleichsam im Spiegel sähe: wie ja thatsächlich auch jetzt noch bei uns der bei weitem überwiegende Theil dieses Lebens sich ohne diese Spiegelung abspielt –, und zwar auch unsres denkenden, fühlenden, wollenden Lebens, so beleidigend dies einem älteren Philosophen klingen mag. *Wozu* überhaupt Bewusstsein, wenn es in der Hauptsache *überflüssig* ist? – Nun scheint mir, wenn man meiner Antwort auf diese Frage und ihrer vielleicht ausschweifenden Vermuthung Gehör geben will, die Feinheit und Stärke des Bewusstseins immer im Verhältniss zur *Mittheilungs-Fähigkeit* eines Menschen (oder Thiers) zu stehn, die Mittheilungs-Fähigkeit wiederum im Verhältnis zur *Mittheilungs-Bedürftigkeit*: letzteres nicht so verstanden, als ob gerade der einzelne Mensch selbst, welcher gerade Meister in der Mittheilung und Verständlichmachung seiner Bedürfnisse ist, zugleich auch mit seinen Bedürfnissen am meisten auf die Andern angewiesen sein müsste. Wohl aber scheint es mir so in Bezug auf ganze Rassen und Geschlechter-Ketten zu stehn: wo das Bedürfniss, die Noth die Menschen lange gezwungen hat, sich mitzutheilen, sich gegenseitig rasch und fein zu verstehen, da ist endlich ein Ueberschuss dieser Kraft und Kunst der Mittheilung da, gleichsam ein Vermögen, das sich allmählich aufgehäuft hat und nun eines Erben wartet, der es verschwenderisch ausgiebt (– die sogenannten Künstler sind diese Erben, insgleichen die Redner, Prediger, Schriftsteller, Alles Menschen, welche immer am Ende einer langen Kette kommen, »Spätgeborne« jedes Mal, im besten Verstande des Wortes, und, wie gesagt, ihrem Wesen nach *Verschwender*). Gesetzt, diese Beobachtung ist richtig, so darf ich zu der Vermuthung weitergehn, dass *Bewusstsein überhaupt sich nur unter dem Druck des Mittheilungs-Bedürfnisses entwickelt hat*; – dass es von vornherein nur zwischen Mensch und Mensch (zwischen Befehlenden und Gehorchenden in Sonderheit) nöthig war, nützlich war, und auch nur im Verhältniss zum Grade dieser Nützlichkeit sich entwickelt hat. Bewusstsein ist eigentlich nur ein Verbindungsnetz zwischen Mensch und Mensch, – nur als solches hat es sich entwickeln müssen: der einsiedlerische und raubthierhafte Mensch hätte seiner nicht bedurft. Dass uns unsre Handlungen, Gedanken, Gefühle, Bewegungen selbst in's Bewusstsein kommen – wenigstens ein Theil derselben –, das ist die Folge eines furchtbaren langen über dem Menschen waltenden »Muss«: er *brauchte*, als das gefährdetste Thier, Hülfe, Schutz, er brauchte Seines-Gleichen, er musste seine Noth auszudrükken, sich verständlich zu machen wissen – und zu dem Allen hatte er zuerst »Bewusstsein« nöthig, also selbst zu »wissen«, was ihm fehlt, zu »wissen«, wie es ihm zu Muthe ist, zu »wissen«, was er denkt. Denn nochmals gesagt: der Mensch, wie jedes lebende Geschöpf, denkt immerfort, aber weiss es nicht; das *bewusst* werdende Denken ist nur der kleinste Theil davon, sagen wir: der oberflächlichste, der schlechteste Theil: – denn allein dieses bewusste Denken *geschieht in Worten, das heisst in Mittheilungszeichen*, womit sich die Herkunft des Bewusstseins selber aufdeckt. Kurz gesagt, die Entwicklung der Sprache und die Entwicklung des Bewusstseins (*nicht* der Vernunft, sondern allein des Sich-bewusst-werdens der Vernunft) gehen Hand in Hand. Man nehme hinzu, dass nicht nur die Sprache zur Brücke zwischen Mensch und Mensch dient, sondern auch der Blick, der Druck, die Gebärde; das Bewusstwerden unserer Sinneseindrücke bei uns selbst, die Kraft, sie fixiren zu können und gleichsam ausser uns zu stellen, hat in dem Maasse zugenommen, als die Nöthigung wuchs, sie *Andern* durch Zeichen zu übermitteln. Der Zeichen-erfindende Mensch ist zugleich der immer schärfer seiner selbst bewusste Mensch; erst als sociales Thier lernte der Mensch seiner selbst bewusst werden, – er thut es noch, er thut es immer mehr. – Mein Gedanke ist, wie man sieht: dass das Bewusstsein nicht eigentlich zur Individual-Existenz des Menschen gehört, vielmehr zu dem, was an ihm Gemeinschafts- und Heerden-Natur ist; dass es, wie daraus folgt, auch nur in Bezug auf Gemeinschafts- und Heerden-Nützlichkeit fein entwickelt ist, und dass folglich Jeder von uns, beim besten Willen, sich selbst so individuell wie möglich zu *verstehen*, »sich selbst zu kennen«, doch immer nur gerade das Nicht-Individuelle an sich zum Bewusstsein bringen wird, sein »Durchschnittliches«, – dass unser Gedanke selbst fortwährend durch den Charakter des Bewusstseins – durch den in ihm gebietenden »Genius der Gattung« – gleichsam *majorisirt* und in die Heerden-Perspektive zurück-übersetzt wird. Unsre Handlungen sind im Grunde allesammt auf eine unvergleichliche Weise persönlich, einzig, unbegrenzt-individuell, es ist kein Zweifel; aber sobald wir sie in's Bewusstsein übersetzen, *scheinen sie es nicht mehr*... Diess ist der eigentliche Phänomenalismus und Perspektivismus, wie *ich* ihn verstehe: die Natur des *thierischen Bewusstseins* bringt es mit sich, dass die Welt, deren wir bewusst werden können, nur eine Oberflächen- und Zeichenwelt ist, eine verallgemeinerte, eine vergemeinerte Welt, – dass Alles, was bewusst wird, ebendamit flach, dünn, relativ-dumm, generell, Zeichen, Heerdenmerkzeichen *wird*, dass mit allem Bewusstwerden eine grosse gründliche Verderbniss, Fälschung, Veroberflächlichung und Generalisation verbunden ist. Zuletzt ist das wachsende Bewusstsein eine Gefahr; und wer unter den bewusstesten Europäern lebt, weiss sogar, dass es eine Krankheit ist. Es ist, wie man erräth, nicht der Gegensatz von Subjekt und Objekt, der mich hier angeht: diese Unterscheidung überlasse ich den Erkenntnisstheoretikern, welche in den Schlingen der Grammatik (der Volks-Metaphysik) hängen geblieben sind. Es ist erst recht nicht der Gegensatz von »Ding an sich« und Erscheinung: denn wir »erkennen« bei weitem nicht genug, um auch nur so *scheiden* zu dürfen. Wir haben eben gar kein Organ für das *Erkennen*, für die »Wahrheit«: wir »wissen« (oder glauben oder bilden uns ein), gerade so viel als es im Interesse der Menschen-Heerde, der Gattung, *nützlich* sein mag: und selbst, was hier »Nützlichkeit« genannt wird, ist zuletzt auch nur ein Glaube, eine Einbildung und vielleicht gerade jene verhängnissvollste Dummheit, an der wir einst zu Grunde gehn.

355.

Der Ursprung unsres Begriffs »Erkenntniss«. – Ich nehme diese Erklärung von der Gasse; ich hörte Jemanden aus dem Volke sagen »er hat mich erkannt« –: dabei fragte ich mich: was versteht eigentlich das Volk unter Erkenntniss? was will es, wenn es »Erkenntniss« will? Nichts weiter als dies: etwas Fremdes soll auf etwas *Bekanntes* zurückgeführt werden. Und wir Philosophen – haben wir unter Erkenntniss eigentlich *mehr* verstanden? Das Bekannte, das heisst: das woran wir gewöhnt sind, so dass wir uns nicht mehr darüber wundern, unser Alltag, irgend eine Regel, in der wir stecken, Alles und Jedes, in dem wir uns zu Hause wissen: – wie? ist unser Bedürfniss nach Erkennen nicht eben dies Bedürfniss nach Bekanntem, der Wille, unter allem Fremden, Ungewöhnlichen, Fragwürdigen Etwas aufzudecken, das uns nicht mehr beunruhigt? Sollte es nicht der *Instinkt der Furcht* sein, der uns erkennen heisst? Sollte das Frohlocken des Erkennenden nicht eben das Frohlocken des wieder erlangten Sicherheitsgefühls sein? ... Dieser Philosoph wähnte die Welt »erkannt«, als er sie auf die »Idee« zurückgeführt hatte: ach, war es nicht deshalb, weil ihm die »Idee« so bekannt, so gewohnt war? weil er sich so wenig mehr vor der »Idee«

fürchtete? – Oh über diese Genügsamkeit der Erkennenden! man sehe sich doch ihre Principien und Welträthsel-Lösungen darauf an! Wenn sie Etwas an den Dingen, unter den Dingen, hinter den Dingen wiederfinden, das uns leider sehr bekannt ist, zum Beispiel unser Einmaleins oder unsre Logik oder unser Wollen und Begehren, wie glücklich sind sie sofort! Denn »was bekannt ist, ist erkannt«: darin stimmen sie überein. Auch die Vorsichtigsten unter ihnen meinen, zum Mindesten sei das Bekannte *leichter erkennbar* als das Fremde; es sei zum Beispiel methodisch geboten, von der »inneren Welt«, von den »Thatsachen des Bewusstseins« auszugehen, weil sie die *uns bekanntere* Welt sei! Irrthum der Irrthümer! Das Bekannte ist das Gewohnte; und das Gewohnte ist am schwersten zu »erkennen«, das heisst als Problem zu sehen, das heisst als fremd, als fern, als »ausser uns« zu sehn ... Die grosse Sicherheit der natürlichen Wissenschaften im Verhältniss zur Psychologie und Kritik der Bewusstseins-Elemente – *unnatürlichen* Wissenschaften, wie man beinahe sagen dürfte – ruht gerade darauf, dass sie das *Fremde* als Objekt nehmen: während es fast etwas Widerspruchsvolles und Widersinniges ist, das Nicht-Fremde überhaupt als Objekt nehmen zu *wollen*...

357.

Zum alten Probleme: »was ist deutsch?« – Man rechne bei sich die eigentlichen Errungenschaften des philosophischen Gedankens nach, welche deutschen Köpfen verdankt werden: sind sie in irgend einem erlaubten Sinne auch noch der ganzen Rasse zu Gute zu rechnen? Dürfen wir sagen: sie sind zugleich das Werk der »deutschen Seele«, mindestens deren Symptom, in dem Sinne, in welchem wir etwa Plato's Ideomanie, seinen fast religiösen Formen-Wahnsinn zugleich als ein Ereigniss und Zeugniss der »griechischen Seele« zu nehmen gewohnt sind? Oder wäre das Umgekehrte wahr? wären sie gerade so individuell, so sehr *Ausnahme* vom Geiste der Rasse, wie es zum Beispiel Goethe's Heidenthum mit gutem Gewissen war? Oder wie es Bismarck's Macchiavellismus mit gutem Gewissen, seine sogenannte »Realpolitik«, unter Deutschen ist? Widersprächen unsre Philosophen vielleicht sogar dem *Bedürfnisse* der »deutschen Seele«? Kurz, waren die deutschen Philosophen wirklich – philosophische *Deutsche?* – Ich erinnere an drei Fälle. Zuerst an *Leibnitzens* unvergleichliche Einsicht, mit der er nicht nur gegen Descartes, sondern gegen Alles, was bis zu ihm philosophirt hatte, Recht bekam, – dass die Bewusstheit nur ein Accidens der Vorstellung ist, *nicht* deren nothwendiges und wesentliches Attribut, dass also das, was wir Bewusstsein nennen, nur einen Zustand unsrer geistigen und seelischen Welt ausmacht (vielleicht einen krankhaften Zustand) und *bei weitem nicht sie selbst:* – ist an diesem Gedanken, dessen Tiefe auch heute noch nicht ausgeschöpft ist, etwas Deutsches? Giebt es einen Grund zu muthmaassen, dass nicht leicht ein Lateiner auf diese Umdrehung des Augenscheins verfallen sein würde? – denn es ist eine Umdrehung. Erinnern wir uns zweitens an *Kant's* ungeheures Fragezeichen, welches er an den Begriff »Causalität« schrieb, – nicht dass er wie Hume dessen Recht überhaupt bezweifelt hätte: er begann vielmehr vorsichtig das Reich abzugrenzen, innerhalb dessen dieser Begriff überhaupt Sinn hat (man ist auch jetzt noch nicht mit dieser Grenzabsteckung fertig geworden). Nehmen wir drittens den erstaunlichen Griff *Hegel's*, der damit durch alle logischen Gewohnheiten und Verwöhnungen durchgriff, als er zu lehren wagte, dass die Artbegriffe sich *aus einander* entwickeln: mit welchem Satze die Geister in Europa zur letzten grossen wissenschaftlichen Bewegung präformirt wurden, zum Darwinismus – denn ohne Hegel kein Darwin. Ist an dieser Hegelschen Neuerung, die erst den entscheidenden Begriff »Entwicklung« in die Wissenschaft gebracht hat, etwas Deutsches? – Ja, ohne allen Zweifel: in allen drei Fällen fühlen wir Etwas von uns selbst »aufgedeckt« und errathen und sind dankbar dafür und überrascht zugleich, jeder dieser drei Sätze ist ein nachdenkliches Stück deutscher Selbsterkenntnis, Selbsterfahrung, Selbsterfassung. »Unsre innre Welt ist viel reicher, umfänglicher, verborgener«, so empfinden wir mit Leibnitz; als Deutsche zweifeln wir mit Kant an der Letztgültigkeit naturwissenschaftlicher Erkenntnisse und überhaupt an Allem, was sich causaliter erkennen *lässt:* das Erkenn*bare* scheint uns als solches schon *geringeren* Werthes. Wir Deutsche sind Hegelianer, auch wenn es nie einen Hegel gegeben hätte, insofern wir (im Gegensatz zu allen Lateinern) dem Werden, der Entwicklung instinktiv einen tieferen Sinn und reicheren Werth zumessen als dem, was »ist« – wir glauben kaum an die Berechtigung des Begriffs »Sein« –; ebenfalls insofern wir unsrer menschlichen Logik nicht geneigt sind einzuräumen, dass sie die Logik an sich, die einzige Art Logik sei (wir möchten vielmehr uns überreden, dass sie nur ein Spezialfall sei, und vielleicht einer der wunderlichsten und dümmsten –). [...]

FRIEDRICH NIETZSCHE

Also sprach Zarathustra

Von den Verächtern des Leibes

Den Verächtern des Leibes will ich mein Wort sagen. Nicht umlernen und umlehren sollen sie mir, sondern nur ihrem eignen Leibe Lebewohl sagen – und also stumm werden.

»Leib bin ich und Seele« – so redet das Kind. Und warum sollte man nicht wie die Kinder reden?

Aber der Erwachte, der Wissende sagt: Leib bin ich ganz und gar, und Nichts ausserdem; und Seele ist nur ein Wort für ein Etwas am Leibe.

Der Leib ist eine grosse Vernunft, eine Vielheit mit Einem Sinne, ein Krieg und ein Frieden, eine Heerde und ein Hirt.

Werkzeug deines Leibes ist auch deine kleine Vernunft, mein Bruder, die du »Geist« nennst, ein kleines Werk- und Spielzeug deiner grossen Vernunft.

»Ich« sagst du und bist stolz auf diess Wort. Aber das Grössere ist, woran du nicht glauben willst, – dein Leib und seine grosse Vernunft: die sagt nicht Ich, aber thut Ich.

Was der Sinn fühlt, was der Geist erkennt, das hat niemals in sich sein Ende. Aber Sinn und Geist möchten dich überreden, sie seien aller Dinge Ende: so eitel sind sie.

Werk- und Spielzeuge sind Sinn und Geist: hinter ihnen liegt noch das Selbst. Das Selbst sucht auch mit den Augen der Sinne, es horcht auch mit den Ohren des Geistes.

Immer horcht das Selbst und sucht: es vergleicht, bezwingt, erobert, zerstört. Es herrscht und ist auch des Ich's Beherrscher.

Hinter deinen Gedanken und Gefühlen, mein Bruder, steht ein mächtiger Gebieter, ein unbekannter Weiser – der heisst Selbst. In deinem Leibe wohnt er, dein Leib ist er.

Es ist mehr Vernunft in deinem Leibe, als in deiner besten Weisheit. Und wer weiss denn, wozu dein Leib gerade deine beste Weisheit nöthig hat?

Dein Selbst lacht über dein Ich und seine stolzen Sprünge. »Was sind mir diese Sprünge und Flüge des Gedankens? sagt es sich. Ein Umweg zu meinem Zwecke. Ich bin das Gängelband des Ich's und der Einbläser seiner Begriffe.«

Das Selbst sagt zum Ich: »hier fühle Schmerz!« Und da leidet es und denkt nach, wie es nicht mehr leide – und dazu eben *soll* es denken.

Das Selbst sagt zum Ich: »hier fühle Lust!« Da freut es sich und denkt nach, wie es noch oft sich freue – und dazu eben *soll* es denken.

Den Verächtern des Leibes will ich ein Wort sagen. Dass sie verachten, das macht ihr Achten. Was ist es, das Achten und Verachten und Werth und Willen schuf?

Das schaffende Selbst schuf sich Achten und Verachten, es schuf sich Lust und Weh. Der schaffende Leib schuf sich den Geist als eine Hand seines Willens.

Noch in eurer Thorheit und Verachtung, ihr Verächter des Leibes, dient ihr eurem Selbst. Ich sage euch: euer Selbst selber will sterben und kehrt sich vom Leben ab.

Nicht mehr vermag es das, was es am liebsten will: – über sich hinaus zu schaffen. Das will es am liebsten, das ist seine ganze Inbrunst.

Aber zu spät ward es ihm jetzt dafür: – so will euer Selbst untergehn, ihr Verächter des Leibes.

Untergehn will euer Selbst, und darum wurdet ihr zu Verächtern des Leibes! Denn nicht mehr vermögt ihr über euch hinaus zu schaffen.

Und darum zürnt ihr nun dem Leben und der Erde. Ein ungewusster Neid ist im scheelen Blick eurer Verachtung.

Ich gehe nicht euren Weg, ihr Verächter des Leibes! Ihr seid mir keine Brücken zum Übermenschen! –

Also sprach Zarathustra.

FRIEDRICH NIETZSCHE

Jenseits von Gut und Böse
Vorspiel einer Philosophie der Zukunft

3.

Nachdem ich lange genug den Philosophen zwischen die Zeilen und auf die Finger gesehn habe, sage ich mir: man muss noch den grössten Theil des bewussten Denkens unter die Instinkt-Thätigkeiten rechnen, und sogar im Falle des philosophischen Denkens; man muss hier umlernen, wie man in Betreff der Vererbung und des »Angeborenen« umgelernt hat. So wenig der Akt der Geburt in dem ganzen Vor- und Fortgange der Vererbung in Betracht kommt: ebenso wenig ist »Bewusstsein« in irgend einem entscheidenden Sinne dem Instinktiven *entgegengesetzt*, – das meiste bewusste Denken eines Philosophen ist durch seine Instinkte heimlich geführt und in bestimmte Bahnen gezwungen. [...]

16.

Es giebt immer noch harmlose Selbst-Beobachter, welche glauben, dass es »unmittelbare Gewissheiten« gebe, zum Beispiel »ich denke«, oder, wie es der Aberglaube Schopenhauer's war, »ich will«: gleichsam als ob hier das Erkennen rein und nackt seinen Gegenstand zu fassen bekäme, als »Ding an sich«, und weder von Seiten des Subjekts, noch von Seiten des Objekts eine Fälschung stattfände. Dass aber »unmittelbare Gewissheit«, ebenso wie »absolute Erkenntniss« und »Ding an sich«, eine contradictio in adjecto in sich schliesst, werde ich hundertmal wiederholen: man sollte sich doch endlich von der Verführung der Worte losmachen! Mag das Volk glauben, dass Erkennen ein zu Ende-Kennen sei, der Philosoph muss sich sagen: »wenn ich den Vorgang zerlege, der in dem Satz »ich denke« ausgedrückt ist, so bekomme ich eine Reihe von verwegenen Behauptungen, deren Begründung schwer, vielleicht unmöglich ist, – zum Beispiel, dass *ich* es bin, der denkt, dass überhaupt ein Etwas es sein muss, das denkt, dass Denken eine Thätigkeit und Wirkung seitens eines Wesens ist, welches als Ursache gedacht wird, dass es ein »Ich« giebt, endlich, dass es bereits fest steht, was mit Denken zu bezeichnen ist, – dass ich *weiss*, was Denken ist. Denn wenn ich nicht darüber mich schon bei mir entschieden hätte, wonach sollte ich abmessen, dass, was eben geschieht, nicht vielleicht »Wollen« oder »Fühlen« sei? Genug, jenes »ich denke« setzt voraus, dass ich meinen augenblicklichen Zustand mit anderen Zuständen, die ich an mir kenne, *vergleiche,* um so festzusetzen, was er ist: wegen dieser Rückbeziehung auf anderweitiges »Wissen« hat er für mich jedenfalls keine unmittelbare »Gewissheit«. – An Stelle jener »unmittelbaren Gewissheit«, an welche das Volk im gegebenen Falle glauben mag, bekommt dergestalt der Philosoph eine Reihe von Fragen der Metaphysik in die Hand, recht eigentliche Gewissensfragen des Intellekts, welche heissen: »Woher nehme ich den Begriff Denken? Warum glaube ich an Ursache und Wirkung? Was giebt mir das Recht, von einem Ich, und gar von einem Ich als Ursache, und endlich noch von einem Ich als Gedanken-Ursache zu reden?« Wer sich mit der Berufung auf eine Art *Intuition* der Erkenntniss getraut, jene metaphysischen Fragen sofort zu beantworten, wie es Der thut, welcher sagt: »ich denke, und weiss, dass dies wenigstens wahr, wirklich, gewiss ist« – der wird bei einem Philosophen heute ein Lächeln und zwei Fragezeichen bereit finden. »Mein Herr, wird der Philosoph vielleicht ihm zu verstehen geben, es ist unwahrscheinlich, dass Sie sich nicht irren: aber warum auch durchaus Wahrheit?«

17.

Was den Aberglauben der Logiker betrifft: so will ich nicht müde werden, eine kleine kurze Thatsache immer wieder zu unterstreichen, welche von diesen Abergläubischen ungern zugestanden wird, – nämlich, dass ein Gedanke kommt, wenn »er« will, und nicht wenn »ich« will; so dass es eine *Fälschung* des Thatbestandes ist, zu sagen: Das Subjekt »ich« ist die Bedingung des Prädikats »denke«. Es denkt: aber dass dies »es« gerade jenes alte berühmte »Ich« sei, ist, milde geredet, nur eine Annahme, eine Behauptung, vor Allem keine »unmittelbare Gewissheit«. Zuletzt ist schon mit diesem »es denkt« zu viel gethan: schon dies »es« enthält eine *Auslegung* des Vorgangs und gehört nicht zum Vorgange selbst. Man schliesst hier nach der grammatischen Gewohnheit »Denken ist eine Thätigkeit, zu jeder Thätigkeit gehört Einer, der thätig ist, folglich –«. Ungefähr nach dem gleichen Schema suchte die ältere Atomistik zu der »Kraft«, die wirkt, noch jenes Klümpchen Materie, worin sie sitzt, aus der heraus sie wirkt, das Atom; strengere Köpfe lernten endlich ohne diesen »Erdenrest« auskommen, und vielleicht gewöhnt man sich eines Tages noch daran, auch seitens der Logiker ohne jenes kleine »es« (zu dem sich das ehrliche alte Ich verflüchtigt hat) auszukommen.

68.

»Das habe ich gethan« sagt mein Gedächtniss. Das kann ich nicht gethan haben – sagt mein Stolz und bleibt unerbittlich. Endlich – giebt das Gedächtniss nach.

71.

Der Weise als Astronom. – So lange du noch die Sterne fühlst als ein »Über-dir«, fehlt dir noch der Blick des Erkennenden.

75.

Grad und Art der Geschlechtlichkeit eines Menschen reicht bis in den letzten Gipfel seines Geistes hinauf.

76.

Unter friedlichen Umständen fällt der kriegerische Mensch über sich selber her.

FRIEDRICH NIETZSCHE

Zur Genealogie der Moral. Eine Streitschrift

Zweite Abhandlung: »Schuld«, »schlechtes Gewissen« und Verwandtes.

1.

Ein Thier heranzuzüchten, das *versprechen darf* – ist das nicht gerade jene paradoxe Aufgabe selbst, welche sich die Natur in Hinsicht auf den Menschen gestellt hat? ist es nicht das eigentliche Problem *vom* Menschen?... Dass dies Problem bis zu einem hohen Grad gelöst ist, muss Dem um so erstaunlicher erscheinen, der die entgegen wirkende Kraft, die der *Vergesslichkeit,* vollauf zu würdigen weiss. Vergesslichkeit ist keine blosse vis inertiae, wie die Oberflächlichen glauben, sie ist vielmehr ein aktives, im strengsten Sinne positives Hemmungsvermögen, dem es zuzuschreiben ist, dass was nur von uns erlebt, erfahren, in uns hineingenommen wird, uns im Zustande der Verdauung (man dürfte ihn »Einverseelung« nennen) ebenso wenig in's Bewusstsein tritt, als der ganze tausendfältige Prozess, mit dem sich unsre leibliche Ernährung, die sogenannte »Einverleibung« abspielt. Die Thüren und Fenster des Bewusstseins zeitweilig schliessen; von dem Lärm und Kampf, mit dem unsre Unterwelt von dienstbaren Organen für und gegen einander arbeitet, unbehelligt bleiben; ein wenig Stille, ein wenig tabula rasa des Bewusstseins, damit wieder Platz wird für Neues, vor Allem für die vornehmeren Funktionen und Funktionäre, für Regieren, Voraussehn, Vorausbestimmen (denn unser Organismus ist oligarchisch eingerichtet) – das ist der Nutzen der, wie gesagt, aktiven Vergesslichkeit, einer Thürwärterin gleichsam, einer Aufrechterhalterin der seelischen Ordnung, der Ruhe, der Etiquette: womit sofort abzusehn ist, inwiefern es kein Glück, keine Heiterkeit, keine Hoffnung, keinen Stolz, keine *Gegenwart* geben könnte ohne Vergesslichkeit. Der Mensch, in dem dieser Hemmungsapparat beschädigt wird und aussetzt, ist einem Dyspeptiker zu vergleichen (und nicht nur zu vergleichen –) er wird mit Nichts »fertig«... Eben dieses nothwendig vergessliche Thier, an dem das Vergessen eine Kraft, eine Form der *starken*

Gesundheit darstellt, hat sich nun ein Gegenvermögen angezüchtet, ein Gedächtnis, mit Hülfe dessen für gewisse Fälle die Vergesslichkeit ausgehängt wird, – für die Fälle nämlich, dass versprochen werden soll: somit keineswegs bloss ein passivisches Nicht-wieder-los-werden-können des einmal eingeritzten Eindrucks, nicht bloss die Indigestion an einem ein Mal verpfändeten Wort, mit dem man nicht wieder fertig wird, sondern ein aktives Nicht-wieder-los-werden-*wollen*, ein Fort- und Fortwollen des ein Mal Gewollten, ein eigentliches *Gedächtnis des Willens:* so dass zwischen das ursprüngliche »ich will« »ich werde thun« und die eigentliche Entladung des Willens, seinen *Akt*, unbedenklich eine Welt von neuen fremden Dingen, Umständen, selbst Willensakten dazwischengelegt werden darf, ohne dass diese lange Kette des Willens springt. Was setzt das aber Alles voraus! [...]

FRIEDRICH NIETZSCHE

Nachgelassene Fragmente

[Winter 1869/70 – Frühjahr 1870]

3 [55]

Weltvernichtung durch Erkenntniß! Neuschaffung durch Stärkung des Unbewußten! Der »dumme Siegfried« und die wissenden Götter! – Pessimismus als absolute Sehnsucht zum Nichtsein unmöglich: nur zum Bessersein!

Die Kunst ist ein sicheres Positivum gegenüber dem erstrebenswerthen Nirwana. [...]

[September 1870 – Januar 1871]

5 [89]

Alle Erweiterung unsrer Erkenntniß entsteht aus dem Bewußtmachen des Unbewußten. Nun fragt es sich, welche Zeichensprache wir dazu haben. Manche Erkenntnisse sind nur für Einige da und Anderes will in der günstigsten vorbereiteten Stimmung erkannt sein.

[Winter 1883/84]

24 [16]

Über die Herkunft unsrer Werthschätzungen.

Wir können uns unsern Leib räumlich auseinanderlegen, und dann erhalten wir ganz dieselbe Vorstellung davon wie vom Sternensysteme, und der Unterschied von organisch und unorganisch fällt nicht mehr in die Augen.

Hymnus auf die Werth-Schätzung.

Ehemals erklärte man die Sternbewegungen als Wirkungen zweckbewußter Wesen: man braucht dies nicht mehr, und auch in Betreff des leiblichen Bewegens und sich-Veränderns glaubt man lange nicht mehr mit dem zwecksetzenden Bewußtsein auszukommen. Die allergrößte Menge der Bewegungen hat gar nichts mit Bewußtsein zu thun: *auch nicht mit Empfindung.* Die Empfindungen und Gedanken sind etwas *äußerst Geringes* und *Seltenes* im Verhältniß zu dem zahllosen Geschehn in jedem Augenblick. Umgekehrt nehmen wir wahr, daß eine *Zweckmäßigkeit* im Kleinsten Geschehn herrscht, der unser bestes Wissen nicht gewachsen ist, eine Vorsorglichkeit, eine Auswahl, ein Zusammenbringen, Wieder-gut-Machen usw. Kurz, wir finden eine Thätigkeit vor, die einem *ungeheuer viel höheren* und überschauenden *Intellekte* zuzuschreiben wäre als der uns bewußte ist. Wir lernen von allem Bewußten *geringer denken:* wir verlernen uns für unser Selbst verantwortlich zu machen, da *wir* als bewußte, zwecksetzende Wesen nur der kleinste Theil davon sind. Von den zahlreichen Einwirkungen in jedem Augenblick z. B. Luft, Elektrizität empfinden wir fast nichts: es könnte genug Kräfte geben, welche, obschon sie uns nie zur Empfindung kommen, uns fortwährend beeinflussen. Lust und Schmerz sind ganz seltene und spärliche Erscheinungen gegenüber den zahllosen Reizen, die eine Zelle, ein Organ auf eine andere Zelle, ein anderes Organ ausübt.

Es ist die Phase der *Bescheidenheit des Bewußtseins.* Zuletzt verstehen wir das Bewußte Ich selber nur als ein Werkzeug im Dienste jenes höheren überschauenden Intellekts: und da können wir fragen, ob nicht alles bewußte *Wollen,* alle *bewußten Zwecke,* alle *Werthschätzungen* vielleicht nur *Mittel* sind, mit denen etwas wesentlich *Verschiedenes erreicht werden* soll, als innerhalb des Bewußtseins es scheint. Wir *meinen:* es handle sich um unsre *Lust* und *Unlust*--- aber Lust und Unlust können Mittel sein, vermöge deren wir etwas zu *leisten hätten,* was außerhalb unseres Bewußtseins liegt --- Es ist zu zeigen, wie sehr alles Bewußte *auf der Oberfläche* bleibt: wie Handlung und Bild der Handlung *verschieden* ist, wie *wenig* man von dem weiß, was einer Handlung *vorhergeht:* wie phantastisch unsere Gefühle »Freiheit des Willens« »Ursache und Wirkung« sind: wie Gedanken nur Bilder, wie Worte nur Zeichen von Gedanken sind: die Unergründlichkeit jeder Handlung: die Oberflächlichkeit alles Lobens und Tadelns: *wie wesentlich Erfindung* und *Einbildung* ist, worin wir bewußt leben, wie wir in allen unseren Worten von Erfindungen reden (Affekte auch), und wie die *Verbindung der M[ensch]heit* auf einem Überleiten und Fortdichten dieser Erfindungen beruht: während im Grunde die wirkliche Verbindung (durch Zeugung) ihren unbekannten Weg geht. *Verändert* wirklich dieser Glaube an die gemeinsamen Erfindungen die Menschen? Oder ist das ganze Ideen- und Werthschätzungswesen nur ein *Ausdruck selber* von unbekannten Veränderungen? *Giebt* es denn Willen, Zwecke, Gedanken, Werthe wirklich? Ist vielleicht das ganze bewußte Leben nur ein *Spiegelbild?* Und auch wenn die Werthschätzung einen Menschen zu *bestimmen* scheint, geschieht im Grunde etwas ganz Anderes? Kurz: gesetzt, es gelänge, das Zweckmäßige im Wirken der Natur zu erklären ohne die Annahme eines zweckesetzenden Ich's: könnte zuletzt vielleicht auch *unser* Zweckesetzen unser Wollen usw. nur eine *Zeichensprache* sein für etwas Wesentlich-Anderes – nämlich Nicht-Wollendes und Unbewußtes? Nur der *feinste Anschein* jener natürlichen Zweckmäßigkeit des Organischen, aber nichts Verschiedenes davon? [...]

24 [18]

Die Wissenschaft – das war bisher die Beseitigung der vollkommenen Verworrenheit der Dinge durch Hypothesen, welche alles »erklären« – also aus dem Widerwillen des Intellekts an dem Chaos. – Dieser selbe Widerwille ergreift mich bei Betrachtung *meiner selber:* die innere Welt möchte ich auch durch ein *Schema* mir bildlich vorstellen und über die intellektuelle Verworrenheit herauskommen. Die Moral war eine solche *Vereinfachung:* sie lehrte den Menschen als *erkannt,* als *bekannt.* – Nun haben wir die Moral vernichtet – wir selber sind uns wieder *völlig dunkel* geworden! Ich weiß, daß ich *von mir* nichts weiß. Die *Physik* ergiebt sich als eine *Wohlthat* für das Gemüth: die Wissenschaft (als der Weg zur *Kenntniß*) bekommt einen neuen Zauber nach der Beseitigung der Moral – und *weil* wir *hier allein* Consequenz finden, so müssen wir unser Leben darauf *einrichten,* sie uns zu *erhalten.* Dies ergiebt eine Art *praktischen Nachdenkens* über *unsere Existenzbedingungen* als Erkennende.

24 [19]

Moral der *Wahrhaftigkeit* in der Heerde. »Du sollst erkennbar sein, dein Inneres durch deutliche und constante Zeichen ausdrücken – sonst bist du gefährlich: und wenn du böse bist, ist die Fähigkeit dich zu verstellen, das Schlimmste für die Heerde. Wir verachten den Heimlichen Unerkennbaren. – *Folglich* mußt du dich selber für erkennbar halten, du darfst dir nicht *verborgen* sein, du darfst *nicht* an deinen *Wechsel* glauben.« Also: Die Forderung der Wahrhaftigkeit setzt die *Erkennbarkeit* und die *Beharrlichkeit* der Person voraus. Thatsächlich ist es Sache der Erziehung, das Heerden-Mitglied zu einem *bestimmten Glauben* über das Wesen des Menschen zu bringen: sie *macht erst diesen Glauben* und fordert dann darauf hin »Wahrhaftigkeit«.

[Herbst 1885 – Frühjahr 1886]

1 [20]

– Alle unsere bewußten Motive sind Oberflächen-Phänomene: hinter ihnen steht der Kampf unserer Triebe und Zustände, der Kampf um die Gewalt.

1 [30]

A. Psychologischer *Ausgangspunkt:*

– unser Denken und Werthschätzen ist nur ein Ausdruck für dahinter waltende Begehrungen. [...]

1 [61]

Alles, was in Bewußtsein tritt, ist das letzte Glied einer Kette, ein Abschluß. Daß ein Gedanke unmittelbar Ursache eines anderen Gedankens wäre, ist nur scheinbar. Das eigentlich verknüpfte Geschehen spielt (sich) ab unterhalb unseres Bewußtseins: die auftretenden Reihen und Nacheinander von Gefühlen, Gedanken usw. sind Symptome des eigentlichen Geschehens! – Unter jedem Gedanken steckt ein Affekt. *Jeder Gedanke,* jedes Gefühl, jeder Wille, ist *nicht* geboren aus Einem bestimmten Triebe, sondern er ist ein *Gesamtzustand,* eine ganze Oberfläche des ganzen Bewußtseins und resultirt aus der augenblicklichen Macht-Feststellung *aller* der uns constituirenden Triebe – also des eben herrschenden Triebes sowohl als der ihm gehorchenden oder widerstrebenden. Der nächste Gedanke ist ein Zeichen davon, wie sich die gesammte Macht-Lage inzwischen verschoben hat.

1 [73]

Moral ist ein Theil der Lehre von den Affekten: wie weit reichen die Affekte ans Herz des Daseins?

1 [74]

Wenn es überhaupt ein »an sich« gäbe, was wäre dann das »An sich« eines *Gedankens?*

1 [75]

Die Gedanken sind *Zeichen* von einem Spiel und Kampf der Affekte: sie hängen immer mit ihren verborgenen Wurzeln zusammen

1 [76]

Wer den Werth einer Handlung nach der Absicht mißt, aus der sie geschehen ist, meint dabei *die bewußte Absicht:* aber es giebt, bei allem Handeln, viel unbewußte Absichtlichkeit; und was als »Wille« und

»Zweck« in den Vordergrund tritt, ist *vielfach* ausdeutbar und an sich nur ein Symptom. »Eine ausgesprochene, aussprechbare Absicht« ist eine Ausdeutung, eine Interpretation, welche *falsch* sein kann; außerdem eine willkürliche Simplifikation und Fälschung usw.

1 [79]

Die größte Aufrichtigkeit und Überzeugung vom Werthe des eigenen *Werkes* vermag nichts: ebenso kann die zweiflerische Unterschätzung den Werth desselben nicht berühren. *So steht es mit allen Handlungen:* wie moralisch ich mir mit einer Absicht auch vorkommen mag, an sich ist damit (nichts) über den Werth der Absicht und noch weniger über den Werth der Handlung ausgemacht. *Die ganze Herkunft einer* Handlung müßte bekannt sein, und nicht nur das Stückchen, das davon ins Bewußtsein fällt (die sogenannte Absicht) Aber damit wäre eben absolute Erkenntniß verlangt –

[Herbst 1885 – Herbst 1886]

2 [95]

Unsere Wahrnehmungen, wie wir sie verstehen: d.i. die Summe aller *der* Wahrnehmungen, deren *Bewußtwerden* uns und dem ganzen organischen Prozesse vor uns nützlich und wesentlich war: also nicht alle Wahrnehmungen überhaupt (z.B. nicht die elektrischen) Das heißt: wir haben *Sinne* nur für eine Auswahl von Wahrnehmungen – solcher, an denen uns gelegen sein muß, um uns zu erhalten. *Bewußtsein ist so weit da, als Bewußtsein nützlich ist.* Es ist kein Zweifel, daß alle Sinneswahrnehmungen gänzlich durchsetzt sind mit *Werthurtheilen* [...]

[Sommer 1886 – Herbst 1887]

5 [55]

Hauptirrthum der Psychologen: sie nehmen die undeutliche Vorstellung als eine niedrigere *Art* der Vorstellung gegen die helle gerechnet: aber was aus unserem Bewußtsein sich entfernt und deshalb *dunkel wird, kann* deshalb an sich vollkommen klar sein. *Das Dunkelwerden ist Sache der Bewußtseins-Perspektive.*

Die »Dunkelheit« ist eine Folge der Bewußtseins-Optik, nicht *nothwendig* etwas dem »Dunkeln« Inhärentes.

5 [56]

Alles, was als »Einheit« ins Bewußtsein tritt, ist bereits ungeheuer complizirt: wir haben immer nur einen *Anschein von Einheit.* [...]

[Ende 1886 – Frühjahr 1887]

7 [9]

Methodisch: der Werth der *inneren* und der *äußeren Phänomenologie.*

A. Das *Bewußtsein* spät, kümmerlich entwickelt, zu äußeren Zwekken, den gröbsten Irrthümern ausgesetzt, sogar *essentiell* etwas Fälschendes, Vergröberndes, Zusammenfassendes.

B. dagegen das Phänomen der *sinnlichen* Welt hundert Male vielfacher, feiner und genauer zu beobachten. Die äußere Phänomenologie giebt uns den bei weitem reichsten Stoff und erlaubt die größere Strenge der Beobachtung; während die inneren Phänomene schlecht zu fassen sind und dem Irrthum verwandter (die inneren Prozesse sind essentiell *Irrthum-erzeugend,* weil Leben nur möglich ist unter der Führung solcher verengender perspektive-schaffender Kräfte)

NB. Alle *Bewegung* als *Zeichen* eines *inneren* Geschehens: – *also der ungeheuer überwiegende Theil alles* inneren *Geschehens ist uns nur als Zeichen gegeben.*

[Herbst 1887]

9 [145]

Zum »Macchiavellismus« der Macht.
(unbewußter Macchiavellismus)

Der *Wille zur Macht* erscheint

a) bei den Unterdrückten, bei Sklaven jeder Art als Wille zur *»Freiheit«:* bloß das *Loskommen* scheint das Ziel (moralisch-religiös: »vor seinem eignen Gewissen verantwortlich« »evangelische Freiheit« usw.)
b) bei einer stärkeren und zur Macht heranwachsenden Art als Wille zur Übermacht; wenn zunächst erfolglos, dann sich einschränkend auf den Willen zur *»Gerechtigkeit«* d. h. zu dem *gleichen Maß von Rechten,* wie die andere herrschende Art sie hat (Kampf um Rechte...)
c) bei den Stärksten, Reichsten, Unabhängigsten, Muthigsten als »*Liebe* zur Menschheit«, zum »Volke«, zum Evangelium, zur

Wahrheit, Gott; als Mitleid; »Selbstopferung« usw. als Überwältigen, Mit-sich-fortreißen, in-seinen-Dienst-nehmen; als instinktives Sich-in-Eins-rechnen mit einem großen Quantum Macht, dem man *Richtung zu geben vermag:* der Held, der Prophet, der Cäsar, der Heiland, der Hirt (– auch die Geschlechtsliebe gehört hierher: sie *will* die Überwältigung, das in-Besitz-nehmen und sie *erscheint* als Sich-hingeben...) im Grunde nur die Liebe zu seinem »Werkzeug«, zu seinem »Pferd..., seine Überzeugung davon, daß ihm das und das *zugehört,* als Einem, der im Stande ist, *es zu benutzen.*

»Freiheit«, »Gerechtigkeit« und »Liebe«!!!

[November 1887 – März 1888]

11 [113]

Zur Psychologie und Erkenntnisslehre.

Ich halte die Phänomenalität auch der *inneren* Welt fest: alles, *was uns bewußt wird,* ist durch und durch erst zurechtgemacht, vereinfacht, schematisirt, ausgelegt – der *wirkliche* Vorgang der inneren »Wahrnehmung«, die *Causalvereinigung* zwischen Gedanken, Gefühlen, Begehrungen, wie die zwischen Subjekt und Objekt, uns absolut verborgen – und vielleicht eine reine Einbildung. Diese »scheinbare *innere* Welt« ist mit ganz denselben Formen und Prozeduren behandelt, wie die »äußere» Welt. Wir stoßen nie auf »Thatsachen«: Lust und Unlust sind späte und abgeleitete Intellekt-Phänomene...

Die »Ursächlichkeit« entschlüpft uns; zwischen Gedanken ein unmittelbares ursächliches Band anzunehmen, wie es die Logik thut – das ist Folge der allergröbsten und plumpsten Beobachtung. *Zwischen* zwei Gedanken spielen *noch alle möglichen Affekte* ihr Spiel: aber die Bewegungen sind zu rasch, deshalb *verkennen* wir sie, *leugnen* wir sie...

»Denken«, wie es die Erkenntnißtheoretiker ansetzen, kommt gar nicht vor: das ist eine ganz willkürliche Fiktion, erreicht durch Heraushebung Eines Elementes aus dem Prozeß und Subtraktion aller übrigen, eine künstliche Zurechtmachung zum Zweck der Verständlichung...

Der »Geist«, *etwas, das denkt:* womöglich gar »der Geist absolut, rein, pur« – diese Conception ist eine abgeleitete zweite Folge der falschen Selbstbeobachtung, welche an »Denken« glaubt: hier ist *erst* ein Akt imaginirt, der gar nicht vorkommt, »das Denken« und *zweitens* ein Subjekt-Substrat imaginirt in dem jeder Akt dieses Denkens und sonst nichts Anderes seinen Ursprung hat: d.h. *sowohl das Thun, als der Thäter sind fingirt*

11 [120]

Daß zwischen Subjekt und Objekt eine Art adäquater Relation stattfinde; daß das Objekt etwas ist, das von *Innen gesehn* Subjekt wäre, ist eine gutmüthige Erfindung, die, wie ich denke, ihre Zeit gehabt hat. Das Maaß dessen, was uns überhaupt bewußt ⟨wird⟩, ist ja ganz und gar abhängig von grober Nützlichkeit des Bewußtwerdens: wie erlaubte uns diese Winkelperspektive des Bewußtseins irgendwie über »Subjekt« und »Objekt« Aussagen, mit denen die Realität berührt würde! –

11 [145]

Rolle des »Bewußtseins«

Es ist wesentlich, daß man sich über die Rolle des »Bewußtseins« nicht vergreift: es ist unsere *Relation mit der »Außenwelt«, welche es entwikkelt hat.* Dagegen die *Direktion*, resp. die Obhut und Vorsorglichkeit in Hinsicht auf das Zusammenspiel der leiblichen Funktionen tritt uns *nicht* ins Bewußtsein; ebenso wenig als die geistige *Einmagazinirung:* daß es dafür eine oberste Instanz giebt, darf man nicht bezweifeln: eine Art leitendes Comité, wo die verschiedenen *Hauptbegierden* ihre Stimme und Macht geltend machen. »Lust«, »Unlust« sind Winke aus dieser Sphäre her: ... der *Willens*akt insgleichen. Die *Ideen* insgleichen

In summa: das, was bewußt wird, steht unter causalen Beziehungen, die uns ganz und gar vorenthalten sind, – die Aufeinanderfolge von Gedanken, Gefühlen, Ideen im Bewußtsein drückt nichts darüber aus, daß diese Folge eine causale Folge ist: es ist aber *scheinbar* so, im höchsten Grade. Auf diese *Scheinbarkeit* hin *haben wir unsere ganze Vorstellung von Geist, Vernunft, Logik* usw. *gegründet* (das giebt es Alles nicht: es sind fingirte Synthesen und Einheiten)... Und diese wieder *in* die Dinge, *hinter* die Dinge projicirt!

Gewöhnlich nimmt man das *Bewußtsein* selbst als Gesammt-Sensorium und oberste Instanz: indessen es ist nur ein *Mittel der Mittheilbarkeit:* es ist im Verkehr entwickelt, und in Hinsicht auf Verkehrs-Interessen... »Verkehr« hier verstanden auch von den Einwirkungen der Außenwelt und den unsererseits dabei nöthigen Reaktionen; ebensowie von unseren Wirkungen *nach* außen. Es ist *nicht* die Leitung, sondern ein *Organ der Leitung* –

[Frühjahr 1888]

14 [146]

Wissenschaft gegen Philosophie

Die ungeheuren Fehlgriffe:

1) die unsinnige *Überschätzung des Bewußtseins,* aus ihm eine Einheit gemacht, ein Wesen gemacht, »der Geist«, »die Seele«, etwas, das fühlt, denkt, will –
2) der Geist als *Ursache,* namentlich überall wo Zweckmäßigkeit, System, Coordination erscheinen
3) das Bewußtsein als höchste erreichbare Form, als oberste Art Sein, als »Gott«
4) der Wille überall eingetragen, wo es Wirkung giebt
5) die »wahre Welt« als geistige Welt, als zugänglich durch Bewußtseins-Thatsachen
6) die *Erkenntniß* absolut als Fähigkeit des Bewußtseins, wo überhaupt es Erkenntniß giebt

Folgerungen:

jeder Fortschritt liegt in dem Fortschritt zum Bewußtwerden; jeder Rückschritt im Unbewußtwerden.

Man nähert sich der Realität, dem »wahren Sein« durch Dialektik; man *entfernt* sich von ihm durch Instinkte, Sinne, Mechanismus...

Den Menschen in Geist auflösen hieße ihn zu Gott machen: Geist, Wille, Güte – Eins

Alles *Gute* muß aus der Geistigkeit stammen, muß Bewußtseins-Thatsache sein

Der Fortschritt zum *Besseren* kann nur ein Fortschritt im *Bewußtwerden* sein

Das Unbewußtwerden galt als Verfallensein an die *Begierden* und *Sinne* – als *Verthierung*... [...]

14 [152]

[...]

Man muß den Phänomenalismus nicht an der falschen Stelle suchen: nichts ist phänomenaler (oder deutlicher) nichts ist so sehr *Täuschung*, als diese innere Welt die wir mit dem berühmten »inneren Sinn« beobachten.

Wir haben den Willen als Ursache geglaubt, bis zu dem Maße, daß wir nach unserer Personal-Erfahrung überhaupt eine Ursache in das Geschehen hineingelegt haben (d. h. Absicht als Ursache von Geschehen –)

Wir glaubten, daß Gedanke und Gedanke, wie sie in uns nacheinander folgen, in irgend einer causalen Verkettung stehen: der Logiker in Sonderheit, der thatsächlich von lauter Fällen redet, die niemals in der Wirklichkeit vorkommen, hat sich an das Vorurtheil gewöhnt, daß Gedanken Gedanken *verursachen,* – er nennt das – Denken...

Wir glauben – und selbst unsere Physiologen glauben es noch – daß Lust und Schmerz Ursache sind von Reaktionen, daß es der Sinn von Lust und Schmerz ist, Anlaß zu Reaktionen zu geben. Man hat Lust und das Vermeiden der Unlust geradezu Jahrtausende lang als *Motive* für jedes Handeln aufgestellt. Mit einiger Besinnung dürften wir zugeben, daß Alles so verlaufen würde, nach genau derselben Verkettung der Ursachen und Wirkungen, wenn diese Zustände »Lust und Schmerz« fehlten: und man täuscht sich einfach, zu behaupten, daß sie irgend etwas verursachen: – es sind *Begleiterscheinungen* mit einer ganz anderen Finalität, als der, Reaktionen hervorzurufen; es sind bereits Wirkungen innerhalb des eingeleiteten Prozesses der Reaktion....

In summa: alles, was bewußt wird, ist eine Enderscheinung, ein Schluß – und verursacht nichts – alles Nacheinander im Bewußtsein ist vollkommen atomistisch. Und wir haben die Welt versucht zu verstehen mit der *umgekehrten* Auffassung, – als ob nichts wirke und real sei als Denken, Fühlen, Wollen...

15 [90]
Der Phänomenalismus der »inneren Welt«

die chronologische Umdrehung, so daß die Ursache später ins Bewußtsein tritt, als die Wirkung.

wir haben gelernt, daß der Schmerz an eine Stelle des Leibes projicirt wird, ohne dort seinen Sitz zu haben

wir haben gelernt, daß die Sinnesempfindung, welche man naiv als bedingt durch die Außenwelt ansetzt, vielmehr durch die Innenwelt bedingt ist: daß jede eigentliche Aktion der Außenwelt unbewußt verläuft... Das Stück Außenwelt, das uns bewußt wird, ist nachgeboren nach der Wirkung die von außen auf uns geübt ist, ist nachträglich projicirt als deren »Ursache«...

In dem Phänomenalismus der »inneren Welt« kehren wir die Chronologie von Ursache und Wirkung um.

Die Grundthatsache der »inneren Erfahrung« ist, daß die Ursache imaginirt wird, nachdem die Wirkung erfolgt ist...

Dasselbe gilt auch von der Abfolge der Gedanken... wir suchen den Grund zu einem Gedanken, bevor er uns noch bewußt ist: und dann tritt zuerst der Grund und dann dessen Folge ins Bewußtsein...

Unser ganzes Träumen ist die Auslegung von Gesammt-Gefühlen auf mögliche Ursachen: und zwar so, daß ein Zustand erst bewußt wird, wenn die dazu erfundene Causalitäts-Kette ins Bewußtsein getreten ist...

die ganze »innere Erfahrung« beruht darauf, daß zu einer Erregung der Nerven-Centren eine Ursache gesucht und vorgestellt wird – und daß erst die gefundene Ursache *ins Bewußtsein* tritt: diese Ursache ist schlechterdings nicht adäquat der wirklichen Ursache, – es ist ein Tasten auf Grund der ehemaligen »inneren Erfahrungen« – d. h. des Gedächtnisses. Das Gedächtniß erhält aber auch die Gewohnheiten der alten Interpretat⟨ion⟩, d. h. deren irrthümliche Ursächlichkeiten... so daß die »innere Erfahrung« in sich noch die Folgen aller ehemaligen falschen Causal-Fiktionen zu tragen hat

unsere »Außenwelt«, wie wir sie jeden Augenblick projiciren, ist versetzt und unauflöslich gebunden an den alten Irrthum vom Grunde; wir legen sie aus mit dem Schematismus des »Dings«

so wenig der Schmerz in einem einzelnen Falle bloß den einzelnen Fall darstellt, vielmehr eine lange Erfahrung über die Folgen gewisser Verletzungen, eingerechnet die Irrthümer in der Abschätzung dieser Folgen

Die »innere Erfahrung« tritt uns ins Bewußtsein, erst nachdem sie eine Sprache gefunden hat, die das Individuum *versteht*... d. h. eine Übersetzung eines Zustandes in ihm *bekanntere* Zustände – [...]

THEODOR LIPPS

Der Begriff des Unbewussten in der Psychologie

Die Frage, mit der es dieser Vortrag zu thun hat, ist weniger eine psychologische Frage, als die Frage der Psychologie. Man kann vom Begriff des Unbewussten in der Psychologie nicht handeln, ohne die allgemeinste psychologische Frage, nämlich die nach dem Wesen und der Aufgabe dieser Wissenschaft wenigstens zu streifen. So lenkt dieser Schlussvortrag des Congresses mit Absicht in principielle Bahnen ein. Kein Wunder, wenn ich darin zwar vielleicht Dies oder Jenes, das Einigen unter den Hörern fremdartig klingt, vorbringe, aber doch nichts eigentlich Neues sage, wenn ich im Grunde nur, was ich sonst, da und dort,[1] gesagt und eindringlich zu machen versucht habe, in bestimmter Formulirung zusammenfasse.

Die Psychologie bedürfte gar keines Begriffes eines Unbewussten, wenn die Psychologie einzig die Aufgabe sich stellte, Bewusstseinserlebnisse zu *beschreiben*. Eine solche Psychologie wäre aber ein Unding. Die Psychologie, die konsequent dabei bliebe, nur zu beschreiben, die also nicht doch wiederum da und dort über das blosse Beschreiben hinausginge, könnte nichts sein, als Erzählung oder Bericht von meinen eigenen individuellen Bewusstseinsvorgängen. Es gäbe für eine solche Psychologie kein Warum oder Wozu; keine Frage nach der Herkunft der Bewusstseinserlebnisse oder ihrer Bedeutung für den Zusammenhang des psychischen Lebens. Niemals könnte gesagt werden, dass Dasjenige, was unter diesen bestimmten Umständen erlebt wurde, unter den gleichen Umständen wieder erlebt werden müsse; es fehlte den Thatsachen jede Allgemeinheit und Notwendigkeit.

Selbst unsere gewöhnlichsten psychologischen Allgemeinbegriffe verlören ihre Geltung; psychische Thatsachen, die gleichartige Herkunft und gleichartige Bedeutung für das psychische Leben besitzen, und darum schon im gewöhnlichen Leben als gleichartig betrachtet und mit den gleichen Namen bezeichnet werden, wären für eine solche nur auf die unmittelbaren Bewusstseinserlebnisse achtende Psychologie zu

[1] Am ausgeführtesten in den »Grundthatsachen des Seelenlebens«, (1883); mit Rücksicht auf ein spezielles Gebiet in den »Grundzügen der Logik« (1893).

verschiedenen Zeiten und bei verschiedenen Individuen etwas total Verschiedenes.

Ein und dasselbe Urteil über eine und dieselbe Sache etwa kann, als blosses Bewusstseinserlebniss betrachtet, einmal ein reines »Satzurteil«[1] sein, d. h. ein Bewusstsein der objektiven Notwendigkeit, bestimmte Worte in bestimmter Weise sich folgen zu lassen. Es kann ein ander Mal *zugleich* als ein Nebeneinander oder als eine Folge bald dieser bald jener Elemente oder Rudimente der den Worten zugehörigen Sach- oder Bedeutungsvorstellungen dem Bewusstsein sich darstellen. Es kann wiederum ein ander Mal im Wesentlichen als »Sinnurteil«[1] d. h. als Bewusstsein der objektiven Notwendigkeit bestimmte Sachvorstellungen in bestimmter Weise einander zuzuordnen im Bewusstsein auftreten. Diese Thatbestände hätte die beschreibende Psychologie zu beschreiben. Dass das Urteil bei allem dem dasselbe Urteil ist, ein und derselbe Teilvorgang in einem Zusammenhange menschlichen Denkens oder Erkennens, dies käme für sie gar nicht in Frage. Für die beschreibende Psychologie beständen nur jene inhaltlich total verschiedenen Bewusstseinserlebnisse. Und das Gleiche gälte hinsichtlich anderer psychischer Vorgänge, etwa hinsichtlich unserer ästhetischen Wertungen, oder unserer Weisen praktisch oder ethisch Objekten gegenüber uns zu verhalten. Es kann eben, was ein Verstandsurteil, eine ästhetische Wertung, eine praktische oder ethische Stellungnahme zu einem Objekte psychologisch charakterisirt, oder zu dem macht, was sie im Zusammenhang des psychischen Lebens ist und bedeutet, bewusst sein, oder unbewusst bleiben, anderseits durch diese oder jene Elemente im Bewusstsein repräsentirt sein, also, als Bewusstseinserlebnis betrachtet, ein sehr verschiedenes Aussehen haben. Eine Psychologie, die sich mit diesen wechselnden Bewusstseinssymptomen des psychischen Geschehens begnügte, stände einer ärztlichen Wissenschaft, der die Krankheiten nichts wären als ein Zusammen von äusserlich sichtbaren Krankheits*symptomen*, nicht nur gleich, sondern sie stände weit hinter ihr zurück; da Krankheitssymptome in viel geringerem Grade wechselnd und zufällig sind. – Endlich könnte die in vollem Ernste nur beschreibende Psychologie von Bewusstseinserlebnissen Anderer gar nicht einmal reden, da ich ja solche nie selbst erleben, sondern nur erschliessen kann. Jedes Erschliessen aber setzt eine Gesetzmässigkeit oder einen Causalzusammenhang, jedes Schliessen auf ein Psychisches einen psychischen Causalzusammenhang voraus.

[1] Grundzüge der Logik S. 26ff.

Zum Glück hat es diese lediglich beschreibende Psychologie nie gegeben. Auch Diejenigen, die blos zu beschreiben meinten, sind nie beim Beschreiben geblieben. Man bezeichnet es etwa noch als eine Beschreibung, wenn man von den Teiltönen spricht, die in einem Klange angeblich »enthalten« liegen. Der Bewusstseinsinhalt, »Klang« genannt, soll sich der »Aufmerksamkeit« als Mehrheit von Bewusstseinsinhalten, »Töne« genannt, darstellen. In Wahrheit ist diese angebliche Beschreibung des im Bewusstsein Gegebenen eine der Erfahrung, zum mindesten der meinigen, widersprechende *Theorie*. Ich finde bei der »Analyse« der Klangempfindung in meinem Bewusstsein erst einen Klang mit einer einzigen Tonhöhe, erst später höre ich Töne von verschiedener Höhe. Zwischenein schieben sich etwa noch die reproduktiven Vorstellungen der Töne, und damit verbunden ein Gefühl, das ich als Aufmerksamkeitsgefühl bezeichne. Mit der Bezeichnung dieser Folge von Bewusstseinsthatbeständen müsste die beschreibende Psychologie sich begnügen. Dieselbe verständlich zu machen wäre ihr versagt.

Bewusstseinsinhalte und ihr Dasein verständlich zu machen, das ist aber eben die Aufgabe der Psychologie. Jede Wissenschaft vom Wirklichen will Thatsachen der unmittelbaren Erfahrung in einen Causalzusammenhang einordnen oder in ihrer Gesetzmässigkeit begreifen. Darin eben besteht das Verstehen. Auch die Psychologie muss eine solche Absicht haben. Keine Wissenschaft, das darf gleich hinzugefügt werden, findet den Zusammenhang, in den sie einordnet, in der unmittelbaren Erfahrung vor. Jede *schafft* erst diesen Zusammenhang. Menschliche Wirklichkeitserkenntnis, so habe ich an einer andern Stelle[1] gesagt, ist der Aufbau einer gedanklichen Welt – nicht sowohl *aus* dem Gegebenen, als *für* dasselbe, oder zur Unterbringung desselben. Ich könnte mit Wiederholung eines vorhin gebrauchten Ausdrukkes auch sagen: sie ist die Hinzufügung einer wirklichen oder als wirklich geglaubten Welt zu den in der unmittelbaren Erfahrung gegebenen gelegentlichen *»Symptomen«* einer solchen. Kein Wunder, wenn es auch mit der psychologischen Erkenntnis sich so verhält.

Welches nun sind die Thatsachen, welche die Psychologie zu verstehen sich bemüht? »Die Bewusstseinsthatsachen«, sagt man. Aber was heisst dies? – Oder: »Die Empfindungen, Vorstellungen, Gedanken etc.« Aber was meint man mit diesen Worten? – Es ist eine merkwürdige Thatsache – *auch* eine *psychologische* Thatsache, aber eine schwer verständliche –, dass manche Psychologen so wenig Gewicht auf die

[1] Grundzüge der Logik. S. 4.

Beantwortung solcher Fragen, also auf die unzweideutige Bestimmung der *Gegenstände ihrer Wissenschaft* zu legen scheinen. Und doch hängt, wie so manche Frage, so auch die viel umstrittene Frage des Unbewussten durchaus davon ab.

Die Antwort auf die Frage, was Bewusstseinsthatsachen seien, scheint einfach. Bewusstseinsthatsache ist eben »das Bewusste«. Die Psychologie, sagt man, hat es mit dem Bewussten zu thun. »Bewusst« und »psychisch«, so hat man allen Ernstes gemeint, sind gleichbedeutende Begriffe. Ebenso »unbewusst« und »physisch«. Natürlich bleibt dann das Unbewusste von der Psychologie ausgeschlossen. Die ganze Frage nach dem Unbewussten in der Psychologie ist in der denkbar einfachsten Weise gelöst.

In Wahrheit haben jene Identifikationen ganz und gar keinen Sinn. Bewusst oder Bewusstseinsthatsache ist das Objekt des Bewusstseins, oder das, wovon Jemand ein Bewusstsein hat. Meint man nun wirklich, die Physik habe es zu thun mit solchen Thatsachen, von denen Niemand ein Bewusstsein hat, von denen, wie dem deutschen Liede zufolge von der heimlichen Liebe, »niemand nichts weiss«? Das mag zu Zeiten vorkommen; die Regel ist es doch gewiss nicht.

Psychologie und Physik haben es teilweise *genau mit demselben* zu thun. Nicht alles Psychologische ist physisch oder physikalisch. Aber alle Objekte der Physik sind als Wahrnehmungen, Vorstellungen, Gedanken in einem menschlichen Geiste, Gegenstände der Psychologie. Was den Unterschied macht, ist die Betrachtungsweise.

Man hat dies anerkannt, aber den Unterschied der Betrachtungsweise so bestimmt, dass man sagte, die Gegenstände der unmittelbaren Erfahrung kämen für den Physiker nur in Betracht als Zeichen, die Psychologie dagegen nehme sie so, wie sie seien. Diese Zeichentheorie ist nicht stichhaltig. Farben und Töne mögen dem Physiker Zeichen sein für Bewegungen. Die Bewegungen aber, die er in seinen Gedanken an ihre Stelle setzt, und ebenso auch schon die von ihm unmittelbar wahrgenommenen Bewegungen sind dem Physiker die Sache selbst. In ihnen sieht er das Wirkliche, aus ihnen baut er seine physikalische Welt auf. Zugleich sind aber diese Bewegungen als Inhalte physikalischen Denkens psychologische Thatbestände. Andererseits sind dem Psychologen die Worte, Geberden, Lebensäusserungen der fremden Persönlichkeit nur Zeichen, nämlich Zeichen eines zu Grunde liegenden seelischen Lebens.

Wir kommen der Wahrheit näher, wenn wir, mit einem schon gebrauchten Ausdruck, sagen, die Psychologie habe zu Gegenständen ihrer Betrachtung die Bewusstseins*erlebnisse*. Hierin liegt die Beziehung zu einem, der erlebt, oder für den die Bewusstseinsthatsachen da sind. Dasselbe liegt auch schon in der Erklärung, Objekte der Psychologie seien die Empfindungen, Vorstellungen, Gedanken etc. im Unterschied von dem Empfundenen, Vorgestellten, Gedachten; oder anders gesagt, psychisch seien die *»Akte«* des Empfindens, Vorstellens, Denkens. Hier wäre alles ohne Weiteres klar, wenn wir ausser dem Dasein des Empfundenen, Vorgestellten, Gedachten, auch noch das Empfinden, Vorstellen, Denken oder kurz die psychischen »Akte« unmittelbar erlebten. Aber solche Akte gibt es in Wahrheit in unserer unmittelbaren Erfahrung nicht. Wenn irgend etwas, dann gehört der Akt oder Vorgang des Vorstellens, die Art, wie es gemacht wird, dass ein Vorgestelltes für mich da ist, in das Reich des Unbewussten.

Nur dass etwas *»für mich«* da ist, davon freilich habe ich ein unmittelbares Bewusstsein. Das Wahrnehmen, Vorstellen, Denken, ist das Dasein des Wahrgenommenen, Vorgestellten, Gedachten für mich, oder: die Wahrnehmungen, Vorstellungen, Gedanken sind das Wahrgenommene, Vorgestellte, Gedachte, sofern es ein mir oder dem Subjekt Zugehöriges, ein *subjektiv Wirkliches* ist. Dasselbe Wahrgenommene, Vorgestellte, Gedachte ist ein Physisches, wenn und sofern es vom Subjekt unabhängig oder ein *objektiv Wirkliches* ist. Diese entgegengesetzte Beziehung zum Subjekt oder Ich, und sie allein, scheidet das Psychische und das Physische.

Jetzt kommt alles an auf die sichere Bestimmung dieser verschiedenen Beziehung zum Subjekt. Diese wiederum setzt die Beantwortung der Frage, worin denn das Ich oder Subjekt bestehe, von dem hier die Rede sei, selbstverständlich voraus.

Natürlich darf nicht gesagt werden, das Ich oder Subjekt sei der Zusammenhang der Vorstellungen oder der psychischen Thatsachen. Dies hiesse sich im Kreise drehen und mit dem Fragenden sein Spiel treiben. Was eine »Vorstellung« oder ein »psychischer« Thatbestand sei, dies ist ja eben die Frage, um die es sich handelt. Es geht nicht an, das Psychische als das dem Subjekt oder »mir« Zugehörige, und dann wiederum das Subjekt als den Zusammenhang des Psychischen oder »mir« Zugehörigen zu definiren.

Nicht so nichtssagend, aber um so unglücklicher ist die immer und immer wieder gehörte Meinung, es sei, wenn nicht das Ich überhaupt, so doch das ursprüngliche Ich, der Kern oder die Basis des Selbstbewusstseins gegeben durch meinen Körper oder den konstanten Komplex von Empfindungen, den ich als meinen Körper bezeichne. Ich gestehe, dass ich in dieser Meinung nie etwas Anderes habe sehen können, als eine völlig unglaubliche wissenschaftliche Verirrung. Es ist wahr, ich rechne meinen Körper zu mir. Aber wie komme ich dazu diesen Körper »mein« zu nennen? Es ist ebenso wahr, dieser Körper verfolgt mich überall hin. Aber wer ist der »Ich«, der so überall hin verfolgt wird? Der Körper soll ein besonders *konstanter* Empfindungskomplex sein. Ich meinesteils finde, es gibt kaum etwas weniger konstantes, als diesen meinen Körper. Und wenn, wie es hiernach scheinen muss, Ichbewusstsein und Bewusstsein der Konstanz eines Empfindungskomplexes Eines und Dasselbe ist, muss mir dann nicht Alles, in dem Maasse als es konstant ist, als Ich erscheinen? Ich frage, hat dies einen Sinn? Oder ist dies Sinnlose wirklich? – Mein Körper hat in jedem Augenblick eine andere sichtbare Form, die Veränderung der Lage der Glieder ergiebt zugleich immer andere und andere Lage- und Bewegungsempfindungen. Mein Körper ist bald kalt, bald warm, bald hungrig, bald gesättigt, bald frisch, bald ermüdet, bald gesund, bald krank; jetzt diese, jetzt jene Druck- und Schmerzempfindungen werden in ihm lokalisirt etc. Nennt man dies Konstanz? Und angenommen, ich sässe Jahre und Jahrzehnte lang in einer und derselben Gefängniszelle, wäre ich dann schliesslich in Gefahr die Gefängniszelle, um ihrer zweifellosen und erschrecklichen Konstanz willen, mit mir zu verwechseln; meine Gedanken und Empfindungen, Gefühle und Wünsche ihr zuzuschreiben?

Lassen wir diese Fragen. Es steht fest, dass ich die Bewegung, die Farbe, den Ton, die ich jetzt vorstelle, unmittelbar als meine Vorstellung oder als mir zugehörig erkenne. Dies heisst doch nicht, dass ich sie unmittelbar als meinem Körper zugehörig erkenne. Oder: ich verfolge einen Gedankengang und habe dabei das Bewusstsein, dass *ich* in der Folge der Gedanken stecke, dass ich darin thätig bin. Je mehr ich aber dem Gedanken ganz mich hingebe und demgemäss das Gefühl meiner Thätigkeit habe, um so weniger ist gleichzeitig mein Körper für mein Bewusstsein überhaupt *vorhanden*.

Jeder Begriff, der nicht ein leeres Wort ist, oder einen lediglich fingirten Inhalt besitzt, muss schliesslich seinem Inhalte nach auf ein unmittelbar Erlebbares zurückgeführt werden können. Wäre diese wichtige Regel des David *Hume* immer so bethätigt worden, wie dieser grosse Psychologe sie zu bethätigen begonnen hat, so wäre der Psychologie und allen den mit besonderen Namen benannten psychologischen Disciplinen, der Logik oder Erkenntnisslehre, der Aesthetik, der Ethik, unendliche Verwirrung erspart geblieben.

Ein unmittelbar Erlebbares nun, auf das ich in der Analyse des Ichbegriffes oder des Begriffes meiner selbst, schliesslich unweigerlich hingeführt werde, ist das von mir unmittelbar erlebte Wollen. Hierin habe ich, sei es ganz, sei es teilweise, den Kern meines Ichbewusstseins oder den Gegenstand meines primitiven Selbstgefühles. Indem ich ein Wollen fühle, fühle ich mich selbst. Dies Wollen oder Willensgefühl ist ein absolut Originales, nicht weiter Zurückführbares, am allerwenigsten zurückführbar auf die Muskel-, Sehnen- und Gelenkempfindungen, die jetzt von einigen als Allheilmittel für allerlei psychologische Nöte dargeboten werden.

Zu diesem Willensgefühl nun stehen die sonstigen Objekte meines Bewusstseins in einer gleichfalls unmittelbar erlebbaren doppelten Beziehung. Ich erlebe es das eine Mal, dass mein Wollen im Dasein, Kommen, Gehen, Bleiben, sich Verändern von Objekten unmittelbar sich befriedigt, ich habe angesichts der Objekte ein Gefühl freier Aktivität. Ich erlebe es ein anderes Mal, dass Objekte meines Bewusstseins sind was sie sind, gleichgiltig wie ich mich wollend dazu verhalte; ich fühle mich in ihrem Dasein passiv. Jenes Gefühl freier Aktivität ist das unmittelbar erlebbare oder rein empirische Bewusstsein der Zugehörigkeit zu mir oder der Subjektivität; dies Passivitätsgefühl ist das ursprüngliche oder elementare Objektivitätsbewusstsein[1]. Auch mein Körper ist nur mein, sofern zwar nicht sein Dasein, wohl aber gewisse Veränderungen an ihm von jenem Gefühl freier Aktivität begleitet sind.

Indessen bei diesem unmittelbaren Subjektivitätsbewusstsein bleibt es nicht. Es bleibt gleichzeitig auch nicht bei dem unmittelbaren Objektivitätsbewusstsein. Es bleibt nicht dabei, d. h. wir bleiben nicht dabei und können nicht dabei bleiben; so wenig wie wir irgendwo in unserer Erkenntnis bei dem unmittelbar Gegebenen bleiben und bleiben können. Dass wir *thatsächlich* nicht bei dem unmittelbaren Subjektivitätsbewusstsein bleiben, zeigt z. B. unsere Beurteilung der äusseren Vorgänge, die wir im Traume erleben. Ihnen gegenüber haben wir durchaus nicht jenes unmittelbare Subjektivitätsbewusstsein. Dennoch bezeichnen wir sie als völlig subjektiv, sie sind uns nichts Physisches, sondern ein lediglich Psychisches. Hier verstehen wir also unter dem Subjekt und der Zugehörigkeit zu ihm etwas Anderes, wir meinen mit dem Subjekt oder Ich nicht das unmittelbar erlebte, sondern ein darüber hinaus liegendes, oder »transcendentes«, nicht das einzig und allein im unmittelbaren Erleben gegebene, sondern ein davon unabhängig bestehendes, also objektiv reales Subjekt oder Ich. Und wir meinen mit der Zugehörigkeit zum Subjekt oder der Subjektivität, oder meinen mit dem Worte »psychisch«, die gedachte oder erkannte Zugehörigkeit zu diesem realen Ich. Oder, wenn wir dies nicht meinen, was wollen

[1] Vgl. Grundzüge der Logik S. 4ff.

wir mit der Behauptung, Traumgebilde seien subjektiv oder seien lediglich psychisch, sagen, welchen anderen Gedanken glaubt man mit dieser Behauptung verbinden zu können?

Zu diesem realen Ich gelangen wir, getrieben durch die unvermeidliche Notwendigkeit des causalen Denkens, die, wie nebenbei gesagt werden möge, gar nichts ist als die Thatsache der Gesetzmässigkeit des denkenden Geistes überhaupt[1]. Das reale Ich ist das an sich unbekannte Etwas, das wir dem unmittelbar erlebten Ich, und allen Objekten des Bewusstseins, die, und soweit sie Gegenstände jenes Gefühls freier Aktivität oder jenes unmittelbaren Subjektivitätsbewusstseins sind, denkend zu Grunde legen und unweigerlich zu Grunde legen müssen. Weiteres Nachdenken zwingt uns dann dazu, dasselbe unbekannte Etwas auch anderen Objekten des Bewusstseins, z. B. den Traumgebilden, zu Grunde zu legen.

Gleichzeitig mit dem Begriff des realen Ich entsteht uns der Begriff der diesem realen Ich gegenüberstehenden realen Welt. Diese reale Welt ist nichts als das im letzten Grunde ebenso unbekannte Etwas, das wir den Objekten des Bewusstseins, sofern sie Gegenstände jenes *Passivitätsgefühls* oder des unmittelbaren Objektivitätsbewusstseins sind, denkend zu Grunde legen und auf Grund der Erfahrung und des Denkgesetzes zu Grunde legen müssen. Diese reale Welt gilt uns allen als real. Sie ist aber um nichts realer als das reale Ich. Das Dasein *beider* für uns und der Gegensatz der beiden beruht einzig auf dem Gegensatz des unmittelbaren Aktivitäts- und Passivitätsgefühls, also mit einem Worte auf dem Willensgefühl. Ohne dies Willensgefühl fehlte für die Ausbildung des Gedankens der realen Welt, ebenso wie für die Ausbildung des Gedankens des realen Ich, jeder denkbare Anlass. Beide Gedanken verlören völlig ihren Sinn. Umgekehrt ergeben sich beide aus dem, was wir wollend unmittelbar erleben, *mit gleicher Notwendigkeit*.

Das reale Ich ist ein an sich Unbekanntes, *darum doch nicht Unbeschreibbares*. Es ist für uns bestimmt durch seine Bewusstseinswirkungen. »Ich«, das heisst: Ich, der so oder so Beanlagte oder Disponirte, Ich, der zum Empfinden, Vorstellen etc. Befähigte, Ich, der Wissende und Wollende, Kluge oder Dumme, Tugend- oder Lasterhafte, mit Geschmack für's Schöne Begabte oder ästhetisch von allen Göttern Verlassene etc.

Mit dem Begriff dieses realen Ich gewinnt nun, wie schon gesagt, erst das Wort psychisch und damit zugleich das Wort physisch seinen Sinn. Psychisch – nicht für unser unmittelbares Bewusstsein oder Gefühl,

[1] Vgl. Grundzüge der Logik S. 146ff.

sondern für unsere Erkenntniss, ist Dasjenige, das und so weit es in dem realen Ich den Grund seines Daseins hat. Oder allgemeiner gesagt, psychisch ist der Zusammenhang und jedes Element des Zusammenhanges, in welchen wir die Bewusstseinsobjekte, die, und sofern sie Gegenstände des unmittelbaren Subjektivitätsbewusstseins sind, denkend einzuordnen genötigt sind. Dieser Zusammenhang besteht aber eben nicht ohne das reale Ich als sein Fundament. Das reale Ich ist nicht nur psychisch, sondern es ist *die Psyche*.

Was wir hier »Psyche« nennen, ist ein obzwar nicht Unveränderliches, so doch Dauerndes, ein »ruhendes Sein«, in dem Sinne, in dem überhaupt von einem solchen geredet werden darf. Es darf Substanz heissen in principiell demselben Sinne und mit principiell völlig gleichem Rechte, wie die materielle Substanz. Nennen wir Aktualitätstheorie die Theorie, die den Begriff des realen Ich oder die »Psyche« aus der Psychologie ausschliesst, so gibt es nach dem Gesagten für die Aktualitätstheorie keinen Begriff des Psychischen, also auch keine mögliche Definition der Psychologie. Glücklicherweise besteht die Aktualitätstheorie, da wo sie proklamirt wird, immer nur als Theorie, niemals als leitendes Princip des psychologischen Erkennens.

Wichtiger aber als die Substanzialität des realen Ich ist uns hier dies, dass wir in ihm ein erstes psychisches Unbewusste haben. Das reale Ich ist, auch wenn es für mein Bewusstsein nicht besteht; und besteht es für mein Bewusstsein, so ist es doch für dasselbe, genau so wie die materielle Substanz, nur ein an sich unbestimmter, lediglich durch das unmittelbar Gegebene bestimmbarer Begriff. Sofern ohne dasselbe kein Begriff des Psychischen und keine Definition der Psychologie möglich ist, können wir sagen: Es gibt keinen Begriff des Psychischen und keine mögliche Definition der Psychologie, ohne das unbewusst Psychische.

Dieser bis jetzt gewonnene Begriff des Unbewussten genügt aber für die Psychologie nicht. Es gibt nicht nur ein »ruhendes psychisches Sein«, sondern auch »unbewusste Vorstellungen«. Was sind diese?

Darauf gebe ich zunächst die allgemeine Antwort: Sie sind der zweckmässige und wohlberechtigte Ausdruck für eine feststehende Thatsache. Die gemeinte Thatsache ist die, dass jedes gegenwärtige psychische Geschehen mehr oder weniger bedingt zu sein pflegt durch vergangene Bewusstseinserlebnisse, und dass dies der Fall sein kann, ohne dass doch diese ehemaligen Bewusstseinserlebnisse im gegenwärtigen Augenblick für mein Bewusstsein zu bestehen brauchen.

Hiemit könnte ich mich völlig begnügen. Ich will aber noch etwas genauer reden.

Ich höre einen Satz aussprechen. Der Satz beziehe sich auf eine wichtige wissenschaftliche, ästhetische, ethische, soziale, politische Thatsache oder Frage. Indem ich den Satz aussprechen höre, verhalte ich mich zu ihm sofort innerlich in bestimmter Weise. Ich stimme zu oder lehne ab; beides leidenschaftlicher oder weniger leidenschaftlich. Nehmen wir an, ich verhalte mich ablehnend. Frage ich mich nun nachträglich, was diese Ablehnung oder Verneinung sammt ihrem besonderen affektiven oder Stimmungscharakter bedingte, so finde ich: das Bedingende war nicht ein einzelner Gedanke, der meinem Bewusstsein im Augenblicke der Ablehnung vorgeschwebt hätte, sondern eine unabsehbare Fülle von Erfahrungen und Erlebnissen, von belehrenden und erzieherischen Einflüssen; kurz ein Tausenderlei von Vorstellungen, die mir im Laufe meines Lebens zu Teil geworden sind. Statt dessen kann ich auch sagen: das Bedingende war eine allgemeine Ueberzeugung, Denkrichtung, Gesinnung, oder noch allgemeiner: eine bestimmte psychische Disposition. Aber diese Disposition ist, ebenso wie die Denkrichtung, Gesinnung etc. nur ein Begriff oder besser ein Wort. Das einzige in der Erfahrung Aufzeigbare sind jene vergangenen Vorstellungen oder Bewusstseinserlebnisse. Will ich die vorliegende Thatsache mir aus Thatsachen verständlich machen, so muss ich also zu den vergangenen Vorstellungen zurückgreifen. Diese Vorstellungen waren aber im Augenblicke der Verneinung für mein Bewusstsein nicht da.

Vergangene Vorstellungen wirken also jetzt in mir, ohne dass sie mir jetzt als bewusste oder aktuelle Vorstellungen gegenwärtig wären. Dies setzt zunächst eine Anschauung voraus, die jedermann anerkennt. Was ich bewusst erlebt habe, so nehmen wir an, ist, nachdem es dem Bewusstsein entschwunden ist, nicht in jedem Sinne dahin. Es ist nicht, als wäre es nie gewesen. Vielmehr, es bleibt in mir von diesen entschwundenen Bewusstseinserlebnissen etwas seinem Wesen nach Unbekanntes zurück. Auf dem Dasein dieses unbekannten Etwas beruht es, dass das ehemalige Bewusstseinserlebniss als Bewusstseinserlebniss, oder, wenn man lieber will, dass ein Analogon desselben für mein Bewusstsein wiederkehren kann. Dies Etwas oder diese »Gedächtnisspur« schliesst also die Möglichkeit einer gleichartigen aktuellen Vorstellung in sich. Die »Gedächtnisspur« ist eine Vorstellungspotenz oder eine potentielle Vorstellung. Man könnte sie auch nach Analogie der latenten Wärme, die ja auch nicht wirkliche Wärme ist, eine latente Vorstellung nennen.

Aber die potentiellen Vorstellungen, von denen *hier* die Rede ist, sind, obgleich sie nicht in aktuelle Vorstellungen übergehen, nicht *blosse potentielle* Vorstellungen. Sie sind nicht ruhende Möglichkeiten, sondern sie wirken. Sie wirken in unserem Falle das Gefühl der Ablehnung oder Verneinung. Sofern sie wirken, sind sie in gewisser Weise reaktivirt, belebt, »rege« gemacht. Dies meine ich, wenn ich zunächst von unbewussten psychischen *Erregungen* spreche. Ich will damit sagen, dass ein unbewusstes Psychisches nicht nur da ist, sondern dass ein Wirken desselben stattfindet. Die unbewusste Erregung ist dies Wirken, die *einzelne* unbewusste Erregung ist der Anteil der einzelnen potentiellen Vorstellung an diesem Wirken.

Zugleich sind diese unbewussten Erregungen nicht lebendig oder rege gewordene Potenzen irgendwelcher Art, sondern lebendig oder rege gewordene potentielle *Vorstellungen*; d. h. die volle Reaktivirung derselben schliesst das erneute Dasein der entsprechenden aktuellen Vorstellungen in sich. Die unbewussten Erregungen sind nicht diese volle Reaktivierung, aber sie sind eine niedrigere Stufe derselben. Je mehr ich mich besinne, oder allgemeiner gesagt, je günstiger die Bedingungen sind für die Reaktivierung der Vorstellungen, die die Verneinung des Satzes bedingen, um so sicherer kann die bewusste Erinnerung an dieselben zu stande kommen.

Und wichtiger noch als dieser Umstand, ist der andere, dass die unbewussten Erregungen, von denen wir hier reden, unter gleichartigen Bedingungen entstehen und, wenn nicht dem Grade, so doch der Art nach in gleicher Weise wirken, wie die ihnen entsprechenden bewussten Vorstellungen. Der Satz, den ich aussprechen höre, lässt die damit in erfahrungsgemässer Beziehung stehenden Vorstellungen unbewusst sich »regen« vermöge eben *dieser erfahrungsgemässen Beziehungen,* und die unbewussten Erregungen bewirken nicht irgend Etwas, sondern das Gefühl der Verneinung, das genau der logischen Beziehung entspricht, die zwischen dem Satz und jenen Vorstellungen obwaltet.

Damit hat der Begriff der unbewussten Vorstellungen seinen Inhalt gewonnen. Sie sind Momente in dem psychischen Erregungsprozess, dessen Endziel die bewussten Vorstellungen darstellen; und sie sind, was ihre Stellung und Bedeutung im Zusammenhang des psychischen Lebens betrifft, den bewussten oder aktuellen Vorstellungen gleichwertig. Sie sind Vorstellungen ihrem Werte nach, oder soweit etwas Vorstellung sein kann, ohne die Bewusstseinsthatsache zu sein, die man sonst als Vorstellung bezeichnet. Da es der Psychologie nicht auf die einzelnen Akte oder Inhalte des psychischen Lebens ankommt, sondern auf ihre Stellung und Bedeutung im Zusammenhang des Ganzen, so hat es guten Sinn, wenn sie die unbewussten Vorstellungen als Vorstellungen bezeichnet. Dass sie damit keine aktuellen Vorstellungen meint, überhaupt nichts damit bezeichnen will, das seinem *Wesen* nach bekannt wäre, sagt der Zusatz »unbewusst« genügend deutlich.

Der so gefasste psychologische Begriff des Unbewussten ist weder hypothetisch noch mystisch, sondern, wie schon gesagt, der Ausdruck für Thatsachen. Er ist, genauer gesagt, der Ausdruck für das Thatsächliche, das wir an die Stelle von allerlei allgemeinen Begriffen und mystischen Kräften und Thätigkeiten der Seele zu setzen haben. Machen wir mit dem Unbewussten Ernst, so hört z. B. das Problem der Aufmerksamkeit auf, ein besonderes Problem zu sein; es wird zum Problem des Vorstellungsverlaufes überhaupt, wie er sich gestaltet auf Grund der äusseren Eindrücke, der nach den Gesetzen der Erfahrungs- und Aehnlichkeitsassociation wirkenden, bewussten und unbewussten Vorstellungen, endlich der Beziehungen der bewussten und unbewussten psychischen Elemente zum Ganzen der Persönlichkeit oder zu »mir«. Es bedarf ebenso, wo der Begriff der unbewussten Vorstellungen zu seinem Rechte gelangt, d. h. die von ihm bezeichneten Thatsachen in Rechnung gezogen werden, nicht mehr der angeblichen psychomotorischen Kraft der Gefühle, der besonderen Kraft oder Thätigkeit des Willens etc.[1] Die echte *Associationspsychologie* wird möglich, die freilich von einer »atomistischen« Vorstellungsmechanik möglichst weit entfernt bleibt.

Und nicht als etwas gelegentlich Hinzutretendes, sondern als die allgemeine Basis des psychischen Lebens erscheint dies Unbewusste. Das psychische Leben eines Momentes, so habe ich an anderer Stelle gelegentlich mich ausgedrückt, ist wie ein im Meer versunkenes weites Gebirge, von dem nur wenige höchste Gipfel über die Wasseroberfläche emporragen. Wollen Sie einen einfachen Beleg, so nehmen Sie, was jetzt in mir sich abspielt. Ich rede, füge Wort an Wort und habe das Bewusstsein der Richtigkeit dessen, was ich sage. Dies Bewusstsein ist nicht bedingt durch die Worte als solche, sondern durch das, was die Worte bedeuten. Davon aber sind jetzt nur zufällige Rudimente in meinem Bewusstsein. Ich denke, soweit mein Denken Bewusstseinsvorgang ist, in Begriffen, d. h. wenn Sie auch hier die Mystik weglassen, in Worten, die ehemals daran geknüpfte Vorstellungen unbewusst wirksam werden lassen.

Man könnte erwarten, dass ich nun, nach den unbewussten (reproduktiven) Vorstellungen, auch noch die »unbewussten Empfindungen«, die in der Psychologie gleiches Recht und gleiche Bedeutung besitzen, wie jene, besonders zum Worte kommen lasse. Ich unterlasse

[1] Das Nähere s. in den »Grundthatsachen des Seelenlebens«.

dies aber hier, und bemerke nur, dass es mit ihnen völlig analog sich verhält.[1]

In der Psychologie auf das Unbewusste verzichten, so lautet mein Ergebniss, heisst auf die Psychologie verzichten. Wie kann man dann seine Verwendung tadeln?

Man sagt: das Unbewusste sei nichts als der völlig unbestimmte Begriff einer Disposition. Soweit dies zutrifft, ist es kein Tadel, sondern eine Selbstverständlichkeit. Auch die materiellen Kräfte sind blosse Dispositionen. Die ganze Materie ist Disposition. Und auch der Begriff dieser Dispositionen ist ein an sich völlig unbestimmter. Er ist bestimmbar einzig aus den Wirkungen der Dispositionen, schliesslich ihren in der unmittelbaren Erfahrung gegebenen Wirkungen. Das Gleiche gilt von dem Unbewussten in der Psychologie. Es ist eben *überall* unmöglich, das nicht in der Erfahrung unmittelbar Gegebene anders zu bestimmen als aus der Erfahrung.

Oder man meint im Tone des Vorwurfs, mit dem Unbewussten könne man Alles machen. In der That ist damit allerlei gemacht worden; man hat allerlei Unfug damit getrieben. Aber dies beweist doch nur, dass man mit diesem wie mit jedem wissenschaftlichen Begriff gewissenhaft vorgehen müsse, dass man in jedem Falle seiner Anwendung das Thatsächliche aufzuzeigen habe, das man damit meint. Die gleiche Pflicht der Gewissenhaftigkeit hat dann aber natürlich auch der Kritiker des Unbewussten. Er muss zusehen, *welchen* Begriff des Unbewussten und welche Anwendung desselben in jedem einzelnen Falle er vor sich hat. Der Kampf gegen *das* Unbewusste, ohne nähere Bestimmung desselben, gar gegen einen selbstgemachten Popanz dieses Namens, ist zum mindesten kein sehr zweckvolles Unternehmen.

Und womit befreit man sich von dem gescholtenen Unbewussten? – Hierzu gibt es mehrere Wege.

Der eine ist dieser: Man behauptet allerlei Bewusstseinsdaten, die in keinem Bewusstsein vorkommen. Ein einfaches Beispiel sind die schon oben erwähnten Obertonempfindungen, die man als wirkliche oder bewusste Empfindungen in der Klangempfindung enthalten sein lässt.

Oder man setzt an die Stelle des Wortes »Unbewusst« das Wort »Unbemerkt«. Damit ist gar nichts geändert. Ein Bewusstsein von etwas haben, oder etwas »bemerken«, dies beides ist nur ein verschiedener Ausdruck für die nicht weiter beschreibbare, weil absolut letzte Thatsache, dass etwas ideell oder für mich da ist, dass ich von ihm weiss, dass ich es – nicht physisch sondern geistig erlebe. Oder meint

[1] Vergleiche im Uebrigen: Grundthatsachen des Seelenlebens S. 125 ff.

man im Ernst, es habe einen Sinn, von einer doppelten Weise des ideellen oder geistigen Daseins, oder des Daseins für mich zu reden, einer die darin besteht, dass ich ein Bewusstsein von etwas habe, und einer anderen, die darin besteht, dass ich etwas bemerke? Kann ich von etwas wissen, es geistig erleben, ohne es zu bemerken, oder vielleicht auch umgekehrt, etwas bemerken, ohne von ihm ein Bewusstsein zu haben? Kann etwas für mich da sein und doch zugleich nicht da sein?

Oder endlich: Man nennt das Unbewusste halb- oder dunkelbewusst. Damit statuirt man dieselbe Unmöglichkeit in anderer Form. Das Dasein für mich kann so wenig wie das objektiv wirkliche Dasein Grade haben. Etwas ist, oder es ist nicht. Damit ist nicht gesagt, dass das angeblich Halbbewusste *immer* ein thatsächlich *Unbewusstes* sei. Es ist vielleicht ein ander Mal ein Solches, das nur flüchtig am geistigen Auge vorüberzog, psychisch isolirt und darum bedeutungslos blieb, nicht Gegenstand eines spürbaren Interesses wurde, zu keinen andern Vorstellungen in Beziehung trat, keine Vorstellungen weckte, nicht Ausgangspunkt wurde für Fragen, kurz in keiner Weise Mittelpunkt wurde für das psychische Leben u. s. w. Ich habe an anderer Stelle[1] zu zeigen versucht, durch welche Selbsttäuschung der rückwärts gewandte Blick des Psychologen, wie schon des naiven Bewusstseins, dazu gelangen könne, allerlei derartige psychische Thatbestände im Sinne der Grade des Bewusstseins zu interpretiren. Ich sage: der rückwärts gewandte Blick; denn, dass es nicht angeht auf das Halb- oder Dunkelbewusste im Augenblick seines *Daseins* die Aufmerksamkeit zu richten, und so auf Grund sicherer unmittelbarer Beobachtung seine Halb- oder Dunkelbewusstheit zu constatiren, leuchtet ein. Der Mangel der Aufmerksamkeit soll es ja eben sein, der die Halb- oder Dunkelbewusstheit verschuldet.

Schliesslich habe ich mich aber vor Allem gegenüber Denjenigen zu rechtfertigen, die von mir fordern, dass ich das unbewusst Psychische »ehrlich« nicht als ein Psychisches, sondern als ein Physiologisches bezeichne, die es als völlig sicher ausgeben, dass das Unbewusste einzig im Physiologischen seine Stelle habe.

Hier erinnere ich zunächst daran, dass ja das unbewusste Psychische, wie das Psychische überhaupt, für mich gar nicht der Name ist für etwas irgendwie qualitativ Bestimmtes, sondern einzig und allein der Name für die Zugehörigkeit zu einem Zusammenhang, nämlich

[1] Zur Lehre von den Gefühlen insbesondere den ästhetischen Elementargefühlen in Zeitschr. f. Psychol. Bd. VIII.

eben dem psychischen Zusammenhang. Was diesem Zusammenhang angehört, und insofern psychisch ist, kann recht wohl zugleich einem physiologischen Zusammenhang angehören und insofern physiologisch sein. Die physiologische Deutung des Unbewussten ist also durch meinen Begriff des Unbewussten in keiner Weise ausgeschlossen.

Aber allerdings: ich weigere mich als Psychologe entschieden, diese Deutung zu vollziehen. Ich erkenne mir nicht das Recht zu, das psychisch Unbewusste ohne Weiteres mit irgend welchen physiologischen Namen zu taufen. Und ich habe dazu einige Gründe. Was ich als reales Ich, als meine Persönlichkeit, auch wohl als Seele bezeichne, mit dem Zusatz, dass mir sein Wesen völlig unbekannt sei, das versichern Einige, mit Bestimmtheit in dem Gehirn oder einem Teile desselben wiederzuerkennen. Was ich unbewusste psychische Erregungen nenne, das, behaupten sie, sei nichts Anderes als eine bestimmte Art von Gehirnvorgang. Nun mag es ja wohl so sein. Ich will auch hier nicht bestreiten, dass es unter den der Psychologie oder Physiologie Beflissenen Solche geben mag, denen es vergönnt ist, in den letzten Grund aller Dinge, wenigstens an dieser Stelle, hineinzublicken, so sicheren Auges, dass sie mit wissenschaftlicher Gewissheit sagen können: es ist so. Aber ich gehöre nun einmal nicht zu diesen Wissenden. Ich gebe die Möglichkeit zu, dass es so sei. Aber ich gebe sie nicht als Gewissheit aus.

Mit anderen Worten: Psychologie ist eine Erfahrungswissenschaft, und darf als solche keine metaphysischen Voraussetzungen machen. Wenn irgend etwas, so ist aber jene Identifikation Sache der über die Erfahrung hinausgehenden Metaphysik.

Oder will man mit jener Identifikation nur sagen, es lasse sich – nicht irgend ein isolirter psychischer Vorgang; solche isolirte psychische Vorgänge gibt es nicht, – sondern die einheitliche Persönlichkeit, das einheitliche Leben und Wesen eines Individuums, in seiner Einheit und Ganzheit, restlos aus den materiellen Gehirnvorgängen begreifen; man wisse mit wissenschaftlicher Gewissheit zu sagen, dass und wie es daraus und einzig daraus entstehe oder entstehen könne. – In der That kann ja jene Identifikation nur diesen Sinn haben. – Dann bekenne ich nicht nur wiederum mein Nichtwissen, sondern gehe sogar zu gelindem Zweifel über, d. h. ich gestehe, dass es mir allen Ernstes scheint, als läge das Geheimnis der Persönlichkeit etwas tiefer, als jene Gläubigen sich träumen lassen.

Angenommen aber auch, ich hätte nicht diese Scheu, für gewiss auszugeben, was ich nicht weiss, oder ich wäre so glücklich, zu solcher Scheu keinen Anlass zu haben, so gäbe es für mich immer noch gewisse *methodologische* Gründe, die Identifikation des unbewusst Psychischen mit irgendwelchem Physiologischen zu unterlassen. Nicht weniger als drei solche Gründe habe ich.

Vielleicht ist, was der *Physiker* den von *ihm* beobachteten Erscheinungen zu Grunde legt, in Wahrheit ein *Geistiges*. Diese Möglichkeit hindert den Physiker doch nicht, dasselbe zunächst physikalisch, d. h. aus seinen in der unmittelbaren *physikalischen* Erfahrung gegebenen Wirkungen zu bestimmen. Für ihn als Physiker kommt es eben nur nach seiner physikalischen Seite oder als ein Faktor in dem physikalischen Wirklichkeitszusammenhange in Betracht. Mit einem gewissen Stolz wird sich der Physiker zu solcher konsequenten Festhaltung seines physikalischen Standpunktes oder seiner rein physikalischen Betrachtungsweise bekennen. Es scheint mir, dass auch dem Psychologen etwas von diesem Stolze wohl anstände. Zum mindesten wird man es dem Psychologen nicht verargen dürfen, wenn er, ohne die Möglichkeit des Hinausgehens über die rein psychologische Betrachtungsweise überhaupt zu leugnen oder irgend Jemand das Recht dazu abzusprechen, für sein Teil zunächst darauf verzichtet.

Dazu kommt ein Anderes. Das Recht zu jener Identifikation setzt zweifellos voraus, dass man auf beiden Gebieten, dem psychologischen und dem physiologischen, heimisch sei. Es scheint mir aber, der Psychologe habe genug und übergenug zu thun mit seinen psychischen Thatsachen. Schon die einfache psychologische Beobachtung und Analyse ist eine eigene Kunst, die Niemandem von selbst in den Schooss fällt, die vielmehr immer nur durch gewissenhafte Uebung angeeignet werden kann. Gleichzeitig ist zu bedenken, dass der Umkreis der psychischen Thatsachen nicht erschöpft ist durch die paar Thatsachen, auf die wir manche Psychologien jetzt wohl sich beschränken sehen. Alles geistige Leben, wie es auch heissen möge, ob Denken und Erkennen, ästhetisches Verhalten, sittliches Bewusstsein oder wie sonst, verfällt, eben als geistiges oder psychisches, nothwendig der Psychologie. Und die Gebiete dieses geistigen Lebens können nicht auseinandergerissen werden, wenn nicht das Verständniss auf jedem derselben verkümmert werden soll. Man ist Psychologe ganz, d. h. in dem umfassendsten Sinne des Wortes, oder man ist in Gefahr, es gar nicht zu sein. Ist so innerhalb der Psychologie eine eigentliche Teilung der Arbeit ausgeschlossen, so ist umsomehr – abgesehen von besonders bevorzugten Geistern, deren Existenz ich ja gewiss nicht leugnen will – eine Trennung der psychologischen von der physiologischen Arbeit gefordert. Gewiss wird der Psychologe es nie unterlassen über physiologische Thatsachen sich belehren zu lassen. Aber er wird sich weigern dürfen, da selbst zu belehren, wo er die Verantwortung für die wissenschaftliche Gewissheit seiner Versicherungen Anderen überlassen muss.

Endlich der letzte Grund. Die Psychophysiologie unserer Tage wandelt durchaus und nothwendig in den Spuren der Psychologie. Die sog. physiologischen Erklärungen psychischer Erscheinungen sind die Uebersetzung wirklicher oder vermeintlicher psychologischer Erkenntniss aus der Sprache der Psychologie in die Sprache der Gehirnphysiologie. Eine physiologische Psychologie im eigentlichen Sinne, d. h. eine Einsicht in den Zusammenhang oder die Gesetzmässigkeit der psychischen Vorgänge, die erst auf Grund der Physiologie gewonnen würde, gibt es nicht. Wohl hat die Psychologie nicht selten durch das vorzeitige Schielen nach physiologischen Thatsachen oder Hypothesen, oder durch die voreilige Frage nach der Möglichkeit der Anknüpfung ihrer Thatsachen an physiologische Thatbestände den Blick für die psychologischen Thatsachen sich trüben, ja überhaupt von ernsthaftem Erfassen psychologischer Probleme sich abhalten lassen. Die schon oben berührte Mythologie der Körperempfindungen, die jetzt manche Gemüther so seltsam beherrscht und die wohl noch eine Zeitlang ihr Wesen treiben wird, scheint mir dieser Quelle zu entstammen. Ist es doch fast so, als hielten Einige jeden beliebigen, wenn auch noch so leeren physiologischen Begriff lediglich darum, weil er an Physiologisches erinnert, zur Lösung beliebiger psychologischer Räthsel geeigneter, als den noch so sicher nachweisbaren Zusammenhang psychologischer Thatsachen. – Indessen dies alles sind Jugendkrankheiten, die die Psychologie überwinden muss. Das Heil der Psychologie und damit zugleich das Heil der Psychophysiologie wird davon abhängen, dass die Psychologie sich mehr und mehr auf ihre eigenen Füsse stellt, durch nichts beirrt auf ihren eigenen Wegen ihren eigenen Zielen zustrebt. In dem Masse als sie dies thut, wird ihr die Psychophysiologie zu folgen, aber auch nur zu *folgen* vermögen, langsam, vorsichtig und jederzeit mit voller psychologischer Sachkenntniss. Vielleicht, dass dann auch das Unbewusste der Psychologie für sie greifbarere Gestalt gewinnt.

Der Begriff des Unbewussten in der Psychologie, so sagte ich oben, sei weder hypothesisch noch mystisch, sondern der Ausdruck für feststehende Thatsachen. Ich kann jetzt hinzufügen, dass er zugleich in sich schliesst den ausdrücklichen Verzicht auf metaphysische Annahmen in der Psychologie, die konsequente Festhaltung des psychologischen Standpunktes der Betrachtung, das bescheidene Bekenntnis des Nichtalles-Könnens, endlich die Ueberzeugung von der nothwendigen Führerschaft der reinen Psychologie in den Fragen der Psychophysiologie.

Im Uebrigen: Sehe Jeder, wie er's treibe. Sei aber zugleich Jeder sich bewusst, dass erspriessliches Zusammenarbeiten auf dem Gebiete der Psychologie nicht gefördert wird durch den Streit gegen Namen, oder die Verurteilung bezw. den Lobpreis von Richtungen und Standpunkten, wohl aber durch gewissenhafte Prüfung der behaupteten Thatsachen und ihrer wissenschaftlichen Verwertung.

Quellenverzeichnis

Friedrich Wilhelm Joseph Schelling: *Zur Geschichte der neueren Philosophie.* Aus: *Friedrich Wilhelm Joseph Schellings Sämmtliche Werke*, hrsg. von K. F. A. Schelling, Stuttgart 1856–1861, I. Abtheilung, Bd. 10, S. 92ff.

ders.: *System des transscendentalen Idealismus.* Aus: *Sämmtliche Werke*, I. Abtheilung, Bd. 3, S. 594 und 612ff.

Johann Wolfgang Goethe/Friedrich Schiller: *Briefwechsel.* Aus: *Der Briefwechsel zwischen Schiller und Goethe*, hrsg. von Siegfried Seidel, München 1984, 2. Bd., S. 364ff.

Jean Paul: *Vorschule der Ästhetik.* Aus: Jean Paul: *Werke*, hrsg. von Norbert Miller, München 1963, Bd. 5, S. 60.

ders.: *Selina.* Aus: *Werke*, Bd. 6, S. 1163f. und 1181ff.

Johann Friedrich Herbart: *Lehrbuch zur Psychologie.* Aus: *Johann Friedrich Herbart's Sämtliche Werke*, hrsg. von Karl Kehrbach, Langensalza 1891, 4. Bd., S. 369ff.

ders.: *Psychologie als Wissenschaft neu gegründet auf Erfahrung, Metaphysik und Mathematik.* Aus: *Sämtliche Werke*, 5. Bd., S. 201f.

Arthur Schopenhauer: *Die Welt als Wille und Vorstellung.* Zweiter Band. Aus: *Arthur Schopenhauers Werke in fünf Bänden.* Nach den Ausgaben letzter Hand hrsg. von Ludger Lütkehaus, Zürich 1988, 2. Bd., S. 154ff., 232ff., 380ff., 464ff., 592ff., 620ff., 637f.

ders.: *Parerga und Paralipomena.* Aus. *Werke*, 4. Bd., S. 217ff., und 5. Bd. S. 518.

Carl Gustav Carus: *Psyche.* Aus: Carl Gustav Carus: *Psyche. Zur Entwicklungsgeschichte der Seele*, hrsg. von Rudolf Marx, Leipzig o. J., S. 1ff, 61ff., 262f., 283ff., 293f., 375, 429ff., 459.

Karl Fortlage: *System der Psychologie als empirischer Wissenschaft aus der Beobachtung des innern Sinnes.* Aus: Karl Fortlage: *System der Psychologie...*, Zweiter Theil, Leipzig 1855, S. 1ff. Neudruck, hrsg. und eingeleitet von Ludger Lütkehaus, Aalen 1989.

Gustav Theodor Fechner: *Elemente der Psychophysik*, Zweite Auflage, Leipzig 1889, Bd. 2, S. 437ff. 519ff.

Immanuel Hermann Fichte: *Psychologie.* Aus: Immanuel Hermann Fichte: *Psychologie. Die Lehre vom bewussten Geiste des Menschen, oder Entwicklungsgeschichte des Bewusstseins, begründet auf Anthropologie und innerer Erfahrung*, Leipzig 1864, Teil 1, S. 80ff., 102f., 162ff.

Eduard von Hartmann: *Philosophie des Unbewussten.* Aus: Eduard von Hartmann: *Philosophie des Unbewussten. Speculative Resultate nach inductiv-naturwissenschaftlicher Methode*, 12. Auflage, Leipzig 1923, Erster Teil: Phänomenologie des Unbewussten, S. 13 ff. Zweiter Teil: Metaphysik des Unbewussten, S. 3 ff. Neudruck, hrsg. und eingeleitet von Ludger Lütkehaus, Hildesheim 1989.

Friedrich Nietzsche: *Jugendschriften.* In: *Werke und Briefe, Historisch-kritische Gesamtausgabe*, Werke, 2. Bd., Jugendschriften 1861–1864, hrsg. von Hans Joachim Mette, München 1934, S. 60 ff.

ders.: *Morgenröthe. Gedanken über die moralischen Vorurtheile.* In: *Sämtliche Werke. Kritische Studienausgabe in 15 Bänden*, hrsg. von Giorgio Colli und Mazzino Montinari, München 1980, Bd. 3, S. 107 ff.; *Werke*, hrsg. von Karl Schlechta, München [2]1960, Bd. I, S. 1090 ff., 1093 ff., 1096, 1098 ff.

ders.: *Die fröhliche Wissenschaft.* In: *Sämtliche Werke*, Bd. 3, S. 380 ff., 590 ff.; *Werke*, Bd. II, S. 42 ff., 219 ff., 225 ff.

ders.: *Also sprach Zarathustra.* In: *Sämtliche Werke*, Bd. 4, S. 39 ff.; *Werke*, Bd. II, S. 300 f.

ders.: *Jenseits von Gut und Böse.* In: *Sämtliche Werke*, Bd. 5, S. 17, 29 ff., 86 f.; *Werke*, Bd. II, S. 569, 579 ff., 625 ff.

ders.: *Zur Genealogie der Moral.* In: *Sämtliche Werke*, Bd. 5, S. 291 f.; *Werke*, Bd. II, S. 799 f.

ders.: *Nachgelassene Fragmente.* In: *Sämtliche Werke*, Bd. 7, S. 75, 116; Bd. 10, S. 653 ff.; Bd. 12, S. 15, 17, 26, 29 f., 107 f., 205, 294, 419; Bd. 13, S. 53 ff., 67 f., 330 ff., 458 ff. Erstmals abgedruckt in: *Werke. Kritische Gesamtausgabe*, hrsg. von Giorgio Colli und Mazzino Montinari, Berlin (Walter de Gruyter) 1967 ff., Abt. 3, Bd. 3; Abt. 7, Bd. 1; Abt. 8, Bd. 1, 2, 3.

Theodor Lipps: *Der Begriff des Unbewussten in der Psychologie.* Aus: *Acten des dritten internationalen Congresses für Psychologie in München 1896*, München 1897, S. 146–164.

Bitte umblättern:

Philosophie

Elias Canetti
Masse und Macht
Band 6544

Hans-Georg Gadamer (Hg.)
Philosophisches Lesebuch
3 Bände: 6576 / 6577 / 6578

Max Horkheimer
Gesellschaft im Übergang
Aufsätze, Reden und Vorträge 1942–1970. Werner Brede (Hg.)
Band 6545
Sozialphilosophische Studien
Aufsätze, Reden und Vorträge 1930–1972. Werner Brede (Hg.)
Band 6540
Zur Kritik der instrumentellen Vernunft
Band 7355

Martin Jay
Dialektische Phantasie
Die Geschichte der Frankfurter Schule und des Instituts für Sozialforschung. Band 6546

Susanne K. Langer
Philosophie auf neuem Wege
Das Symbol im Denken, im Ritus und in der Kunst
Band 7344

Joachim Schickel
Philosophie als Beruf
Band 7315

Karl Marx / Friedrich Engels
Studienausgabe
Iring Fetscher (Hg.)
Philosophie
Bd. 1 / 6059
Geschichte und Politik
Bd. 3 / 6061
Geschichte und Politik 2
Bd. 4 / 6062

Bertrand Russell
Das ABC der Relativitätstheorie
Band 6579
Moral und Politik
Band 6573
Philosophie
Die Entwicklung meines Denkens
Band 6572

Hans Joachim Störig
Kleine Weltgeschichte der Philosophie
Band 6562

Carl Friedrich von Weizsäcker
Der Garten des Menschlichen
Beiträge zur geschichtlichen Anthropologie. Band 6543

Charles Whitney
Francis Bacon
Die Begründung der Moderne
Band 6571